MINISTERO DELLA PUBBLICA ISTRUZIONE

DIREZIONE GENERALE DELLE ANTICHITÀ E BELLE ARTI

CATALOGHI DEI MUSEI E GALLERIE D'ITALIA

ISTITUTO POLIGRAFICO DELLO STATO

LIBRERIA DELLO STATO

PAOLA DELLA PERGOLA

GALLERIA BORGHESE

I DIPINTI

VOL. I

ISTITUTO POLIGRAFICO DELLO STATO
LIBRERIA DELLO STATO

Stampato in Italia - Printed in Italy

(2200197) Roma, 1955 – Istituto Poligrafico dello Stato P. V.

PREMESSA

LA STORIA della formazione della Galleria Borghese è la storia di una grande famiglia che assurse a potere quasi regale e divenne padrona di un territorio vasto quanto il Lazio, espanso oltre Roma, fino alle Marche e all'Umbria. La sua potenza ebbe inizio con l'ascesa al trono pontificio di Camillo Borghese, quartogenito di Marcantonio e Flaminia Astalli, che prese il nome di Paolo V e, venuto dopo una serie di pontefici dal brevissimo regno, ebbe la ventura di rimanere sulla cattedra di S. Pietro per ben sedici anni. Giunti da Siena a Roma alla fine del '500, Marcantonio ed i suoi possedevano un appezzamento di terreno oltre la Porta Pinciana, e un piccolo numero di opere d'arte, dipinti toscani e qualche scultura antica, che costituirono il primo nucleo attorno al quale doveva svilupparsi la grandiosa collezione di Scipione, figlio di Ortensia, sorella del nuovo pontefice, sposata Caffarelli.

Accumunati nell'amore per l'arte e nella visione generosa del potere, Paolo V e Scipione, divenuto Cardinale, iniziarono la raccolta secondo un piano condotto nel senso delle loro predilezioni. I grossi volumi d'Archivio, che riportano i conti e le note di spesa dalla fine del '500 a tutto l'800, illuminano la formazione di questa eccezionale raccolta come il frutto di una esperienza d'arte tra le più notevoli che siano pervenute, e in se stessa un'opera d'arte. La Palazzina e il Parco in cui si trasformò la « Vigna Vecchia », sorgono e si sviluppano all'unisono con la raccolta dei dipinti e delle sculture, cercate, richieste e comperate nel gusto di un collezionista che sopratutto amava guardarsi attorno, tra gli artisti contemporanei che egli intuiva con raffinatezza sottile, libero da ogni pregiudizio, e così avveduto da non lasciarsi sfuggire il riprovevole Caravaggio e l'ancora immaturo Bernini.

Il piano architettonico del Parco venne affidato a Flaminio Ponzio, che ebbe a collaboratore, e poi successore, il Vasanzio anche nella Palazzina. Giovanni Lanfranco fu chiamato a decorare la volta della grande loggia che

5

si apriva ad occidente; Tommaso della Porta, mercante antiquario oltre che scultore, fornì il primo importante gruppo di marmi antichi; numerosi opuscoli, che potremmo chiamare « cataloghi di vendita », attestano quanto vasto fosse l'orizzonte in cui spaziava la ricerca di Scipione Borghese. Oltre al Bernini e al Caravaggio, l'Algardi, Domenichino, l'Albani e i Carracci, il Tiarini, Lavinia Fontana e il Grimaldi, il Viola, il Turchi, lo Spada e il turbolento Cavalier d'Arpino, il Baglione e il Cigoli, furono chiamati per dare le loro opere, e spesso furono intermediari per offerte altrui. Tanto questo gruppo di artisti, come i mercanti e i non meno interessati principi e cardinali che da ogni parte d'Italia e d'Europa inviavano doni ed offerte, muovevano in quella direzione ben definita da Scipione, fin dal primo momento delle sue ricerche. Le opere dovevano essere del '500 e dei primissimi anni del '600, le scuole limitate a quelle del manierismo tosco-romano, ai veneti, agli emiliani. Di ogni artista, più opere, selezionate così da avere un panorama completo delle varie fasi della sua produzione, e questo per Tiziano, per il Veronese, per Dosso Dossi, e certamente non a caso. L'acquisto dal Cardinale Sfondrato, nel 1608, coincide con questo momento, il più intenso e felice per la raccolta, e contemporaneamente l'avvio è dato alle decorazioni della Palazzina e alla sistemazione del giardino. Nel 1633, alla morte di Scipione, il profilo della collezione e del prezioso scrigno destinato a racchiuderla, era definito in modo completo.

Due grandi confluenze per eredità non portarono mutamenti sostanziali; anche le predilezioni del Cardinale Salviati e di Lucrezia d'Este duchessa d'Urbino volgevano ai toscani e agli emiliani. Entrambe queste eredità erano giunte agli Aldobrandini, e agli Aldobrandini era pervenuta la più importante collezione del Cardinale Ippolito che aveva saputo raccogliere con altrettanto gusto e interesse. Il matrimonio di Olimpia Aldobrandini con Paolo Borghese fece entrare così nella famiglia opere di eccezionale interesse (basti citare il « Ritratto d'Uomo » di Antonello, la « Madonna dei Candelabri » di Raffaello, l'« Autoritratto » di Lorenzo Lotto) e una parte di esse vi rimase di diritto quando, nel 1682 i due figli di Olimpia, G. B. Borghese e G. B. Pamphili divisero i beni materni. Alla fine del '600 la collezione, così arricchita, era intatta, e di una grandiosità insuperata. Le « Tre Grazie » oggi a Chantilly, il « Sogno del Cavaliere » e la « S. Caterina » della National Gallery di Londra, di Raffaello; la « Cena in Emmaus » e il « Ragazzo morso dal ramarro » del Caravaggio; il « Noli me tangere » di Annibale Carracci e la Madonna di Manchester si aggiungevano all'incomparabile gruppo

Il Salone del Lanfranco nei primi anni del '900

La Sala XIX nell'ordinamento del 1953

La Sala X nell'ordinamento del 1938

delle opere berniniane, ai Tiziano, ai Raffaello, ai Caravaggio tuttora esistenti, alla scelta documentaria dei contemporanei, alle sculture antiche, quasi tutte ora al Louvre.

Con l'inizio del '700 la Villa e la collezione d'arte vengono trascurate. Il ramo Aldobrandini è piuttosto interessato verso le terre e i cavalli. Se spese di « artisti » vengono notate nei Libri Mastri, sono « per il ritratto di un cavallo chiamato Stupore ... » « per il ritratto di un cavallo chiamato Meraviglia... ». Alla fine del secolo si accende un momento di nuovo interesse, ma in due aspetti, di cui l'uno del tutto negativo. La ventata rivoluzionaria che giunge dalla Francia e riempie di terrore i nobili tutti d'Europa, reca con sè, come sempre, una calata di astuti mercanti che riescono ad impadronirsi facilmente dei tesori delle collezioni romane. Il Fry che veniva dall'Inghilterra, e il Durand, francese, seppero scegliere dai Borghese un gruppo di opere di cui è rimasto il malinconico elenco. Nello stesso tempo sparivano tutte le cornici del '600, commesse da Scipione Borghese a G. B. Soria e ad Annibale Durante, mentre, un poco più tardi, la Repubblica Romana imponeva la consegna alla Zecca, per la fusione, di tutti gli argenti. Ultima calamità, nella storia della collezione, l'infelice matrimonio di Camillo Borghese con Paolina Bonaparte, che mise il principe nella condizione di non poter resistere all'imposizione napoleonica di cedere alla Francia i più importanti monumenti della scultura antica. Ma negli stessi anni in cui le conseguenze della rivoluzione francese si ripercuotevano in modo così grave sulla collezione, Marcantonio Borghese iniziava un totale rifacimento della Palazzina, che doveva avere profondamente risentito di tanto lungo abbandono. L'Asprucci e poi il Canina ne furono gli architetti, così per il rinnovamento delle sale, che per le opere del Parco. Le pareti del pianoterreno, che nel Seicento erano rivestite di cuoi sbalzati e dipinti, furono ricoperte di marmi preziosi, e i maggiori artisti del tempo furono chiamati per le decorazioni delle sale e delle volte. Solo la Loggia del Lanfranco rimase di tutta la decorazione seicentesca, ma anch'essa venne trasformata in sala chiusa, e il Corvi ne completò gli affreschi nelle nuove pareti e nelle lunette. Per il resto l'Unterberger, il De Maron, il De Angelis, Felice Giani, il Marchetti, il Pacetti, Agostino Penna, il Rudiez, il Lapis, distesero ovunque fregi e rilievi, in una sontuosità del tutto nuova. Anche i camini in travertino della prima costruzione borghesiana cedettero al fasto dei nuovi, in cui il gioco dei marmi preziosi si unisce alla varietà dei colori. Ma su tutte le sale, esemplare del gusto neo-classico, doveva essere quella interamente composta da Gavino Hamilton, che nella volta e in tre grandi tele parietali narrava le storie di Elena e Paride. Due nicchie laterali contenevano le statue dei protagonisti, scolpite da Agostino Penna, e la ricostruzione di questa sala, condotta sui documenti e sulle opere dalla dottoressa Ferrara in uno studio di prossima pubblicazione, riveste un particolare interesse. Un nuovo aspetto neo–classico mutò l'interno della Palazzina in ogni oggetto. Anche i mobili, portati forse da Camillo dalla sua residenza piemontese, ne rimangono testimoni. Gavino Hamilton fu anche tramite di alcuni acquisti di dipinti, altri ne fornì l'Asprucci, alcuni passarono ai Borghese da un vitalizio fatto con lo scultore Cavaceppi; ma i più importanti, tra cui la « Susanna » dell' Honthorst, vennero venduti da Giovanni De Rossi. Con la « Danae » del Correggio e la statua di Paolina commessa al Canova, Camillo Borghese riscattò in parte la decurtazione che fu costretto a operare nella raccolta, e sono queste le due ultime opere eccezionali entrate nella Galleria prima del passaggio allo Stato. La costituzione del Fidecommisso nel 1833, voluta dal principe Francesco Aldobrandini, il quale aveva già cercato di colmare i vuoti lasciati dalle sculture antiche, fermò ogni altra possibile dispersione. E fu atto previdente, perchè le successive vicende della famiglia, alla fine del secolo, non avrebbero mancato di ripercuotersi nella raccolta.

Nel 1902, dopo lunghe trattative, lo Stato acquistava la Villa, la Palazzina, tutte le opere in essa contenute, cedendo al Comune di Roma il Parco, per quell'uso del Popolo Romano che era stato motivo di un curioso processo contro Marcantonio Borghese. Dal 1902 le vicende della collezione riflettono piuttosto quelle delle personalità preposte alla sua direzione. Primo direttore fu Giovanni Piancastelli che ricopriva tale carica già presso i Borghese. Uomo candido e mite, appassionato delle opere tra cui viveva, ne ricercò la storia raccogliendo con cura ogni notizia, disegno, memoria, in un inizio di archivio che fu base ad Adolfo Venturi per il *Catalogo* del 1893. In questa sua ricerca si trovò ad urtare contro la gelosia dell'archivista Passerini, che difese da ogni sguardo curioso il ricchissimo archivio di famiglia, e solo passò qualche documento al Piancastelli. Ma questi annotò anche i giudizi orali del Morelli, del Bode, di Adolfo Venturi, del Frizzoni, di Corrado Ricci, e compilò un primo schedario nel 1891, tenendolo aggiornato fino al momento in cui si ritirò nella nativa Bologna.

Nel 1906 gli succedeva Giulio Cantalamessa, già direttore delle Gallerie di Venezia. Di altro temperamento e formazione, la sua presenza si riflette nella storia della Galleria con insolito vigore. La lotta che egli dovette

8

sostenere per l'acquisto del « Tobiolo e l'Angelo » di Savoldo, contro tutti, se amareggiò la sua vita, assicurò alla Galleria un capolavoro degno di stare accanto ai massimi lasciati da Scipione Borghese. Uomo ancora dell'800, egli mantenne alla Palazzina l'aspetto di una nobile villa privata di quel secolo, con i divani elicoidali imbottiti, le pareti sovracariche di quadri, i lampadari pendenti dai soffitti. Tale aspetto rimase anche quando la Direzione passò ad Achille Bertini–Calosso, con cui, per la prima volta, fu tentata una critica discriminatrice delle opere, in parte sfoltite dalle sale e poste nei depositi. Egli iniziò anche un'ampia campagna fotografica che assicurò per oltre metà la documentazione dei dipinti e delle sculture, e con la generosità abituale assecondò le richieste del Longhi, che in quegli anni veniva compiendo le sue ricognizioni sulla Galleria Borghese, pubblicandole in *Vita Artistica* (1927) e l'anno seguente in volumetto.

Non vi è studioso della Galleria Borghese che possa ignorare i contributi fondamentali recati dal Longhi con quegli studi, precorrendo con geniale intuizione, molte volte, quanto i documenti oggi confermano. Indicando nelle fonti d'archivio il primo naturale riferimento per uno studio sistematico, egli ha indirizzato le nostre odierne ricerche verso quella ricchissima miniera d'informazione e di documentazione che è l'archivio ancora appartenente alla Famiglia, e che il Principe Flavio e Don Virginio Borghese ci hanno nobilmente concesso, per la prima volta, di consultare a fondo.

Nel 1934 la Direzione passava ad Aldo De Rinaldis, che aveva già avuto l'esperienza dell'ordinamento e del catalogo della Pinacoteca di Napoli, e della Corsini di Roma. L'eccezionale cultura e il gusto raffinato di cui era dotato, lo attrassero naturalmente verso tutti gli aspetti dei Seicento, oltre quel gruppo di opere con cui visse in quotidiano contatto, e riversò in un libro di grande interesse, *L'arte in Roma dal '600 al '900*, i suoi studi sulla Galleria Borghese. All'inizio della sua carica portò a fondo il recupero della « Giovane donna con Liocorno », segnalata dal Longhi come opera di Raffaello, e dopo la forzata stasi degli anni di guerra riaprì la Galleria in una mostra memorabile dei capolavori convenuti a Roma, per protezione, nel 1940. Tale mostra gli permise di esprimere i suoi intendimenti museografici, per gran parte conservati nell'odierno ordinamento: lo sfoltimento delle opere e il loro raggruppamento per scuole, così particolarmente adatto al carattere della collezione. Nel 1938 egli aveva ricoperto le pareti di tende Fortuny e di velluti scuri, che riflettevano il gusto del tempo, oltre che il

9

suo particolare; ma che, secondo il suo orientamento, dovevano porre nel massimo valore l'opera d'arte, isolandola dalla naturale distrazione di tutta la decorazione delle pareti, degli zoccoli, dei soffitti. Tale criterio non ci è sembrato così assoluto, e nel recente restauro generale di tutta la Palazzina si è inteso anche ripristinare quei valori decorativi che sono uno degli aspetti della sua arte, e in questo caso, non secondario. Così al concetto di fare della Galleria Borghese una galleria di capolavori, includendovi le opere della Corsini e alcune della Provincia, e togliendo quanto non di primissimo piano, si è preferito ripristinare il nucleo fidecommissario e ricostruire la raccolta « storica », sia pure divisa in quella parte di maggiore importanza artistica, che è esposta al pubblico, e in quella riservata agli studiosi, che trova posto nei nuovi depositi.

Non sembri strano parlare di questo nella prefazione di un catalogo di dipinti. L'aspetto raro di questa collezione è che non può essere scissa dall'ambiente che la contiene. Sorti insieme per volontà di un grande spirito illuminato nell'amore per l'arte, hanno partecipato delle stesse vicende, e quando i dipinti hanno emigrato nel Palazzo in Campo Marzio o, con Camillo Borghese a Parigi, il loro ritorno nella Palazzina della « Vigna fuori Porta Pinciana » è sempre stato un naturale ritorno a casa. In questo senso si è anche inteso svolgere tutte le opere di studio, di restauri, di rinnovamento, condotte dal 1948 ad oggi.

10

AVVERTENZE

1. – *La divisione per scuole del* Catalogo *risponde al criterio informatore di questa serie di* Cataloghi *pubblicati dal Ministero della Pubblica Istruzione. Negli indici diamo l'indice alfabetico per gli autori, l'indice per soggetti dei dipinti compresi nel presente volume, e l'indice numerico d'inventario corrispondente al* Catalogo del Venturi del 1893 *e alle* Precisioni del Longhi del 1928, *nonchè alla numerazione tuttora esistente e corrispondente a quella di tutti gli inventari della Galleria dal 1891 ad oggi. Tale numerazione in rispondenza a quella progressiva del presente* Catalogo, *potrà agevolare i riferimenti a tutti gli studi precedenti.*

2. – *Gli Archivi Borghese citati sono tre:*

a) *L'Archivio Borghese conservato dal 1891 nell'Archivio Segreto Vaticano e indicato come: Archivio Segreto Vaticano, Fondo Comune Borghese, e con le sigle A. C. B. V.*

b) *L'Archivio Borghese tuttora appartenente al Principe Borghese e depositato dal 1936 nell'Archivio Segreto Vaticano, e indicato come: Archivio Segreto Vaticano, Fondo Segreto Borghese, e con le sigle: A. S. B. V.*

c) *I documenti raccolti e conservati nella Galleria Borghese, e indicati come: Archivio della Galleria Borghese, e con le sigle: A. G. B.*

3. – *I riferimenti ai documenti e agli inventari vengono fatti, per i primi nel testo, per i secondi nella bibliografia, secondo l'anno a cui si riferiscono. Nella bibliografia generale viene data la loro esatta collocazione negli Archivi. Es. A. S. B. V. 1622 = Archivio Segreto Vaticano, Fondo Borghese, busta 4170, anno 1622, 13 ottobre. Ancora: Inv. Olimpia Aldobrandini 1682 = 1682. Inventario per la divisione dei beni tra il Principe G. Batta Borghese e il Principe G. Batta Pamphili. Archivio Segreto Vaticano, Fondo Borghese, busta 34.*

4. – *Per gli inventari, alcuni hanno la numerazione progressiva a pagina e in tal caso si è citata la pagina. Es. Inv. Fid., 1833, p. 16. Altri non hanno numerazione, e si è citata la stanza in cui è collocata l'opera e il suo numero d'ordine in quella stanza. Es.: Inv., 1693 St. V n. 14. Altri ancora non hanno alcuna suddivisione interna, e si sono citati globalmente. Questo caso però è limitato al solo inventario di Olimpia Aldobrandini, del 1682.*

5. – *Si è posto nel testo non solo la citazione archiviale dei documenti, ma anche la bibliografia relativa non già all'opera di cui si tratta, ma ai suoi riferimenti. Nella bibliografia di ogni scheda la bibliografia che si riferisce all'opera stessa, nell'edizione o edizioni consultate. Nella bibliografia generale si è aggiunta, per quelle opere che abbiano più edizioni, l'edizione originale, cui rimanda l'anno tra parentesi nella bibliografia di ogni scheda. Per alcune opere, come ad es. il Vasi, o il Berenson, a cui a diverse edizioni corrispondono diverse attribuzioni o indicazioni di dipinti, si è citata nella scheda, volta a volta, l'edizione in cui si trovano gli esatti riferimenti; nella bibliografia generale tutte le edizioni consultate. I dizionari, come il Thieme e Becker e l'*Enciclopedia Italiana, *sono citati per lo più solo nella bibliografia generale.*

6. – *Nello svolgimento della scheda si è tenuta presente, accanto alla valutazione critica nei vari momenti, la storia dell'opera in rapporto alla sua appartenenza alla Collezione Borghese, così da poter ricostruire, attraverso le provenienze e le dispersioni, l'intera vicenda della raccolta.*

7. – *I restauri sono indicati con l'anno di esecuzione e il nome del restauratore. Tra parentesi, il nome del direttore della Galleria che li ha fatti eseguire. Dal 1949 in poi s'intendono condotti sotto l'attuale direzione.*

8. – *In questo primo volume sono compresi tutti i pittori dell'Italia Settentrionale e Meridionale. Quelli che rientrano nella cultura dell'Italia Centrale (Roma e Toscana), ivi compresi Raffaello e Caravaggio, e il gruppo degli Stranieri, faranno parte del secondo volume.*

9. – *Le misure sono date in metri. La prima misura riguarda l'altezza del dipinto.*

10. – *Di regola la successione delle schede corrisponde a quella delle illustrazioni; quando ciò non avvenga sia nella scheda sia nell'illustrazione sono dati i precisi riferimenti. La fotografia rispondente alla scheda 182 non è stata eseguita (cfr. scheda) e il numero non compare nelle illustrazioni.*

11. – *I riferimenti di tutti gli indici sono fatti alle schede in numero progressivo. Solo quelli dell'indice generale sono fatti alle pagine.*

CATALOGO

FRANCESCO ALBANI.

Bologna 1578 – Bologna 1660.

1. - VENERE NELLA FUCINA DI VULCANO (inv. n. 35).
Olio su tela: diam. 1,54.
Fot.: Alinari 27485; Brogi 15930; Chauffourier 4084; Moscioni 21155; Gab. Fot. Naz. E 32711.

2. - L'ACCONCIATURA DI VENERE (inv. n. 40).
Olio su tela: diam. 1.54.
Fot.: Alinari 27484; Anderson 3117; Brogi 15866; Chauffourier 4085; Moscioni 21156.

3. - VENERE E ADONE (inv. n. 44).
Olio su tela: diam. 1,54.

Esposto nel 1922 alla Mostra del Seicento a Firenze.
Fot.: Alinari 27486; Anderson 3118; Brogi 15867; Chauffourier 4086; Moscioni 21158.

4. - TRIONFO DI DIANA (inv. n. 49).
Olio su tela: diam. 1,54.
Fot.: Alinari 27487; Brogi 15932; Chauffourier 4087; Arch. Fot. Vat. XXIII–22–20 (già Moscioni 21159); Gab. Fot. Naz. E 32722.

Conservazione discreta. Nel 1937 Carlo Matteucci (direttore Aldo De Rinaldis) eseguì un consolidamento generale del colore e procedette ad una profonda pulitura, con la rimozione di vecchi restauri alterati. Le quattro tele avevano sofferto nel trasporto da Parigi a Roma, nel 1816, a causa di infiltrazioni di umidità.

Furono acquistate dal Cardinale Scipione Borghese, tramite il suo tesoriere Cardinale Pignatelli, nel 1622. Il 13 ottobre di quell'anno, infatti, viene presentato un conto da Annibale Durante, doratore, per: « Tre cornici tonde fatte a festoni intagliati a frutta quali servono alli tre quadri dell'Albano di diametro pmi... incirca mta sc. 100.

« Per haver indorato le sud.te Tre Cornici intagliate a festoni a oro brunito diametro pmi 9 inc.a in faccia sc. 95.

« Per l'azzurro oltremare dato per la Pittura del sud.ti quadri pag.ti d'ordine del Sig.r Card.le Pignatelli da me in sc. 18 » (A. S. B. V. 1622. Cfr. Bibl. gen., Documenti, n. 22).

Il quarto dipinto deve essere stato eseguito ugualmente in quel tempo. Le quattro scene formavano la cosidetta « Historia d'Amore », in cui veniva narrata la rivalità tra Venere e Diana, e il trionfo di questa. Un grande successo arrise a quest'opera fin dal suo apparire e repliche variate ne sono i tondi con rappresentazione degli « Elementi », nella Pinacoteca di Torino, e la « Danza degli Amori », oggi a Brera. Incise dal Baudet.

BIBL.: Manilli, 1650, p. 104; Scannelli, *Microcosmo*, 1657, p. 365; Malvasia, *Felsina*, 1678 (1844), p. 156; Montelatici, 1700, p. 365; *Inv.*, 1700 c. (De Rinaldis, in *Archivi*, 1936, p. 199); Rossini, *Mercurio* (1693), 1725, p. 38; Passeri – Hess, *Vite*, 1772 (1934), p. 285; Lanzi, *Storia* (1789), 1809, V, p. 103; Nibby, *Itinerario*, 1827, II, p. 423; Bolognini – Amorini, *Vite* (1841), 1843, p. 51; Piancastelli, *Ms.*, 1891, p. 198; A. Venturi,, *Cat.* 1893, p. 51; *Mostra Seicento*, 1922, p. 19; Longhi, *Precisioni*, 1928, p. 179; Galassi Paluzzi, in *Roma*, 1928, p. 262; Kletzl, in *Belvedere*, 1931, p. 152; Poglayen – Neuwall, in *Art Bull.*, 1934, p. 377; Boschetto, in *Proporzioni*, 1948, II, pp. 129 – 130; De Rinaldis, *Cat.*, 1948, p. 59; Della Pergola, *Itin.*, 1951, p. 38; Petrucci, *Cat.*, 1953, pp. 22, 133.

15

BATTISTA DI DOSSO (Giovan Battista Luteri).

Ferrara: notizie dal 1517 – Ferrara 1548.

5. – RIPOSO NELLA FUGA IN EGITTO (inv. n. 245).

Olio su tavola: 0,46 × 0,59.

Conservazione buona. È stato pulito nel 1950 da Alvaro Esposti. Le giunte settecen-
tesche ai lati, già lamentate dal Longhi nel 1928, erano state tolte in epoca imprecisata.
Provenienza indeterminata.

Può sembrare difficile identificare questa tavola con il « Riposo in Egitto » del
Barocci, citato dal Vasi, ma ancora uno strano mutamento di attribuzione subì negli *Elenchi Fidecommissari*, dove è indicata come « Madonna, Bambino e S. Giuseppe » di Benvenuto Garofalo. Il Morelli fece giustamente il nome di Battista di Dosso e, sebbene non
compresa negli elenchi del Berenson, l'attribuzione fu accolta dal Gardner, dal Gruyer,
dal Venturi, dal Longhi. Lo Zwanziger l'assegna invece a Dosso Dossi. È molto vicina
alla « S. Famiglia » di Oldenburg e a quella di Bergamo, ormai ascritte concordemente a
Battista. Il taglio della composizione, con la rovina a destra e il paese tutto aperto di lato,
può far pensare a una derivazione correggesca, dalla « Natività » di Brera.

Fu esposta nel 1933 alla Mostra della Pittura Ferrarese, a Ferrara.

BIBL.: Vasi, *Itinerario*, 1794 (cfr. 1786), p. 317; *Inv. Fid.*, 1833, p. 52; Piancastelli, *Ms.*, 1891, p. 150;
Morelli, *Pittura It.*, 1897, p. 219; A. Venturi, *Cat.*, 1893, p. 135; Gruyer, *Art Ferrarais*, 1897, p. 286;
Gardner, *Painters of Ferrara*, 1911, p. 234; Zwanziger, *D. D.*, 1911, p. 63; Mendelsohn, *D.*, 1914, pp. 150–
151; Longhi, *Precisioni*, 1928, p. 200; *Mostra Ferrarese*, 1933, p. 172; Longhi, *Officina*, 1934, pp. 149, 217;
A. Venturi, *Storia*, IX, 3, 1928, p. 977; De Rinaldis, *Itin.*, 1939 (cfr. 1935), p. 46; Della Pergola, *Itin.*,
1951, p. 52.

Fot.: Anderson 3575; Brogi 15889; Arch. Fot. Vat. XXX–55–16 (tutte prima della pulitura): Gab.
Fot. Naz. E 32733 (dopo la pulitura).

6. – PRESEPE (inv. n. 215).

Olio su tavola: 0,44 × 0,29.

Il dipinto si presenta molto annerito.

Proviene con molta probabilità dall'eredità di Lucrezia d'Este, duchessa d'Urbino,
nel cui Inventario del 1592 sono elencati più volte dipinti rappresentanti Presepi, attribuiti
ai Dossi, al Garofalo, o lasciati anonimi. L'eredità della duchessa d'Urbino pervenne agli
Aldobrandini alla fine del Cinquecento, e attraverso Olimpia Aldobrandini, per il matrimonio di questa, ai Borghese.

Dall'*Inventario* del 1790 al *Fidecommisso* del 1833, e poi fino alle schede del Piancastelli, questa piccola tavola reca l'attribuzione al Garofalo. Il Venturi fece per primo il
nome di Battista di Dosso, e pensò ad un bozzetto per un quadro maggiore, ma sembra
piuttosto una creazione fine a se stessa. Il Berenson la vide come opera di collaborazione
tra i due fratelli; il Gardner, lo Zwanziger, il Longhi, il De Rinaldis, mantennero il nome
di Giovanni Battista.

BIBL.: *Inv. Lucrezia d'Este*, 1592; *Inv.*, 1790, St. IX, n. 37; *Inv. Fid.*, 1833, p. 8; Platner, *Beschreib.
Rom*, 1842, III, p. 277; Piancastelli, *Ms.*, 1891, p. 130; A. Venturi, *Cat.*, 1893, p. 127; Morelli, *Pittura
It.*, 1897, p. 217; Gruyer, *Art Ferrarais*, 1897, p. 286 Gardner, *Painters of Ferrara*, 1911, p. 234; Zwanziger,
Dosso, 1911, pp. 80–81; Mendelsohn, *Dosso*, 1914, p. 155; Longhi, *Precisioni*, 1928, p. 197; Berenson,
Pitture It., 1936, p. 149; Longhi, *Ampliamenti*, 1940, p. 40; De Rinaldis, *Cat.*, 1948, p. 82; Della Pergola,
Itin., 1951, p. 53.

Fot.: Alinari 17386; Arch. Fot. Vat. XXX–80–7 (già Moscioni 21226); Gab. Fot. Naz. E 33293.

16

7. - PSICHE TRASPORTATA ALL'OLIMPO (inv. n. 184).

Olio su tavola: 0,92 × 0,75.

Conservazione buona. Una leggera fenditura trasversale, lungo la figura di Psiche, non altera il dipinto. È stato pulito nel 1950 da Alvaro Esposti.

Provenienza indeterminata.

Nell'*Inventario* del 1693 è così citato: « Donna che la sollevano due Angeli con un vaso in mano di Raffaello d'Urbino », e in quello del 1790: « Venere sostenuta da più Amorini, Muratori, copia di Raffaele ». La trascrizione nel *Fidecommisso* è tra le più strane: « Ratto di Raffaele Vanni », e nelle schede del Piancastelli: « Un ratto, Francesco Vanni ». Il nome di Giovanni da Udine fu avanzato dal Morelli, in un parere orale annotato dal Piancastelli nei suoi appunti manoscritti che si trovano nell'Archivio della Galleria Borghese; ma se è giusto l'accostamento a Raffaello, per la derivazione dalla Psiche della Farnesina, il paesaggio, l'architettura, le figure dei due Amorini, il colore roseo delle carni e il madreperlaceo delle ali persuadono a favore di Battista di Dosso, nel momento romano. Di tale parere furono il Venturi, il Gardner, il Gruyer. Lo Zwanziger, che vi vide « un paesaggio leonardesco », non lo assegna invece nè a Dosso nè a Battista. Il Longhi propende per un artista più raffaellesco, non lontano da Giovanni da Udine.

BIBL.: *Inv.*, 1693, St. VI, n. 36; *Inv.*, 1765, p. 181; *Inv.*, 1790, St. X, n. 22; *Inv. Fid.*, 1833, p. 38; Piancastelli, *Ms.*, 1891, p. 274; A. Venturi, *Cat.*, 1893, p. 115; Gruyer, *Art Ferrarais*, 1897, p. 286; Gardner, *Painters of Ferrara*, 1911, p. 234; Zwanziger, *D.* 1911, p. 114; Longhi, *Precisioni*, 1928, p. 196; Della Pergola, *Itin.*, 1952, p. 53.

Fot.: Alinari 41030 (prima del restauro); Arch. Fot. Vat. XXXI-52-10 (già Moscioni 21216); Gab. Fot. Naz. E 33302 (dopo il restauro).

JACOPO DE' BOATERI.

Bologna: attivo intorno al 1540.

8. - LA VERGINE COL BAMBINO, S. ANTONIO ABATE E S. CATERINA (inv. n. 60).

Olio su tavola: 0,75 × 0,76.

Conservazione buona.

Appare nella raccolta, per la prima volta, attraverso l'*Inventario* del 1790, con l'attribuzione a Pietro Perugino.

Provenienza indeterminata.

Gli *Elenchi Fidecommissari* del 1833 l'assegnano al Francia, da cui certamente deriva. Corrado Ricci, in un parere orale trascritto nelle note del Piancastelli, fece il nome del Boateri, ripreso dal Venturi e dal De Rinaldis. Presenta infatti grandi affinità di tecnica e di stile con « La Madonna, Bambino e S. Giuseppe » della Galleria Pitti, a Firenze, firmata dal Boateri. Numerose repliche, con leggere varianti, testimoniano del favore incontrato da quest'opera, di probabile derivazione da un prototipo del Francia.

BIBL.: *Inv.*, 1790, St. I, n. 20; *Inv. Fid.*, 1833, p. 8; Piancastelli, *Ms.*, 1891, p. 165; A. Venturi, *Cat.*, 1893, p. 64; Morelli, *Pittura It.*, 1897, p. 196; A. Venturi, *Storia*, VII, 3, 1914, p. 962; Longhi, *Precisioni*, 1928, p. 182; De Rinaldis, *Itin.*, 1939, p. 18.

Fot.: Alinari 7978; Anderson 796; Arch. Fot. Vat. XXXI-60-34 (già Moscioni 21168); Gab. Fot. Naz. D 3244.

SIMONE CANTARINI.

Oropezza (Pesaro) 1612 – Verona 1648.

9. – SACRA FAMIGLIA (inv. n. 549).
Olio su tela: 0,96 × 0,73.

Conservazione buona.

Acquistato nel 1912 presso la Sig.ra Caterina Franchioro per L. 2000 (Arch. Gall. Borgh.).

Corrado Ricci, che fece comprare questo dipinto, ne segnalò l'importanza, che appare anche dal confronto con l'identica composizione della Galleria di Brera a Milano, pittoricamente inferiore. Il Cantalamessa, che la pubblicò per primo, mise in evidenza l'indipendenza creativa che in quest'opera manifesta il Cantarini di fronte al suo maestro, Guido Reni. Il Petrucci ricorda una stampa di questa « Sacra Famiglia », già riportata dal Bartsch (*Peintre Graveur*, 1819, vol. XIX, pp. 15 e 16), incisa dallo stesso Cantarini.

Esposto nel 1922 alla Mostra del Seicento e Settecento a Firenze.

BIBL.: Cantalamessa, in *Boll. Arte*, 1913, pp. 113–115; Cantalamessa, *Cronache, Boll. Arte*, 1914, p. 91; *Mostra Seicento*, 1922, pp. 47–48; Strinati, in *Emporium*, 1924, pp. 601–12; Longhi, *Precisioni*, 1928, p. 226; Petrucci, in *Boll. Arte*, 1938, p. 54; De Rinaldis, *Cat.*, 1948, p. 56; Della Pergola, *Itin.*, 1951, p. 35; Petrucci, *Cat.*, 1953, pp. 34, 143.
Fot.: Alinari 32742; Anderson 17557; Brogi 22952; Gab. Fot. Naz. C 2854.

10. – S. GIOVANNI BATTISTA (inv. n. 357).
Olio su tela: 0,45 × 0,56.

Conservazione buona.

Fu acquistato nel 1783 tramite Gavino Hamilton a cui vengono pagati « sc. 60 mta prezzo concordato tra S. E. il Sig. Principe e detto Pittore, di due quadri con sue cornici dorate, uno rappresentante una vecchia dell'Autore Giacomo Bassani, e l'altro rappresentante un S. Giovanni dell'Autore Simone da Pesaro, che ambedue detti quadri sono stati situati nella Galleria Terrena del Palazzo di Roma » (A. S. B. V. Vol. 5848, Filza dei Mandati n. 71. Cfr. Bibl. gen., Documenti, n. 26).

Il nome del Cantarini si ripete nel *Fidecommisso*, nel Piancastelli e nel Venturi. Il Longhi trovò un'attribuzione al Desubleo che non confermò, mentre vide in quest'opera una forte influenza e forse l'affermazione del Cantarini stesso. Ci sembra non sia da togliergli questa piccola tela, che appartiene ad un momento giovanile.

BIBL.: *Inv. Fid.*, 1833, p. 34; Piancastelli, *Ms.*, 1891, p. 211; A. Venturi, *Cat.*, 1893, p. 174; Longhi, *Precisioni*, 1928, p. 211; Della Pergola, *Itin.*, 1951, p. 34.
Fot.: Gab. Fot. Naz. E 33259.

AGOSTINO CARRACCI.

Bologna 1557 – Bologna 1602.

11. – ESTASI DI S. CATERINA (inv. n. 58).
Olio su tela 1,01 × 0,57.

Conservazione buona.

Provenienza indeterminata. Si trova elencata per la prima volta nell'*Inventario* del 1790 come opera di Agostino Carracci.

Gli *Elenchi Fidecommissari* ripetono ancora il nome di Agostino, mutato dal Piancastelli, e poi dal Venturi, in quello di Ludovico. Il Longhi vi vide la «derivazione da un modello piuttosto di Annibale che di Ludovico». Pur essendo opera piuttosto povera, ci sembra tuttavia presenti maggiore affinità con la pittura di Agostino, cui non siamo alieni dal riferirla. Il Bodmer la giudica opera della scuola di Ludovico. Esempio non raro di un motivo pietistico caro al tempo e all'accademia carracesca.

BIBL.: *Inv.*, 1790, St. VII, n. 126; *Inv. Fid.*, 1833, pp. 15–16; Piancastelli, *Ms.*, 1891, p. 179; A. Venturi, *Cat.*, 1893, p. 63; Longhi, *Precisioni*, 1928, p. 182; Bodmer, *Ludovico C.*, 1939, p. 142.
Fot.: Alinari 7989; Anderson 3340, Brogi 15884; Arch. Fot. Vat. XXXI–61–24 (già Moscioni 21167).

12. – S. FRANCESCO STIGMATIZZATO IN UNA GLORIA D'ANGELI (inv. n. 66).
Olio su tela: 1,38 × 1,10.

Conservazione buona.
Provenienza indeterminata.

Era nella raccolta nel 1693, così citato nell'*Inventario* di quell'anno: «Un quadro di S. Francesco con la Gloria et una testa di morto con cinque angeli alti pmi... tela d'imperatore con sua cornice dorata N.... del Carracci». Nell'*Inventario* del 1790 è elencato sotto il nome di Agostino Carracci, il *Fidecommisso* lo riferisce invece ad Annibale, il Piancastelli e il Venturi preferirono catalogarlo nell'anonimato della scuola carraccesca. Il Longhi, pur mantenendone l'esecuzione nell'orbita della bottega, la trasferì nella sfera di Annibale; il Bodmer, invece, in quella di Ludovico. Come per l'«Estasi di S. Caterina», con cui le affinità di stile, di colore e di gusto sono grandi, così da far pensare ad un'unica mano, il riferimento dell'*Inventario* del 1790, ad Agostino, ci sembra il più giusto. Inciso da Filippo Scalzi.

BIBL.: *Inv.*, 1693, St. I, n. 2; *Inv.*, 1790, St. X, n. 53; *Inv. Fid.*, 1833, p.10; Piancastelli, *Ms.*, 1891, p. 185; Venturi, *Cat.*, 1893, p. 68; Longhi, *Precisioni*, 1928, p. 182; Bodmer, *Ludovico C.*, 1939, p. 142; Petrucci, *Cat.*, 1953, pp. 111, 144.
Fot.: Anderson 3119; Brogi 15885.

SEGUACE di AGOSTINO CARRACCI.

13. – IL SALVATORE (inv. n. 39).
Olio su tela: 0,50 × 0,50.

Conservazione discreta.

La provenienza è indeterminata. Si trova nella raccolta dal 1650, citato dal Manilli: «Il quadro piccolo che gli sta di sotto, del Salvatore, è d'Annibale Carracci».

Il Malvasia lo ricorda esistente nella Vigna Borghese, anch'egli tra le opere di Annibale Carracci, ma malgrado queste testimonianze di solito abbastanza attendibili, non ci sentiamo di sostenere tale paternità. Già il Longhi aveva accostato questa tela al n. inv. 48, la «Maddalena», e l'identità delle misure fa ritenere che le due opere siano state volute *à pendant* in tempo successivo alla loro esecuzione, perchè non si tratta di due quadri eseguiti in tali proporzioni, ma così ridotti da proporzioni più grandi. Molto probabilmente, come è avvenuto per diverse opere della raccolta, gli originali a cui si riferiscono le fonti vennero alienati, e si è cercato di supplirli con opere di più scarso valore, ma non molto dissimili.

Il Tietze ha fatto per questa testa il nome del Lanfranco, ma pensiamo abbia confuso con il n. inv. 196. L'*Inventario* del 1790 l'attribuiva a Ludovico Carracci; il Bodmer non ne fa cenno, nemmeno tra le opere dubbie.

BIBL.: Manilli, 1650, p. 99; *Inv.*, 1693, St. II, n. 45; Malvasia, *Felsina*, 1678 (1844), III, p. 357; *Inv.*, 1790, St. II, n. 15; *Inv. Fid.*, 1833, p. 7; Piancastelli, *Ms.*, 1891, p. 183; A. Venturi, *Cat.*, 1893, p. 54; Tietze, in *Jahrb. d. Ksthist. Smlgn. in Wien*, 1906, p. 167; Longhi, *Precisioni*, 1928, pp. 136, 180.

Fot.: Gab. Fot. Naz. E 33435.

14. – LA MADDALENA (inv. n. 48).
Olio su tela: 0,61 × 0,50.

Provenienza indeterminata.

La tela è stata tagliata in basso, per equiparare le misure di questo dipinto con la « Testa del Salvatore » (inv. n. 39). Nel 1801, tra le opere tutte di notevole importanza vendute al sig. Durand, si trova la « Maddalena » che il Malvasia cita tra i dipinti di Ludovico: « Nella Vigna Borghese ne' Camerini una Maddalena in bellissimo paese, che stesa riguarda il Cielo, in picciol rame» (*Felsina*, 1678 (1844), I, p. 355). L'*Inventario* del 1790 elenca due quadri di questo soggetto, attribuiti ai Carracci, e il primo può essere quello venduto nel 1801, l'altro, forse, questo, per cui la prima notizia sicura è data tuttavia dagli *Elenchi Fidecommissari* del 1833. Il Tietze l'assegnò al Lanfranco, il Bodmer la cita come non più indicata nella raccolta. Una replica si trova a Venezia, nella Coll. Gradenigo.

BIBL.: *Inv.*, 1790, St. IV, n. 7, 41; *Inv. Fid.*, 1833, p. 48; Piancastelli, *Ms.*, 1891, p. 178; A. Venturi, *Cat.*, 1893, p. 58; Tietze, in *Jahrb. d. Ksthist. Smlgn. in Wien*, 1906, p. 167; Longhi, *Precisioni*, 1928, pp. 136, 181; Bodmer, *Ludovico C.*, 1939, p. 140;

Fot.: Brogi 15883; Gab. Fot. Naz. E 32842.

ANNIBALE CARRACCI.

Bologna 1560 – Bologna 1609.

15. – SANSONE IN CARCERE (inv. n. 23). Fig. 17.
Olio su tela: 1,80 × 1,30.

Conservazione discreta. Nel 1936 Carlo Matteucci (direttore Aldo De Rinaldis) rimosse alcune grossolane verniciature ed eseguì un'ampia revisione di zone di restauro alterate. Nel 1947 lo stesso Matteucci procedette ad un'ulteriore verniciatura. Una pulitura più decisa è stata eseguita da Alvaro Esposti nel 1955, mettendo in chiaro sia lo sfondo naturalistico, sia la materia pittorica grossolana che in nessun modo può essere confusa con quella di Tiziano.

Provenienza indeterminata. Era nella raccolta nel 1650, così citato dal Manilli: « Il quadro grande di Sansone ignudo è stimato di fra' Bastiano del Piombo ».

L'*Inventario* del 1693 lo assegna invece a Tiziano, mentre giustamente poco prima il Malvasia lo ricordava come opera di Annibale Carracci: « Nella Vigna (Borghese) Sansone, figura intera al naturale »; il Pinaroli l'attribuì a Tiziano, riprendendo la paternità apparsa nell'*Inventario* del 1693 e del 1700, e tramandandola a tutti quelli successivi. Il Cavalcaselle avanzò la stessa attribuzione, sebbene dubbiosamente, e il Venturi la riaffermò tanto nel *Catalogo* come nella *Storia dell'Arte*, accostandola al « Fiume » della Pinacoteca di Napoli e dicendola eseguita « dopo che a Roma fu colpito (Tiziano) dalla grandiosità michelangiolesca, ed ebbe copiato il Laocoonte ». Il Longhi giudicò invece il « Sansone » « opera del periodo bolognese di Annibale Carracci, tra il 1590 e il 1595 » ed « una di quelle accademie alla veneta e, per intenderci meglio, alla tintorettesca, che credo servissero ad Annibale per studio di quei nudoni che fungono da termini in affreschi sul genere di quelli di Palazzo Sampieri ». Il De Rinaldis, che per il « Fiume » di Napoli aveva accettata l'attribuzione a Tiziano, aderì invece alla tesi del Longhi per il quadro della Borghese. L'attribuzione ad Annibale non ha ora più seri oppositori.

BIBL.: Manilli, 1650, p. 107; Malvasia, *Felsina*, 1678 (1844), p. 357; *Inv.* 1693, St. III, n. 14; *Inv.*, 1700 (De Rinaldis, in *Archivi*, 1936, p. 198); *Inv.*, 1790, St. III, n. 2; Pinaroli, *Antichità di Roma*, 1713, II, p. 105; Crowe Cavalcaselle, *Tiziano*, 1878, II, p. 469; A. Venturi, *Cat.*, 1893, p. 40; A. Venturi, *Studi*, 1927, p. 276; Longhi, *Precisioni*, 1928, pp. 137, 177; A. Venturi, *Storia*, 1928, IX, 3, p. 301; De Rinaldis, *Cat. Pin. Napoli*, 1928, p. 331; Sestini, *Studi su Tiziano*, 1929, pp. 6, 17; De Rinaldis, *Itin.*, 1939, p. 27; Della Pergola, *Itin.*, 1951, p. 11.

Fot.: Alinari 32748; Anderson 24631; Arch. Fot. Vat. XXX–72–2 (già Moscioni 22147); Gab. Fot. Naz. E 12517–12520.

16. – TESTA DI GIOVANE RIDENTE (inv. n. 83).
Olio su carta foderata in tela: 0,45 × 0,28.

Conservazione buona.
Provenienza indeterminata. Era nella raccolta nel 1790.

Nell'*Inventario* del 1790 era citata come « Immagine di un Buffone che ride, del Caravaggio »; negli *Elenchi Fidecommissari*, invece: « Una caricatura del Carracci ». Il Venturi la suppose di scuola carraccesca, e il Longhi l'identificò come un'opera autografa di Annibale, del periodo giovanile. Segnata a rapidi tratti a carboncino è, più che uno studio, uno schizzo immediato in cui si esprime in piena libertà lo spirito acuto e vivace del pittore bolognese.

BIBL.: *Inv.*, 1790, St. III, n. 25; *Inv. Fid.*, 1833, p. 18; Piancastelli, *Ms.*, 1891, p. 188; Venturi A., *Cat.*, 1893, p. 76; Longhi, *Precisioni*, 1928, pp. 137–185; Della Pergola, *Gall. Borgh.*, 1951, pag. 34; Wittkover, *Drawings*, 1952, p. 16.

Fot.: Anderson 31250.

17. – GIOVE E GIUNONE (inv. n. 515). Fig. 15.
Olio su tavola: 0,33 × 0,39.

Conservazione buona.
Provenienza indeterminata.

Nell'*Inventario* del 1762 è ricordato: « Un quadro che rappresenta Giove con una donna a sedere sopra un Letto, Cupido et un Pavone di pmi 1 1/3 per ogni verso, dipinto in tavola, con cornice dorata del n. 207 », e nell'*Inventario* del 1765 è citato un dipinto su « lavagna » rappresentante Giove e Venere e un cupidetto, che malgrado la diversità della materia e l'improprietà del personaggio, possiamo identificare con questo. Il *Fidecommisso* lo assegna alla Scuola dei Carracci, e così il Piancastelli. Il Venturi lo attribuisce al Cav. d'Arpino dicendolo: « imitazione d'opera raffaellesca ». Il Longhi lo riconobbe come replica « con intelligenti varianti » dall'affresco del Palazzo di Farnese, per mano dello stesso Annibale. La tavoletta può ritenersi dipinta intorno al 1602.

BIBL.: *Inv.*, 1762, p. 102; *Inv.*, 1765, p. 168; *Inv. Fid.*, 1833, p. 24; Piancastelli, *Ms.*, 1891, p. 189; A. Venturi, *Cat.*, 1893, p. 221; Longhi, *Precisioni*, 1928, pp. 137, 160, 224; Della Pergola, *Itin.*, 1951, p. 36.

Fot.: Gab. Fot. Naz. E 32803.

18. – SACRA FAMIGLIA (inv. n. 64).
  Olio su tela: 0,67 × 0,56.

Conservazione buona.
Provenienza indeterminata.
  Gli *Elenchi Fidecommissari* attribuiscono questo dipinto a Domenico Puligo, e con tale assurda attribuzione lo iscrive anche Piancastelli nelle sue note. Il Venturi lo riferisce invece, più propriamente a Ludovico Carracci, mentre il Longhi lo considera opera del periodo bolognese di Annibale. Dal Bodmer venne elencato come opera della bottega di Ludovico, ma tale catalogazione ci sembra meno accettabile. Data la diversità di attribuzioni, non solo da un membro all'altro della famiglia carraccesca, ma addirittura dalla scuola bolognese a quella toscana, non è stato possibile risalire alla identificazione del dipinto attraverso gli *Inventari* precedenti il *Fidecommisso*, ma la sua entrata nella raccolta non deve essere molto anteriore agli ultimi anni del Settecento. La mano di Annibale Carracci può avere eseguito questa gentile e un po' fredda composizione.

  BIBL.: *Inv. Fid.*, 1833, p. 8; Piancastelli, *Ms.*, 1891, p. 232; A. Venturi, *Cat.*, 1893, p. 67; Longhi, *Precisioni*, 1928, p. 182; Bodmer, *Ludovico C.*, 1939, p. 142.
  Fot.: Gab. Fot. Naz. E 32796.

19. – S. FRANCESCO (inv. n. 290).
  Olio su tela: 0,48 × 0,42.

Conservazione discreta.
  Proviene con molta probabilità dal sequestro del Cav. d'Arpino operato dal fiscale di Paolo V nel 1607.
  Ricordato da tutti gli *Inventari* settecenteschi della Galleria come opera « dei Carracci », possiamo identificare questo piccolo quadro con il « quadretto mezzano di S. Francesco con un Christo in tela » elencato al n. 86 dell'*Inventario* degli oggetti sequestrati al Cav. d'Arpino nel 1607 e donati da Paolo V a Scipione Borghese il 30 luglio 1607. L'*Inventario* del 1790, per la prima volta, fa il nome più precisato di Ludovico Carracci, mentre il *Fidecommisso* riporta quello di Annibale. Il Longhi lo ritenne opera di bottega, posteriore al 1600, ma pur concordando per la datazione, non pensiamo improbabile la diretta partecipazione di Annibale in questa testa scarnita, non priva di efficacia.

  BIBL.: *Inv.*, 1607, n. 88; *Inv.*, 1790, St. IV, n. 4; *Inv. Fid.*, 1833, p. 8; Piancastelli, *Ms.*, 1891, p. 184; A. Venturi, *Cat.*, 1893, p. 149; Longhi, *Precisioni*, 1928, pp. 136, 202.
  Fot.: Anderson 3119; Gab. Fot. Naz. E 9468.

SEGUACI DI ANNIBALE CARRACCI.

20. – IL SALVATORE (inv. n. 196).
  Olio su tela: 0,55 × 0,43.

Conservazione buona.
Provenienza indeterminata.
  Attribuito a Palma il Vecchio nell'*Inventario* del 1790 e nel *Fidecommisso* del 1833, e poi fino al Piancastelli, venne assegnato dal Venturi a scuola del Lanfranco. Il Longhi pose in dubbio tale attribuzione, senza precisarne altra. Gli stretti rapporti con la testa di S. Giovanni Evangelista nella pala di Annibale della Pinacoteca di Bologna,

rappresentante la « Vergine in trono tra i SS. Giovanni Evangelista e Caterina », fanno pensare sia opera di un seguace di Annibale, che si ispiri a quel periodo di attività del maestro. Pensiamo sia questa la testa che il Tietze attribuisce al Lanfranco e non il n. inv. 39.

BIBL.: *Inv.*, 1790, St. II, n. 7; *Inv. Fid.*, 1833, p. 34; Piancastelli, *Ms.*, 1891, p. 27; A. Venturi, *Cat.*, 1893, p. 120; Longhi, *Precisioni*, 1928, p. 196; Tietze, in *Jahrb. d. Ksthist. Smlgn. in Wien*, 1906–7, p. 167. *Fot.*: Gab. Fot. Naz. E 32809.

21. – TESTA D'UOMO CON TURBANTE (inv. n. 152).
Olio su carta applicata a tavola: 0,47 × 0,30.

Conservazione discreta.
Provenienza indeterminata.

Non è identificabile in alcun inventario prima del *Fidecommisso*, dove è iscritto come « Testa di S. Tommaso, di Agostino Carracci ». Il Venturi la ritenne opera di un decoratore del Settecento, ma non vi è motivo per datarla così tardi. Il Longhi, pur giudicandola « bonissimo studio » trovò arduo stabilire se di Annibale o di Agostino. L'influenza del primo ci sembra più sensibile, nella derivazione tuttavia di un seguace diverso dal precedente.

BIBL.: *Inv. Fid.*, 1833, p. 17; Piancastelli, *Ms.*, 1891, p. 180; A. Venturi, *Cat.*, 1893, p. 106; Longhi, *Precisioni*, 1928, pp. 137, 193. *Fot.*: Gab. Fot. Naz. E 32795.

22. – TESTA DI FRATE (inv. n. 155).
Olio su carta riportata su tela: 0,30 × 0,20.

Conservazione buona. Rifoderata in epoca non precisata.
Provenienza indeterminata.

Elencata per la prima volta, sicuramente, nel *Fidecommisso* come « Ritratto d'autore incognito », insieme con il n. inv. 162. Il Venturi la riferì alla scuola di Agostino Carracci, il Longhi vi vide, a ragione, uno studio da esemplare cinquecentesco. È infatti ripresa dalla « Disputa del Sacramento », nel gruppo dei monaci a sinistra, nella Stanza della Segnatura, di Raffaello.

BIBL.: *Inv. Fid.*, 1833, p. 23; Piancastelli, *Ms.*, 1891, p. 441; A. Venturi, *Cat.*, 1893, p. 106; Longhi, *Precisioni*, 1928, p. 193. *Fot.*: Gab. Fot. Naz. E 32789.

ANTONIO CARRACCI.

Bologna 1583 – Roma 1618.

23. – SEPOLTURA DI CRISTO (inv. n. 43).
Olio su tela: 1,23 × 1,68.

Conservazione buona. Nel 1947 Carlo Matteucci (direttore Aldo De Rinaldis) procedette ad una pulitura generale e nuova verniciatura.
Provenienza indeterminata.

Elencato per la prima volta nell'*Inventario Fidecommissario* del 1833 sotto « Scuola bolognese », venne attribuito dal Piancastelli e dal Venturi ad Annibale Carracci, dal Tietze a Giovanni Lanfranco. Roberto Longhi, facendone centro di una *Precisione* negli studi dedicati alla Galleria Borghese, vi riconobbe l'opera di Antonio, figlio di Agostino e nipote di Annibale, creato di questi e operoso in Roma, dove morì nel 1618, a trentacinque anni. Al Museo del Louvre è di questo pittore un « Diluvio », di notevole qualità, che servì appunto al Longhi come termine di confronto per la sua attribuzione. Recentemente Denis Mahon (giudizio orale) ha espresso per il « Trasporto di Cristo » il parere che possa riferirsi a Sisto Badalocchio, trovando nell'esecuzione, e ci sembra non a torto, motivi non esenti da modi lanfranchiani.

BIBL.: *Inv. Fid.*, 1833, p. 37; Piancastelli, *Ms.*, 1891, p. 223; A. Venturi, *Cat.*, 1893, p. 180; Tietze, in *Jahrb. d. Kunsthist. Smlgn. in Wien*, 1906, p. 168; Longhi, *Precisioni*, 1928, pp. 130, 180; De Rinaldis, *Cat.*, 1948, p. 64; Della Pergola, *Itin.*, 1951, p. 39.

Fot.: Anderson 27281; Gab. Fot. Naz. 9473.

CORREGGIO (Antonio Allegri).

Correggio 1494 – Correggio 1534.

24. – DANAE (inv. n. 125).
   Olio su tela: 1,61 × 1,93.

Conservazione discreta. Il dipinto ha sofferto durante i numerosi trasporti attraverso l'Europa, avvenuti tra il Seicento e l'Ottocento. Nel 1827 venne eseguito un restauro di consolidamento e pulitura da parte di Pietro Camuccini, e poi dello stesso Vincenzo Camuccini, come è stato documentato dal Bendinelli. Il colore appare ancora in talune parti sollevato (accanto ai piccoli Amori), ma mantiene intatto il mirabile tono dorato acquistato nel tempo.

È entrato nella raccolta nel 1827, acquistato per 285 sterline dal Principe Camillo Borghese a Parigi, presso l'antiquario Bonnemaison cui l'aveva ceduto nel 1823 Henry Hope.

Il Vasari ricorda come i tre quadri rappresentanti Danae, Io e Leda fossero stati eseguiti dal Correggio per ordine di Federico Gonzaga duca di Mantova, che ne fece dono a Carlo V in occasione della sua incoronazione a Bologna. Il Lomazzo scrive che queste tele erano in possesso di Leone Leoni a Milano, a cui le avrebbe mandate il figlio Pompeo dalla Spagna, e certo nel 1601 Hans Khevenhüller, ambasciatore di Rodolfo II in Spagna, trattava l'acquisto della « Danae » con Pompeo Leoni, che a sua volta aveva avuto il dipinto dalla Galleria di Antonio Perez. Il Boschini nel 1660 lo ricorda a Vienna, ma è probabile, come già ebbe a notare la De Vito Battaglia, che equivocasse con la « Io ». Dalla raccolta di Rodolfo II passò quindi in quella di Cristina di Svezia, che portò il dipinto a Roma e ne fece dono al Cardinale Decio Azzolini. Questi a sua volta lo diede al nipote Pompeo, il quale lo vendette a Don Livio Odescalchi, nella cui collezione si trovava nel 1728. Nel 1780 era nella Galleria del duca d'Orléans a Parigi, poi a Londra nel 1816 presso il duca di Bridgewater, e infine in proprietà di Henry Hope, che lo portò di nuovo a Parigi dove finalmente fu acquistato da Camillo Borghese. Si può ritenerlo eseguito intorno al 1530. Fu inciso da G. D. Sornique nel 1741 e pubblicato, con le incisioni della « Io » e della « Leda » nel *Mercure de France* di quell'anno; poi dal Cunego, dal Duschange e dal Porretti, ma più interessante è l'incisione del Disrochers, del 1713, che reca iscritto « Antonius de Allegris Corrigiensis pinxit 1531 ».

BIBL.: Vasari, *Vite*, 1550, III, p. 581; Lomazzo, *Trattato*, 1584, p. 212; *Inv. Lichtenstein*, 1621 (1905, p. xx ss.); *Inventaire de la Reine de Suède*, 1652 (1855), p. 81; Boschini, *Navegar*, 1660, p. 302; Silos, *Romana Pictura*, 1673, I, p. 52; *Cat. Reg. di Svezia*, 1689 (1870, p. 341 ss.); *Inv. Reg. di Svezia*, 1722, n. 842;

Mercure de France, 1722, pp. 95–97; Richardson, *Traité*, 1728, pp. 284–89; Dubois de Saint Gelais, *Description*, 1737, pp. 52–60; *Mercure de France*, 1741, p. 776; Piganiol de la Force, *La ville de Paris*, 1765, II, p. 234; Richard, *Description*, 1766, III, pp. 85, 105; Bencivenni, *Gall. Uffizi*, 1779, II, p. 10; Mengs–D'Azara, *Opere*, 1780, pp. 135–90; Ratti, *C.*, 1781, pp. 36–46; Fontenai, *Galerie Pal. Royal*, 1786, tav. 118; Fiorillo, *Geschichte*, 1801 (cfr. 1798), II, pp. 251, 317; Pungileone, *C.*, 1817–21, II, pp. 242–245; III, pp. 91, 95, 139; Buchanau, *Mémoires*, 1824, I, pp. 59, 70; Waagen, *Kunstw. in England*, 1837, I, p. 492; Melchiorri, *Guida*, 1840 (cfr. 1834), p. 575; Martini, *C.*, 1865, pp. 197, 199; Urlichs, in *Zeitschr. f. Bild. Kst.*, 1870, pp. 81, 84; Segnier, *Dictionary*, 1870, pp. 2–3; Meyer, *C.*, 1871, pp. 250–53, 352, 353, 432, 490; Lermolieff, in *Zeitschr. f. Bild. Kst.*, 1875, pp. 322–23; Marchi, *C.*, 1880, pp. 105–106; Tschudi, *C.*, 1880, p. 10; Gauthier, *Guide du Louvre*, 1882, pp. 224, 251; Piancastelli, *Ms.*, 1891, p. 83; A. Venturi, *Cat.*, 1893, p. 94; Compton Heaton, *C.*, 1896, pp. 64–65; Morelli, *Pittura It.*, 1897, pp. 226–228; Ricci, *Gall. Borgh.*, 1897, p. 359; Voltelini, in *Jahrb. d. Ksthist. Smlgn. in Wien*, 1898, pp. 11, xxi; Thode, *C.*, 1898, pp. 103–106; Albana Mignaty, *C.*, 1900, pp. 294, 295, 324, 331; Reinach, *Répertoire*, 1905, p. 756; Lafenestre, *Rome*, 1905, p. 18; Gronau, *C.*, 1907, p. xlv, 116–118, 163–4; Cantalamessa, in *Vita Art.*, 1908, p. 33; Ricci, *Villa Borgh.*, 1924, pp. 152–54; Copertini, *C.*, 1925, p. 111; A. Venturi, *C.*, 1926, pp. 81 ss., 84 ss.; A. Venturi, *Storia*, 1926, IX, 2, p. 610; Schubring, *Hochrenaiss*, 1926, p. 591; De Vito Battaglia, *Bibl. del C.*, 1934, nn. 5, 27, 46, 48, 51, 66, 76, 108, 145, 272, 289, 315, 365, 374, 482, 505, 644, 647, 649, 826, 831, 833, 865, 872, 887, 983, 1014, 1106, 1115, 1117, 1118, 1149, 1152; A. Venturi, *C.*, 1935, pp. 9, 50, 64; *Mostra C.*, 1935, p. 140; Busuioceanu, in *Gaz. B. Arts*, 1938 (XIX), p. 16 ss.; Bodmer, *C.*, 1943, p. xx; De Rinaldis, *Cat.*, 1948, p. 81; De Rinaldis, *Danae*, 1949; Della Pergola, *Gall. Borgh.*, 1950, p. 36; Bendinelli, in *Urbe*, 1952, 5, p. 3 ss.; Petrucci, *Cat.*, 1953, pp. 100, 148.

Fot.: Alinari 7966; Anderson 763; Brogi 7439; Chauffourier 4092; Arch. Fot. Vat. XXXI–41–20 (già Moscioni 21191); Gab. Fot. Naz. C 2771.

SEGUACE DEL CORREGGIO.

25. - MADONNA COL BAMBINO E S. GIOVANNINO (inv. n. 570).

Olio su tela: 0,71 × 0,51.

La conservazione si presentava apparentemente mediocre, fino a far dubitare dell'originalità del dipinto. Una radiografia eseguita dall'Istituto Centrale del Restauro nel 1953, metteva in chiaro però la più larga superficie autografa, ma la pulitura eseguita presso lo stesso Istituto esclude possa trattarsi di mano del Correggio. Opera piuttosto debole di un seguace che si è ispirato a motivi e al clima stesso del maestro.

Acquistata nel 1927 dalla Famiglia Fochessati di Bagno, a Mantova, per 300.000 lire.

Secondo il Venturi è da identificare con la « Madonna » del Hofmuseum di Vienna, passata poi in proprietà van Diemen e da questi in America, quando l'Hofmuseum la vendette per l'acquisto della « Madonna » Hellbrum. Il Ricci, invece, che la data intorno al 1513, la ritenne l'originale di quella viennese, sia pure molto deteriorata. La autenticità di quell'opera fu accettata in un primo tempo dal De Rinaldis, che in seguito invece relegò la tela nei depositi. Il restauro ha scoperto un più vasto brano di paesaggio.

Fu esposta nel 1932 alla Mostra d'Arte Antica in Roma e nel 1935 alla Mostra del Correggio a Parma.

Bibl.: A. Venturi, in *Arte*, 1921, pp. 172–73; A. Venturi, *Storia*, 1926, IX, 2, p. 496; Ricci, in *Boll. Arte*, 1929, pp. 193–98; Brizio, in *Arte*, 1930, p. 311; Ricci, *C.*, 1930, pp. 28, 136; *Mostra d'Arte Antica*, 1932, p. 18; *Mostra C.*, 1935, p. 31; Mottini, *C.*, 1935, p. 51; A. Venturi, *C.*, 1935, pp. 27–61; De Rinaldis, *Itin.*, 1937, p. 44.

Fot.: Alinari 41899; Anderson 27764 (prima del restauro); Gab. Fot. Naz. E 12396 e Ist. Centr. del Restauro (dopo il restauro).

COPIA DAL CORREGGIO.

26. – MADDALENA LEGGENTE (inv. n. 126). Fig. 27.
Olio su rame: 0,28 × 0,39.

Conservazione discreta. Restaurato nel 1874 da Pietro Principi che ne spianò il colore. Altre parti di colore sollevate furono spianate nel 1949 da Carlo Matteucci.

Era nella raccolta nel 1650, ma la sua provenienza non è stata accertata.

Il Manilli la ricorda: « L'altra (Maddalena) che sta leggendo un libro è del Correggio ». Il Venturi avanzò l'ipotesi che questa copia della « Maddalena » di Dresda possa essere dell'Albani, ma nulla permette di convalidare tale paternità. Il Baldinucci (*Vite*, X, p. 281) parla di due « Maddalene » identiche su rame, del Correggio, di cui una già nella raccolta di Nicolò de' Gaddi e prima in quella Odescalchi, fu acquistata intorno al 1745 dalla Galleria di Dresda, e l'altra, esistente nella Collezione del Duca di Modena, dove la vide nel 1740 il Presidente De Brosses. Numerose copie furono fatte di questo dipinto da Cristoforo Allori e dal suo scolaro Zanobio Rossi, e numerose incisioni, di Giuseppe Mitelli, di Dom. Sernique, Guérin, ecc. Il Meyer (*C.*, 1871), che enumera varie di queste copie antiche, quella della Coll. Fesch, una presso Lord Ward a Londra, agli Uffizi, nella Raccolta di Carlo di Würtemberg, non fa parola, invece, di questa Borghese.

BIBL.: Manilli, 1650, p. 114; Roisecco, *Roma ampliata*, 1750, p. 119; *Inv.*, 1765, p. 156; *Inv. Fid.*, 1833, p. 13; Piancastelli, *Ms.*, 1891, p. 82; A. Venturi, *Cat.*, 1893, p. 95; Longhi, *Precisioni*, 1928, p. 189; De Vito Battaglia, *C.*, 1934, p. 305.

Fot.: Anderson 765; Brogi 15888; Arch. Fot. Vat. XXXI–41–23 (già Moscioni 21193); Gab. Fot. Naz. D 3218.

COPIA DAL CORREGGIO.

27. – IO (inv. n. 128). Fig. 29.
Olio su tela: 0,65 × 0,50.

Conservazione buona. Pulito superficialmente nel 1952 da Augusto Cecconi Principe.

Provenienza indeterminata. Compare nella raccolta attraverso gli *Elenchi Fidecommissari* del 1833.

È copia molto ridotta del quadro del Kunsthistorisches Museum di Vienna, eseguito dal Correggio, insieme con la « Danae » e la « Leda ». Il tardo copista vi ha introdotto delle varianti, aprendo il fondo del paesaggio in una scena pastorale. Il Pungileone (*Memorie*, 1821, III, p. 139) ricorda come della « Leda », della « Danae » e della « Io » fossero fatte copie dal Maratta per il musico Corelli, ed altra da Benedetto Luti, ma non ci sembra possibile attribuire ad essi queste della Galleria Borghese.

BIBL.: *Inv. Fid.*, 1833, p. 25; Piancastelli, *Ms.*, 1891, p. 84; A. Venturi, *Cat.*, 1893, p. 96; Longhi *Precisioni*, 1928, p. 189.

Fot.: Arch. Fot. Vat. XXX–41–22 (già Moscioni 21195): Gab. Fot. Naz. E 32731.

COPIA DAL CORREGGIO.

28. – LEDA (inv. n. 122).
Olio su tela: 0,65 × 0,47.

Conservazione buona. Superficialmente pulito nel 1953 da Mauro Manca.

Provenienza indeterminata. Catalogato per la prima volta nell'*Inventario* del 1833.

È copia parziale, e precisamente del particolare di destra, della « Leda » già Rospigliosi, passata poi in proprietà Colonna, Costaguti, Ferraguti, elencata nel 1540 in Palazzo

Salviati alla Lungara, probabile replica dello stesso Correggio. Le misure quasi identiche di questa copia minore, con quella della « Io », fanno pensare che le due tele siano state eseguite per apposita commissione, ed insieme sono certo entrate nella raccolta Borghese. La fattura della « Leda », tuttavia, più che non quella della « Io », fa pensare ad un seguace dell'Albani.

BIBL.: *Inv. Fid.*, 1833, p. 25; Piancastelli, *Ms.*, 1891, p. 85; A. Venturi, *Cat.*, 1893, p. 93; Longhi, *Precisioni*, 1928, p. 189.

Fot.: Gab. Fot. Naz. E 32752.

COPIA DAL CORREGGIO.

29. – UN PROFETA E DUE ANGELI (inv. n. 113). Fig. 26.
   Olio su tela: 0,43 × 0,41.

Conservazione buona.

Provenienza indeterminata. Si trova elencato per la prima volta nell'*Inventario* del 1693 come opera del Correggio.

È in realtà uno studio dagli affreschi del Correggio nella Cupola del Duomo di Parma. Il *Fidecommisso*, come poi il Piancastelli, lo annotano sotto il nome di Scipione Pulzone, ma il Venturi invece lo riferisce a Ludovico Carracci. Il Longhi pensa piuttosto allo Schedoni; il Bodmer non lo prende in esame (*Ludovico Carracci*, 1939). Il correggismo fortemente dominante in questo studio ci sembra attenui la possibilità di vedervi una individualità ben determinata, anche se la qualità del copista è alta, e la sfera in cui si muove è quella che gravita intorno a Ludovico Carracci. Il Bartsch (*Peintre Graveur*, XVIII, 1920, p. 194) ricordando le sei incisioni fatte da Sisto Badalocchio dalla Cupola del Duomo di Parma, ne descrive una in tutto identica a questa tela.

BIBL.: *Inv.*, 1693, St. V, n. 26; *Inv.*, 1790, St. IV, n. 66; *Inv. Fid.*, 1833, p. 16; Piancastelli, *Ms.*, 1891, p. 353; A. Venturi, *Cat.*, 1893, p. 90; Longhi, *Precisioni*, 1928, p. 187.

Fot.: Anderson 31251.

LORENZO COSTA.

Ferrara 1460 – Mantova 1535.

30. – CRISTO ALLA COLONNA (inv. n. 395).
   Olio su tavola: 0,54 × 0,37.

Conservazione buona. Pulito da Augusto Vermeheren nel 1953.

Proviene con molta probabilità dall'eredità di Lucrezia d'Este, duchessa d'Urbino.

A tergo della tavola è iscritto: B ⫯ B molto in antico.

L'*Inventario* del 1592, delle « Robbe di Lucrezia d'Este », reca più volte elencati piccoli quadri di questo soggetto, e pur non potendo averne l'assoluta certezza, è probabile che questo, di origine ferrarese, faccia parte di quel gruppo di dipinti pervenuti ai Borghese attraverso Olimpia Aldobrandini, erede di Pietro, erede a sua volta della duchessa d'Urbino. In genere i dipinti pervenuti ai Borghese attraverso questa fila, sono elencati « sicuramente », per la prima volta, nell'*Inventario* del 1790, dove appunto questa tavola appare con il nome del Mantegna. Il Piancastelli e il Venturi lo riportarono alla Scuola del Perugino. Il Berenson, ma crediamo per confusione con il n. inv. 461, lo attribuì ad

Andrea Solario. Il Longhi con maggiore proprietà fece il nome di Lorenzo Costa, a cui sembra di doverlo lasciare. L'opera dovrebbe essere stata eseguita poco prima della Pala di S. Petronio (1492), vicina, se pure non a quella altezza, al ritratto di Giovanni II Bentivoglio, della Galleria degli Uffizi.

BIBL.: *Inv. Lucrezia D'Este*, 1592, p. 12; *Inv.*, 1790, p. 14; *Inv. Fid.*, 1833, p. 17; Piancastelli, *Ms.*, 1891, p. 290; A. Venturi, *Cat.*, 1893, p. 190; Berenson, *Pitture It.*, 1897 (1936), p. 466; Longhi, *Precisioni*, 1928, p. 215.

Fot.: Gab. Fot. Naz. E 34017.

DOMENICHINO (Domenico Zampieri).

Bologna 1581 – Napoli 1641.

31. – LA CACCIA DI DIANA (inv. n. 53). Fig. 32.
   Olio su tela: 2,25 × 3,20.

Conservazione buona, malgrado al ritorno da Parigi, nel 1816, fosse denunciato un « piccolo patimento ». Nel 1931 Tito Venturini Papari (direttore Bertini Calosso) procedette ad una pulitura generale. Nel 1945 Carlo Matteucci (direttore Aldo De Rinaldis) rimosse alcuni vecchi restauri alterati.

Acquistato dal Cardinale Scipione Borghese e quasi strappato all'artista, secondo quanto scrive il Passeri. L. Venturi ha citato un pagamento del 1617, che ora possiamo dare completo. « Adi 21 d.to (aprile 1617) a Domenico Giampieri Pittore per saldo di due quadri fatti da lui sc. 150 » (A. S. B. V. 1617). Che uno fosse la « Sibilla » e l'altro la « Caccia », ci sembra provato dal conto del doratore Annibale Durante, che il 12 dicembre dello stesso anno riceveva sc. 12 per « una cornice tutta indorata a oro inbrunito per la Sibilla di Domenichino » e sc. 40 « Per la Cornice grande di Domenichino indorata a oro brunito et granita con fogliami nel fresio di SS. Ill.ma ». Tuttavia, in data 3 aprile 1620 il falegname G. B. Soria riceve un pagamento: « Per havere fatto una cornice per dorare di albuccio straordinaria per il quadro che ha fatto il Sig.re Domenico Bolognese per il Trionfo delle Ninfe palmi 16 per 12 per 2 1/8 » (A. S. B. V. 1620). Cfr. Bibl. gen. Documenti, nn. 15, 16, 20. Ma pensiamo si tratti di un pagamento ritardato, e non di una nuova cornice, nè, come vogliono il Passeri, il Mancini, e più tardi il Voss e il Serra, che l'esecuzione del dipinto sia avvenuta nel 1620. Il Pope–Hennessy avvertì la singolare importanza degli studi preparatori compiuti dal Domenichino per questa grande tela, e la formazione del pittore sui « Baccanali » di Tiziano (oggi al Prado) conservati in quel tempo nel Palazzo Ludovisi a Roma. Il Bertolotti elenca 22 disegni per la Caccia di Diana; 20 sono conservati nella Biblioteca Reale di Windsor e pubblicati dal Pope–Hennessy: la figura di Diana, la giovane inginocchiata, quella seduta, studi di mani e di piedi, profili di giovani ninfe, di una leggerezza e una grazia spontanea e fresca. Il Pope–Hennessy pensa che siano databili intorno al 1618, ma tale data dovrà essere anticipata, se il dipinto era compiuto nel 1617.

Appare riprodotto nel quadro di W. van Haecht raffigurante la Coll. van der Geest in Anversa, del Mauritshuis dell'Aja, anteriore al 1637, ed è forse la copia, che potrebbe anche essere stata una replica autografa, citata dal Sandrart come eseguita per il re di Spagna tra il 1628 e il 1630. È stato inciso dallo Scalberge, dal Venturini, R. Morghen e numerosi altri.

Esposto nel 1922 alla Mostra del Seicento a Palazzo Pitti, Firenze, e nel 1935 alla Mostra d'Arte Italiana a Parigi.

BIBL.: Baglione, *Vite*, 1642, p. 383; Bellori, *Vite*, 1672, pp. 353–56; Sandrart, *Academie*, 1675, p. 369[b]; Malvasia, *Felsina*, 1678, (1841), I, p. 184; *Inv.*, 1700, St. II, n. 1; Passeri–Hess, *Vite*, 1772 (1934), pp. 42–43; Preciado, *Arcadia*, 1789, p. 192; *Inv.*, 1790, St. II, n. 1; Lanzi, *Storia*, 1795–96, II, p. 98; Landon, *Vies*, 1803, p. 8; *Inv. Fid.*, 1833, p. 8; Bertolotti, *Art. Bolognesi*, 1886, pp. 168, 172; Piancastelli, *Ms.*, 1891, p. 199; A. Venturi, *Cat.*, 1893, p. 60; Morelli, *Pittura It.*, 1897, p. 229; Lafenestre, *Rome*, 1905, pp. 21–22; Rusconi, *Gall. Borgh.*, 1906, pp. 92–93; Serra, *D.*, 1909, pp. 49, 59–60, 85, 108, 121; L. Venturi, in *Arte*, 1909, p. 50; Rouchès, in *Gaz. B. Arts*, 1921, p. 128; Ferri, *Disegni degli Uffizi*, 1890, p. 293; *Mostra '600*, 1922, p. 84; Ojetti ecc., *Mostra '600*, 1924, pp. 119–20; Ricci, *Villa Borghese*, 1924, p. 150–152; Voss, *Malerei*, 1925, p. 510; Schneider, *Peint. It.*, 1930, p. 31; Nugent, *Mostra '600*, 1930, p. 146; Gillet, *Peinture*, 1934, p. 33; *Mostra Arte It. Parigi*, 1935, p. 65; De Rinaldis, *Cat.*, 1948, p. 61; De Rinaldis, *L'Arte in Roma*, 1948, p. 154; Pope–Hennessy, *D.*, 1948, pp. 17, 28, 91, 107; Costello, in *Journal of the Warburg Institute*, (XIII) p. 237 ss; Della Pergola, *Gall. Borgh.*, 1950, p. 45; Petrucci, *Cat.*, 1953, pp. 86, 155; Zeri, *Gall. Spada*, 1954, p. 32 ss., 113.

Fot.: Alinari 8046; Anderson 770; Brogi 6493; Chauffourier 4209; Arch. Fot. Vat. XII–31–9 (già Moscioni 21162); Gab. Fot. Naz. D 3238.

32. – SIBILLA (inv. n. 55). Fig. 31.

Olio su tela: 1,23 × 0,94.

Conservazione buona. Nel 1933 venne fissato il colore da Venturini Papari (direttore Bertini Calosso) e nel 1946 Carlo Matteucci (direttore Aldo De Rinaldis) eseguì una generale pulitura.

Fu acquistata direttamente dal Cardinale Borghese dall'artista, nel 1617.

Mentre si rimanda alla scheda precedente per i documenti relativi al pagamento e all'ingresso nella raccolta di questo dipinto, è interessante osservare come nel conto di Annibale Durante, corniciaio–doratore, si parla di «oro inbrunito per la 'Sibilla' di Domenichino» (A. S. B. V. 1617), nome che l'artista e il committente dovettero pensare fin dall'origine. Cfr. Bibl. gen., Documenti, n. 15. Più tardi il Manilli ricorda invece «una Musa», l'*Inventario* del 1700 «S. Cecilia» e quello del 1790 la «Musica». Ma il nome originario di «Sibilla» è rimasto oltre queste varianti. Il Malvasia cita una «Sibilla» dipinta per casa Albergati e lo Zanotti (*Note*, ed. 1841) supponeva che un Senatore Albergati, ambasciatore di Bologna presso il Pontefice avesse recato con sè il dipinto per farne omaggio al Cardinale Borghese, ma la notizia del Bellori, che lo dice eseguito dal Domenichino per Scipione, è quella che risponde alla verità. Nella Wallace Coll. di Londra è una replica leggermente variata, acquistata nel 1848 da lord Hertford e forse proveniente da Casa Ratta di Bologna dove la aveva veduta nel 1752 Reynolds. Altra, che sembra però copia più tarda, è nella Galleria Capitolina a Roma. Incisa dal Marcucci e dal Fontana nel Settecento.

Esposta nel 1953 alla Mostra di Corelli a Roma.

BIBL.: Manilli, 1650, p. 85; Bellori, *Vite*, 1672, p. 353; *Inv.*, 1700, St. V, n. 25; *Inv.*, 1790, St. IV, n. 42; *Inv. Fid.*, 1833, p. 10; Platner, *Beschreib. Rom*, 1842, p. 289; Piancastelli, *Ms.*, 1891, p. 61; A. Venturi, *Cat.*, 1893, p. 61; Serra, *D.*, 1909, p. 61; L. Venturi, in *Arte*, 1909, pp. 49–50; Voss, *Malerei*, 1925, p. 509; Longhi, *Precisioni*, 1928, p. 181; *Wallace Coll.*, 1928, p. 83; Pope–Hennessy, 1948, p. 44; De Rinaldis, *Cat.*, 1948, p. 57; Della Pergola, *Itin.*, 1951, p. 35; *Mostra Corelli*, 1953, p. 29; Petrucci, *Cat.*, 1953, pp. 62, 79, 154, 155.

Fot.: Alinari 8044; Anderson 773; Brogi 6489; Chauffourier 4211; Moscioni 21165; Gab. Fot. Naz. D 3222.

33. – CRISTO E LA SAMARITANA (inv. n. 270).

Olio su rame: diam. 0,25.

Fot.: Gab. Fot. Naz. E 28432.

Conservazione buona.

34. – VOCAZIONE DI S. PIETRO (inv. n. 276).

Olio su rame: diam. 0,25.
Fot.: Gab. Fot. Naz. E 32144.

Conservazione buona.

La provenienza dei due piccoli tondi non è determinata. Appaiono elencati per la prima volta nell'*Inventario* del 1790 come: « due tondini in rame del Domenichino », mentre in un altro *Inventario* senza data, ma la cui scrittura risale certamente alla fine del Settecento, vengono segnati con più precisione: « La Samaritana del Domenichino, in rame » e « S. Pietro chiamato all'Apostolato dello stesso in rame ». Gli *Elenchi Fidecommissari*, invece, li assegnano al Garofalo, e così il Piancastelli. Il Venturi li riferì a scuola fiamminga, mentre il Longhi vi individuò i caratteri della pittura italiana e in modo particolare bolognese, accostandoli alla tradizione del Grimaldi e datandoli nel pieno Seicento. La vecchia attribuzione al Domenichino è stata ripresa dal dott. Zeri (attribuzione orale), indipendentemente dalle note inventariali, che vengono pertanto a confermarla anche nel nostro giudizio. Il Van Puyvelde li attribuisce alla seconda maniera di Paolo Brill.

BIBL.: *Inv.*, 1790, St. IV, nn. 54 e 55; *Inv.* s. d., St. VII, nn. 8 e 9; *Inv. Fid.*, 1833, p. 27; Piancastelli, *Ms.*, 1891, p. 148; A. Venturi, *Cat.*, 1893, p. 142; Longhi, *Precisioni*, 1928, p. 201; Van Puyvelde, *Peint. Flamande*, 1950, pp. 75-76.

DOSSO DOSSI (Giovanni Luteri).

Ferrara 1489 c. – Ferrara 1542.

35. – APOLLO E DAFNE (inv. n. 1).

Olio su tela: 1,91 × 1,16.

Conservazione buona. Alcune grossolane ridipinture, probabilmente della fine dell'Ottocento, avevano modificato la linea del drappo che copre la parte inferiore dell'Apollo, e soprattutto ne avevano offuscato il risalto cromatico. Nel 1945 vennero rimosse da Carlo Matteucci (direttore Aldo De Rinaldis).

Proviene con molta verosimiglianza dal Castello di Ferrara, inviato col gruppo delle opere ferraresi, dal Marchese Enzo Bentivoglio a Scipione Borghese nel 1607. Nel 1612 una nota del pittore doratore Annibale Durante, alquanto confusa, indica una cornice « con membri dorati nel fregio de Dossi nella camera de Bronzi computando una cornice da Basso nel ritratto d'Orfeo: sc. 11 » (A. S. B. V. 1621. Cfr. Bibl. gen., Documenti, nn. 6, 9, 21).

La prima indicazione inventariale è del 1693, come: « Orfeo con la Lira in mano del Dosi di Ferrara »; nell'*Inventario* del 1790 è citato « Orfeo di Michelangelo da Caravaggio » e così negli *Elenchi del Fidecommisso* del 1833; ma questa attribuzione, che prova la confusione avvenuta sia per i soggetti che per gli artisti in quel tempo, venne già corretta nel *Catalogo* del 1854, in cui il mito è riconosciuto per quello della metamorfosi di Dafne, anche se la figura predominante è quella di Apollo, e l'autore, se pure anonimo, viene inquadrato nella scuola ferrarese. Il Morelli fece il nome di Dosso Dossi, e tale attribuzione, accolta dal Venturi e dal Longhi, è rimasta definitiva. Il dipinto ricco di intensità emotiva e profondamente realizzato nel colore, può essere riferito ad un momento di poco anteriore alla « Circe », intorno al 1530.

Fu esposto nel 1933 alla Mostra della Pittura Ferrarese a Ferrara e nel 1935 alla Mostra d'Arte Italiana a Parigi.

30

BIBL.: *Inv.*, 1693, St. II, n. 13; *Inv.*, 1790, St. I, n. 21; *Inv. Fid.*, 1833, p. 14; *Inv.*, 1854, St. I, n. 34; Morelli, *Pittura It.* (1897), pp. 214-15; A. Venturi, *Cat.*, 1893, p. 17; A. Venturi, in *N. Antologia*, 1891, p. 427; Gruyer, *Art Ferrarais*, 1897, p. 286; Zwanziger, *D. D.*, 1911, p. 71; Mendelsohn, *D.*, 1914, p. 72-73; Longhi, *Precisioni*, 1928, p. 176; A. Venturi, *Storia*, 1928, IX, 3, pp. 958-60; *Mostra Ferrarese*, 1933, p. 15; Longhi, *Officina*, 1934, p. 146; *Mostra Arte It. Parigi*, 1935, pp. 66-67; De Rinaldis, *Itin.*, 1939, p. 43; Della Pergola, *Gall. Borgh.*, 1950, p. 38.

Fot.: Alinari 27502; Anderson 4613; Gab. Fot. Naz. E. 35430 (dopo il restauro).

36. - LA MAGA CIRCE (inv. n. 217).

Olio su tela: 1,76 × 1,74.

Conservazione buona.

Proviene anche questa opera da Ferrara, inviata probabilmente dal marchese Bentivoglio a Scipione Borghese, intorno al 1607. (Cfr. Bibl. gen., Documenti, nn. 6, 21).

La tela è però ricordata per la prima volta dal Manilli, nel 1650, e dopo di lui da tutti gli *Inventari* e storiografi della Galleria, tra le più importanti della raccolta. Controversa è la rappresentazione del soggetto, che alcuni vogliono raffiguri Melissa (Schlosser, L. Venturi), altri la Maga Circe (A. Venturi, Longhi, Berenson). Il Manilli, come il Montelatici, ne attribuisce l'esecuzione a Dosso e Battista di Dosso, come tutte le opere che sarebbero frutto di collaborazione tra i due fratelli. Fu eseguita verso il 1530, nel clima dell'epica ariostesca.

Fu esposta nel 1930 alla Mostra d'Arte Italiana a Londra, nel 1933 alla Mostra d'Arte Ferrarese a Ferrara, nel 1935 alla Mostra d'Arte Italiana a Parigi e nel 1940 alla Mostra Triennale delle Terre d'Oltremare a Napoli.

BIBL.: Manilli, 1650, p. 82; *Inv.*, 1693, St. VIII, n. 42; *Inv.*, 1790, St. IX, n. 16; *Inv. Fid.*, 1833, p. 10; Piancastelli, *Ms.*, 1891, p. 121; A. Venturi, in *N. Antologia*, 1891, p. 427; A. Venturi, *Cat.*, 1893, p. 127; Morelli, *Pittura It.*, 1897, p. 214; Gruyer, *Art Ferrarais*, 1897, p. 286; Reinach, *Répertoire*, 1905, II, p. 723; Schlosser, *Jahrb. d. Preuss. Kstsmlgn*, 1900, p. 202; Gardner, *Painters of Ferrara*, 1911, p. 232; Zwanziger, *D. D.*, 1911, p. 57; Mendelsohn, *D.*, 1914, pp. 66-67; Longhi, *Precisioni*, 1928, p. 197; A. Venturi, *Storia*, 1928, IX, 3, pp. 939-40; Ricci, *North It., Painting*, 1929, p. 53; *Comm. Cat. London*, 1930, p. 117; *Mostra Ferrarese*, 1933, p. 160; Longhi, *Officina*, 1934, p. 192; *Mostra Arte it. Parigi*, 1935, p. 66; De Rinaldis, *Cat.*, 1948, p. 81; Della Pergola, *Gall. Borgh.*, 1950, p. 39.

Fot.: Alinari 8009; Anderson 784; Brogi 11948; Chauffourier 4144; Arch. Fot. Vat. XXX-78-4 (già Moscioni 21227).

37. - DIANA E CALISTO (inv. n. 304).

Olio su tela: 0,49 × 0,61.

Conservazione buona.

Provenienza intederminata. Era nella raccolta nel 1650.

« La Venere che dorme con due Ninfe in piedi, è dei Dossi ». Dopo questa affermazione del Manilli la critica ha attribuito il dipinto ora a Giovanni, ora a Battista, ora alla collaborazione dei due fratelli. Se il paesaggio può far pensare alla partecipazione di Battista di Dosso, questa appare però molto vaga, e l'accentuazione cromatica, come l'invenzione sorprendente e libera, affermano il prevalere del maggiore fratello. Più strano è invece vedere questa tela, riconosciuta per il soggetto: « La Ninfa Calisto seguace di Diana » nell'*Inventario* del 1790, passare nel *Fidecommisso* come opera di scuola del Garofalo, e con questa paternità giungere fino al 1888, così da provocare, per opera del Morelli, una vera riscoperta del suo autore. Ancora a Battista venne assegnata dal Gruyer, e dalla Mendelsohn, a Dosso dal Longhi.

Bibl.: Manilli, 1650, p. 104; *Inv.*, 1790, St. VI, n. 26; *Inv. Fid.*, 1833, p. 21; Piancastelli, *Ms.*, 1891, p. 143; A. Venturi, *Cat.*, 1893, p. 154; Morelli, *Pittura It.*, 1897, p. 214; Gruyer, *Art Ferrarais*, 1897, p. 286; Zwanziger, *D. D.*, 1911, p. 64; Mendelsohn, *D.*, 1914, p. 137; Cantalamessa, in *Boll. Arte*, 1922, pp. 42–43; Longhi, *Precisioni*, 1928, p. 205; A. Venturi, *Storia*, IX, 3, 1928 , p. 958; Berenson, *Pitture It.*, 1936, p. 151; Longhi, *Ampliamenti*, 1940, p. 31; De Rinaldis, *Cat.*, 1948, p. 83; Suida, in *Gaz. B. Arts*, 1949, p. 284; Della Pergola, *Gall. Borgh.*, 1950, p. 37.

Fot.: Anderson 24259; Arch. Fot. Vat. XXXI–43–9 (già Moscioni 21257).

38. – I SS. COSMA E DAMIANO (inv. n. 22). Fig. 41.

Olio su tela: 2,25 × 1,57.

Conservazione buona.

Proviene dall'Ospedale di S. Anna a Ferrara, per cui era stata dipinta, e da cui venne tolta e inviata in dono al Cardinale Scipione in data 15 dicembre 1607, dal Vescovo di Ferrara. Nel 1612 veniva eseguita la cornice dal doratore Annibale Durante (A. S. B. V., Busta 4170. Cfr. Bibl. gen., Documenti, nn. 2, 4, 13).

Citata dal Manilli: « Il S. Cosma e Damiano, quadro grande, è dei Dosso ». Il Monte-latici la descrive più particolarmente: « L'altro sopra la statua di Seneca rappresentante li due Santi Cosmo e Damiano, che curano un infermo, con una donna in piedi in atto di prestarvi assistenza, vien dipinto da Dossi ». Ancora al Dosso viene riferito nell'*Inventario* del 1693; ma in quello del 1790 appare invece la strana attribuzione a Paolo Veronese, negli *Elenchi Fidecommissari* quella al Mantegna, finchè il Piancastelli lo accostò cautamente a Battista di Dosso, e il Morelli a Dosso stesso, seguito dal Venturi e dal Longhi. E mal-grado un ritorno indietro dello Zwanziger a un seguace del Mazzolino, il nome di Dosso è rimasto. Solo il Bell riprese l'assurda attribuzione al Veronese. Il Morelli volle vedervi indicato il nome dell'artista nelle lettere che girano intorno al vaso di farmacia, come in una specie di sciarada: ONTO D, di cui il Venturi avvertì l'inconsistenza. Pur essendo meno smagliante delle altre opere di Dosso pervenute alla Galleria Borghese, il dipinto deve certo riferirsi a questo maestro. Bellissima è la figura femminile in secondo piano.

Bibl.: Manilli, 1650, p. 68; *Inv.* 1693, St. III, n. 52; Montelatici, 1700, p. 257; *Inv.*, 1790, St. III, n. 50; *Inv. Fid.*, 1833, p. 34; Piancastelli, *Ms.*, 1891, p. 7; A. Venturi, *Cat.*, 1893, p. 38; Morelli, *Pittura It.*, 1897, p. 215; Gruyer, *Art Ferrarais*, 1897, II, p. 286; Zwanziger, *D. D.*, 1911, p. 119; Gardner, *Painters of Ferrara*, 1911, p. 159; Mendelsohn, *D.*, 1914, p. 119; A. Venturi, *Storia*, 1928, IX, 3, p. 977; Longhi, *Precisioni*, 1928, p. 177; De Rinaldis, *Cat.*, 1948, p. 29; Della Pergola, *Itin.*, 1951, p. 19; Bell., *Veronese*, s. d., p. xxviii.

Fot.: Arch. Fot. Vat. XXIII–22–31 (già Moscioni 21146); Gab. Fot. Naz. E 32811.

39. – MADONNA COL BAMBINO (inv. n. 211).

Olio su tela: 0,35 × 0,28.

Conservazione generalmente buona. La Mendelsohn accusava un rifacimento della mano destra della Madonna, che non appare. Pulita da Carlo Matteucci nel 1940 ca. (diret-tore De Rinaldis).

Proviene dall'eredità di Lucrezia d'Este, duchessa d'Urbino, a Pietro Aldobrandini, nel 1592, e da questi, attraverso Olimpia Aldobrandini, ai Borghese.

Nell'*Inventario del Guardaroba di Lucrezia d'Este* questa tavola appare così citata: « Di sopra la cornice a man manca vi sono due quadretti uno con la Madonna con Nro Sig.re Imbrazzo di mano di Mondino Scarsella, et l'altro con una Madonna simile di mano del Dosso ». Ma attraverso tutti gli *Inventari* successivi, e, attraverso il *Fidecommisso*, fino alle schede del Piancastelli del 1891, l'indicazione del dipinto appare accompagnata da quella di « autore incerto », « autore incognito ». Il nome del Dosso venne di nuovo proposto dal Venturi, e dopo di lui da tutta la critica. Solo lo Zwanziger pose, dubitativamente, l'attribuzione a Battista di Dosso. Il Berenson, a ragione, la classificò tra le opere giovanili di Dosso.

Fu esposto nel 1933 alla Mostra della Pittura Ferrarese a Ferrara.

BIBL.: *Inv. Lucrezia d'Este*, 1592, p. 9; *Inv.*, 1833, p. 38; Piancastelli, *Ms.*, 1891, p. 472; A. Venturi, *Cat.*, 1893, p. 126; Gruyer, *Art Ferrarais*, 1897, p. 286; Berenson, *North It. Painters*, 1907, p. 210; Zwanziger, *D. D.*, 1911, p. 80; Mendelsohn, *D.*, 1914, pp. 41–42; Longhi, *Precisioni*, 1928, p. 197; A. Venturi, *Storia*, 1928, IX, 3, p. 672; *Mostra Ferrarese*, 1933, p. 159; Longhi, *Officina*, 1934, p. 137; Lasareff, in *Art. in Amer.*, 1941, pp. 132–35; De Rinaldis, *Cat.*, 1948, p. 84; Della Pergola, *Itin.*, 1951, p. 54.

Fot.: Anderson 2721; Brogi 15890; Arch. Fot. Vat. XXX–80–8 (già Moscioni 21223).

40. – GIGE E CANDAULE (inv. n. 225). Fig. 38.
Olio su tela: 0,41 × 0,56.

Conservazione buona.
Provenienza indeterminata.

Compare per la prima volta nell'*Inventario* del 1693, dove è così citata: « Donna nuda mezza coperta con due altre figure d'homo con la corona in testa tavola (*sic*) del N°... con cornice dorata di Paris Bordone ». Come opera del Pomarancio è segnata invece nell'*Inventario* del 1790, ma tanto il *Fidecommisso* come il manoscritto del Piancastelli dànno ignoto l'autore e il soggetto della rappresentazione. Il Morelli, in una classificazione orale dei quadri Borghese, trascritta in brevi note dal Piancastelli, ed esistente nell'Archivio della Galleria, fece il nome dello Scarsellino, accolto dal Venturi nel *Catalogo* del 1893. L. Venturi identificò il soggetto con l'episodio di Gige e Candaule narrato da Erodoto, e il Longhi riportò il dipinto a Dosso giovane. Evidenti sono i rapporti, cromatici e compositivi, con la « Calisto addormentata » (inv. n. 304) della stessa raccolta, che tuttavia sembra opera più matura rispetto a questo quadretto. Mentre il Berenson è tornato, nell'edizione del 1936, al nome dello Scarsellino, il De Rinaldis ha accettato l'attribuzione del Longhi, al primo periodo dell'attività di Dosso Dossi.

BIBL.: *Inv.*, 1693, St. VI, n. 19; *Inv.*, 1790, St. VI, n. 32; *Inv. Fid.*, 1833, p. 25; Piancastelli, *Ms.*, 1891, p. 448; A. Venturi, *Cat.*, 1893, p. 131; L. Venturi, in *Arte*, 1909, p. 37; Longhi, *Precisioni*, 1928, p. 198; Longhi, *Officina*, 1934, p. 142; Berenson, *Pitture It.*, 1936, p. 445; De Rinaldis, *Cat.*, 1948, p. 84; Della Pergola, *Itin.*, 1951, p. 54.

Fot.: Anderson 31255; Gab. Fot. Naz. E 12448.

41. – ADORAZIONE DEL BAMBINO (inv. n. 220). Fig. 40.
Olio su tavola: 0,50 × 0,32.

Conservazione discreta. Il colore è però molto annerito.

Proviene dall'eredità di Lucrezia d'Este, nel 1592 giunta agli Aldobrandini e in parte passata ai Borghese con il matrimonio di Olimpia.

« La Natività di Nostro Sig.re di mano di Dosso » si trova in quell'*Inventario*, e che si tratti con molta verosimiglianza di questa tavola è attestato dall'attribuzione che permette di seguire questo quadretto fino all'*Inventario* del 1790. Negli *Elenchi Fidecommissari*, invece, appare sotto il nome del Garofalo, che conserva fino al Piancastelli. Il Morelli pensò piuttosto a Battista di Dosso, e il Venturi, per le piccole dimensioni, la giudicò un bozzetto.

È invece opera in sè definita e la scioltezza con cui è dipinta, prossima alla « Madonna » (inv. n. 211) della stessa Galleria, se pure non così felice, afferma la paternità di Giovanni Luteri. Anche il Berenson la giudicò un'opera giovanile.

Fu esposta nel 1933 alla Mostra della Pittura Ferrarese, a Ferrara.

BIBL.: *Inv. Lucrezia d'Este*, 1592, p. 9; *Inv. Olimpia Aldobrandini*, 1682; *Inv.*, 1790, St. I, n. 24; *Inv. Fid.*, 1833, p. 7; Piancastelli, *Ms.*, 1891, p. 128; A. Venturi, *Cat.*, 1893, p. 130; Morelli, *Pitture It.*, 1897, p. 216; Gruyer, *Art Ferrarais*, 1897, p. 286; Zwanziger, *D. D.*, 1911, pp. 80–81; Mendelsohn, *D.*, 1914, pp. 52–53; Longhi, *Precisioni*, 1928, p. 197; A. Venturi, *Storia*, 1928, IX, 3, p. 977; *Mostra Ferrarese*, 1933, p. 171; De Rinaldis, *Itin.*, 1935, p. 43; Berenson, *Pitture It.*, 1936, p. 151; De Rinaldis, *Cat.*, 1948, p. 84; Della Pergola, *Itin.*, 1951, p. 53.

Fot.: Arch. Fot. Vat. XXX–80–9 (già Moscioni 21229); Gab. Fot. Naz. E 28418.

42. – S. CATERINA (inv. n. 142).
Olio su tela: 0,70 × 0,70.

Conservazione buona.

Provenienza indeterminata. Era nella raccolta dal 1650 (Manilli). Il Longhi, rifacendosi all'antica testimonianza del Manilli, restituì al Dosso questa tela, che nell'*Inventario* del 1790 era diventata « Una Santa che legge, del Caravaggio ». Annotandola sotto questo nome, il Venturi aveva scritto: « sembra una copia ingrandita di una testa garofolesca », ma non mancava di porre un prudente « attribuito », accanto al nome di Caravaggio. Giusto, e molto interessante, è il rapporto con il Garofalo, ad esempio nella «Sacra Conversazione» (inv. n. 240) della stessa raccolta, dove la « Madonna » sembra ripresa dalla testa di questa « Santa», che rivela un rigore cromatico ed una individualità artistica ben altrimenti potente.

BIBL.: Manilli, 1650, p. 97; *Inv.*, 1790, St. IV, n. 21; *Inv. Fid.*, 1833, p. 21; Piancastelli, *Ms.*, 1891, p. 109; A. Venturi, *Cat.*, 1893, p. 100; Longhi, *Precisioni*, 1928, p. 190; Della Pergola, *Itin.*, 1951, p. 47.

Fot.: Gab. Fot. Naz. E 33262.

REPLICA DA DOSSO DOSSI.

43. – DAVIDE CON LA TESTA DI GOLIA E UN PAGGIO (inv. n. 181).
Olio su tavola: 0,98 × 0,83.

Conservazione meno che mediocre. Già il Ramdohr, nel 1787, ne denunciava il grave stato di deterioramento. Un rifacimento posteriore a questa data venne tolto da Carlo Matteucci (direttore Aldo De Rinaldis) nel 1946 mettendo in luce le gravi lacune, pure in parti non figurative.

Provenienza indeterminata. Era nella raccolta nel 1648, citata dal Ridolfi.

La prima citazione del Ridolfi assegna questa tavola a Giorgione il cui nome resiste fino al 1888, messo in dubbio dal Mündler e dal Cavalcaselle, che pensarono ad un imitatore di Pietro della Vecchia. Il Venturi e il Berenson la riferirono a Dosso Dossi, il primo riportandosi all'uguale dipinto di Stoccarda, che ritenne la prima versione; il Longhi vi vide la mano di « un mediocre giorgionesco friulano ». L'opera, quale oggi si presenta, ha perduto gran parte della qualità d'origine, ma per quanto è possibile accertare, ci sembra di dovere escludere la diretta partecipazione di Dosso, a cui probabilmente risale, invece, l'invenzione.

Il soggetto rappresentato venne interpretato come Saul e Davide dal Ramdohr, dal Piancastelli e dal Venturi, mentre il Morelli pensò di riferirlo ad un episodio dell'*Orlando*

Furioso e lo Schlosser e L. Venturi vi identificarono Astolfo e Orrile. Una replica con la figura del Davide stranamente vecchio si trova nella Collezione Johnson a Filadelfia e un'altra nel Museum of Fine Arts di Dallas (Texas).

Esposto nel 1933 alla Mostra della Pittura Ferrarese a Ferrara.

BIBL.: Ridolfi, *Meraviglie*, 1648 (1914), p. 105; *Inv.*, 1693, St. V, n. 61; Ramdohr, *Mahlerei in Rom*, 1787, p. 303; *Inv.*, 1790, St. IX, n, 23; *Inv. Fid.*, 1833, p. 6; Platner, *Beschreib. Rom*, 1842, III, pp. 275–76, Cavalcaselle, *Paint. in North Italy*, 1864 (1912), III, p. 50; Mündler, *Jahrb. Kstwiss.*, 1869, III–IV; Lübke, *It. Mahlerei*, 1878, p. 318; Piancastelli, *Ms.*, 1891, p. 8; A. Venturi, *Cat.*, 1893, p. 114; Crowe Cavalcaselle, *Painting in North Italy*, 1897 (1912), III, p. 50; Morelli, *Pittura It.*, 1897, p. 216; Monneret de Villard, *Giorgione*, 1904, p. 140; Von Hadeln, *Note al Ridolfi*, 1924, I, p. 105; A. Venturi, *Storia*, 1928, IX, 3, p. 977; *Mostra Ferrarese*, 1933, p. 159; Longhi, *Officina*, 1934, p. 149; Berenson, *Pittura It.*, 1936, p. 151; Richter, *Giorgione*, 1937, p. 318; De Rinaldis, *Itin.*, 1939, p. 46; Sterling, in *Arte Veneta*, VIII, 1954, pp. 270–71.

FOT.: Alinari 27503; Anderson 3570; Arch. Fot. Vat. XXX–78–12 (tutte prima della pulitura); Gab. Fot. Naz. E 33439 (dopo la pulitura).

LAVINIA FONTANA.

Bologna 1552 – Roma 1614.

44. – MINERVA IN ATTO DI ABBIGLIARSI (inv. n. 7). Fig. 45.
   Olio su tela: 2.60 × 1,90.

Conservazione meno che mediocre. Una pulitura eseguita nel 1954 da Alvaro Esposti ha messo in luce le molte lacune sia nella figura che nel fondo, e l'ampliamento della tela, avvenuto in epoca imprecisata, così da portare le misure originali, di m. 2,60 × 1,60 a quelle attuali. Una spessa vernice gialla, probabilmente dell'Ottocento, aveva coperto tutto il dipinto, mascherando i molti rifacimenti, e dando all'insieme un tono dorato, non ultimo motivo per le precedenti attribuzioni.

Acquistata da Scipione Borghese, nel 1613. Era firmata e datata, ma rimangono solo le ultime lettere, sotto il piede dell'Amorino seduto: ... « FACIEBAT MDCXIII ». Nell'Archivio Borghese in Vaticano è stato possibile rintracciare il pagamento di Annibale Durante, pittore doratore, per una serie di lavori eseguiti tra il 1613 e il 1614. Tra gli altri, « Una cornice fatta nello stesso modo (della precedente, e cioè: fatta di negro a olio con la cornicetta dentro d'oro) quale serve per la Pallade della signora Lavinia Fontana alta p.13 et 8 » (A. S. B. V., busta 4170–1613. Cfr. Bibl. gen., Documenti, n. 11). L'opera fu eseguita certamente a Roma, e nel fondo è visibile la cupola di S. Pietro. La prima notizia nelle fonti storiche si trova però tardi, e precisamente nel Montelatici (1700) che la dice « pensiere di Tiziano ». Il Vasi l'attribuì al Padovanino, nome accolto dal Nibby, dal Piancastelli e dal Venturi, e decisamente rifiutato dal Longhi, il quale non accettò nemmeno quello di Girolamo Forabosco, in nulla convincente, proposto dal Fiocco. Il De Rinaldis l'aveva definita opera di scuola veneta seicentesca. L'elegante impostazione della figura richiama la « Venere » in collezione privata a Biella, ed ora a Torino, dipinta da Lavinia Fontana nel 1598, mentre il suo atteggiamento, di chiara derivazione dalla « Madonna del Velo », è lo stesso del « Sonno di Gesù », dell'Escurial, di cui altra replica, dipinta dalla Fontana nel 1591, è nella raccolta Borghese (inv. n. 437).

Nel 1808 la grande tela venne portata a Parigi, con l'arredamento di Camillo Borghese, e tornò nel 1816.

BIBL.: Montelatici, 1700, p. 279; Vasi, *Itinerario*, 1818, p. 261; Nibby, *Itinerario*, 1824, p. 311; *Inv. Fid.*, 1833, p. 11; Piancastelli, *Ms.*, 1891, p. 61; A. Venturi, *Cat.*, 1893, p. 24; Fiocco, in *Belvedere*, 1926, p. 24; Longhi, *Precisioni*, 1928, p. 176; De Rinaldis, *Itin.*, 1939, p. 9; Della Pergola, *Boll. Arte*, 1954, p. 134-135.

Fot.: Alinari 27515; Anderson 1006 (prima del restauro); Gab. Fot. Naz. (dopo il restauro) E 34309.

45. – IL SONNO DI GESÙ (inv. n. 437). Fig. 44.

Olio su rame: 0,45 × 0,37.

Conservazione generalmente buona. Una caduta di colore è da lamentare nell'angolo a sinistra, in basso, vicino alla firma, dove era stato segnato un numero d'inventario, come in molti altri dipinti della Galleria.

Provenienza indeterminata.

Firmato e datato: « Lavi ... Facie ... 1591 ». Se ne trova notizia per la prima volta nell'*Inventario* del 1693: « un quadro in tavola (*sic*) di due palmi La Madonna con S. Giuseppe San Giovanni e S. Anna con il Bambino che dorme sopra un letto del n. 198 segnato dietro con cornice d'argento con l'arme del Sig. Cardinale Borghese intagliata di lavinia fontana ».

Ancora citato nell'*Inventario* del 1700 circa: « La Madonna col Bambino e San Giuseppe... di Lavinia Fontana » e poi in quello del 1790: « La B. Vergine col Bambino che dorme, Lavinia Fontana ». Si tratta di una replica del quadro attualmente all'Escurial firmato e datato 1589.

BIBL.: *Inv.*, 1693, St. XI, n. 85; *Inv.*, 1790, St. VI, n. 24; *Inv. Fid.*, 1833, p. 9; Piancastelli, *Ms.*, 1891, p. 171; A. Venturi, *Cat.*, 1893, p. 205; Longhi, *Precisioni*, 1928, p. 221; A. Venturi, *Storia*, IX, 6, 1933, p. 694; De Rinaldis, *Itin.*, 1939, p. 33; Galli, *L. F.*, 1940, p. 72; Della Pergola, *Itin.*, 1951, p. 35.

Fot.: Chauffourier 4132; Gab. Fot. Naz. E 28444.

46. – TESTA DI GIOVANE (inv. n. 81).

Olio su tela: 0,49 × 0,37.

Conservazione buona.

Proviene con molta probabilità da un acquisto del Cardinale Scipione.

Firmato e datato: « LAVI.ª FON.ª F. 1606 ». È citato dal Manilli come « la testa del Redentore», nell'*Inventario* del 1700 semplicemente come « Ritratto », in quello del 1790 come « Testa di un Putto». Il carattere vivo e immediato di questa tela fa pensare allo studio di un ritratto e non, come suppose il Venturi, imitazione da uno studio correggesco dei Carracci.

BIBL.: Manilli, 1650, p. 112; *Inv.*, 1700, St. IV, n. 39; *Inv.*, 1790, St. VIII, n. 35; *Inv. Fid.*, 1833, p. 20; Piancastelli, *Ms.*, 1891, p. 172; A. Venturi, *Cat.*, 1893, p. 75; Longhi, *Precisioni*, 1928, p. 185; A. Venturi, *Storia*, 1933, IX, 6, p. 694; Galli, *L. F.*, 1940, p. 72; De Rinaldis, *Cat.*, 1948, p. 57; Della Pergola, *Itin.*, 1951, p. 34.

Fot.: Arch. Fot. Vat. XXIII–23–20 (già Moscioni 21175); Gab. Fot. Naz. E 33378.

FRANCESCO FRANCIA (Francesco Raibolini).

Bologna 1450 c. – Bologna 1517.

47. – S. STEFANO (inv. n. 65).

Olio su tavola: 0,73 × 0.53.

Conservazione generalmente buona. Il Venturi accusava una svelatura del dipinto fin dal 1893. Nel 1945 venne pulito da Carlo Matteucci (direttore Aldo De Rinaldis).

Già a Firenze, nel Palazzo di Camillo Borghese, poi passato per eredità in Casa Salviati e di qui ricomprato con altri quadri dalla eredità libera di Francesco Borghese. Nel 1837 venne registrato per la prima volta nel *Catalogo* della Galleria, a Camera II, n. 50.

Firmato: « Vincentii Desiderii votum. Francie expressum manu ».

Appartiene al periodo giovanile del Francia, intorno al 1475 ed è condotto con una purezza d'animo che si identifica con la quieta religiosità dell'immagine. Il dipinto non era compreso nel *Fidecommisso*, e venne incluso nell'acquisto da parte dello Stato per una convenzione che svincolava il ritratto cosidetto di Cesare Borgia, venduto al Barone Rotschild nel 1891.

Fu esposto nel 1933 alla Mostra della Pittura Ferrarese a Ferrara e nel 1935 alla Mostra d'Arte Italiana a Parigi.

BIBL.: *Inv.*, 1837, Cam. II, n. 50; Morelli, *Pittura It.*, 1897, p. 194; Crowe Cavalcaselle, *Painting in North It.*, 1871 (1912), II, p. 271; La Direzione, in *Arch. St. Arte*, 1892, V, p. 4; A. Venturi, *Cat.*, 1893, p. 68; Williamson, *F. R.*, 1901, p. 153; Gardner, *Painters of Ferrara*, 1911, p. 216; Lipparini, *F. F.*, 1913, pp. 30, 34–35; A. Venturi, *Storia*, 1914, VII, 3, p. 862; E. T., in *Arte*, 1915, p. 315; Piazzi, *F. F.*, 1925, pp. 46, 55–56; Longhi, *Precisioni*, 1928, p. 182; A. Venturi, *Pitt. nell'Emilia*, 1931, p. 60; *Mostra Ferrarese*, 1933, pp. 143–44; Longhi, *Officina*, 1934, p. 216; *Mostra Parigi*, 1935, p. 77; De Rinaldis, *Cat.*, 1948, p. 75; Della Pergola, *Itin.*, 1951, p. 35.

Fot.: Alinari 8017; Anderson 794; Brogi 7317; Chauffourier 4163; Gab. Fot. Naz. D 3251; Moscioni 21170.

48. – MADONNA COL BAMBINO NEL GIARDINO DI ROSE (inv. n. 61).

Olio su tavola: 0,87 × 0,64.

Conservazione buona. Nel 1921 è stato eseguito da Riccardo Bacci Venuti (direttore Giulio Cantalamessa) un consolidamento della tavola incrinata, l'eliminazione di antiche vernici ossidate e il fissaggio del colore in alcune parti.

Proviene dal Convento di S. Maria Maddalena di Bologna, come si legge nel retro della tavola, ed è stata eseguita dal Francia per Suor Dorotea Fantuzzi.

Era nella raccolta già quando ne scriveva il Malvasia: « e restringendomi a quelle solo di Roma, per essere impossibile a dir tutte, quella che è nei Camerini della Vigna Borghese, tenuta colà comunemente di Pietro Perugino ». Negli *Elenchi del Fidecommisso* è citata con la giusta attribuzione al Francia, confermata dal Venturi e dal Longhi, mentre il Ricci (secondo un giudizio orale trascritto dal Piancastelli) pensava per questa « Madonna » al Boateri. L'opera non si discosta dalle qualità normali del Francia, cui deve infatti essere riferita. Il Borenius pubblica (in *Pantheon*, 1930, p. 144) una « Madonna » del Castello Rohoncz, in Ungheria, similissima a questa, se pure con la variante aggiuntiva di due angeli a lato. Incisa dal Porretti.

Esposta alla Mostra del Libro a Palazzo Venezia, 1954.

BIBL.: Malvasia, *Felsina*, 1678 (1844), II, p. 49; *Inv. Fid.*, 1833, p. 14; Crowe Cavalcaselle, *Painting in North It.*, 1871 (1912), p. 271; A. Venturi, in *Arch. St. Arte*, 1890, III, p. 291; Piancastelli, *Ms.*, 1891, p. 167; A. Venturi, *Cat.*, 1893, p. 182; Morelli, *Pitt. It.*, 1897, pp. 194–95; Williamson, *F. F.*, 1901, p. 153; Gardner, *Painters of Ferrara*, 1911, p. 216; Lipparini, *F. F.*, 1913, p. 107; A. Venturi, *Storia*, 1914, VII, 3, p. 952; Piazzi, *F. F.*, 1925, pp. 46, 55–56; Longhi, *Precisioni*, 1928, p. 182; De Rinaldis, *Cat.*, 1948, p. 75; Della Pergola, *Itin.*, 1951, p. 48; Petrucci, *Cat.*, 1953, pp, 100, 157.

Fot.: Alinari 8018; Anderson 792; Chauffourier 4161; Gab. Fot. Naz. D 3215, 3216; Moscioni 21169.

49. – S. FRANCESCO (inv. n. 57).
 Olio su tela: 0,55 × 0,45.

Conservazione buona.

Provenienza indeterminata. Era nella raccolta nel 1790.

Nell'*Inventario* del 1790 appare elencata per la prima volta come « S. Francesco di Pietro Perugino ». I dipinti del Francia che si trovano nella raccolta vengono annotati molto spesso sotto questo nome. Negli *Elenchi Fidecommissari* del 1833, tuttavia, troviamo la giusta attribuzione al Francia, ma il Santo, che pure ha ben visibili le stigmate, diventa S. Antonio. La debolezza dell'opera fece proporre al Cavalcaselle il nome di Giacomo Francia, al Venturi quello di Marco Meloni, al Longhi quello di un non determinato scolaro del Francia. Il Berenson ed Aldo De Rinaldis indicarono di nuovo il Francia stesso come autore di quest'opera, che se pure non raggiunge la limpida altezza del S. Stefano, rientra bene nella normale produzione del maestro bolognese, guidato sempre da una visione dignitosa e onesta.

Esposto nel 1938 alla Mostra del Ritratto Italiano a Belgrado.

BIBL.: *Inv.*, 1790, St. II, n. 37; *Inv. Fid.*, 1833, p. 19; Crowe Cavalcaselle, *Painting in North It.*, 1871 (1912), II, p. 271; Piancastelli, *Ms.*, 1891, p. 168; A. Venturi, *Cat.*, 1893, p. 63; Morelli, *Pittura It.*, 1897, p. 196; Berenson, *North It. Painters*, 1907, p. 223; Gardner, *Painters of Ferrara*, 1911, p. 195; Lipparini, *F. F.*, 1913, pp. 33-34, 36; A. Venturi, *Storia*, 1914, VII, 3, p. 952; Piazzi, *F. F.*, 1925, pp. 34, 36, 46; A. Venturi, *Studi*, 1927, p. 208; Longhi, *Precisioni*, 1928, p. 181; Longhi, *Officina*, 1934, pp. 129, 175; Berenson, *Pitture It.*, 1936, p. 179; *Mostra Ritratto It.*, 1938; De Rinaldis, *Itin.*, 1939, p. 45; Della Pergola, *Itin.*, 1951, p. 47.

Fot.: Alinari 8012; Anderson 799; Brogi 7319; Arch. Fot. Vat. XXX–61–28 (già Moscioni 21166).

SEGUACE DI FRANCESCO FRANCIA.

50. – MADONNA COL BAMBINO (inv. n. 34).
 Olio su tavola: 0,48 × 0,39.

Conservazione buona. Una pulitura eseguita in epoca indeterminata sembra avere reso più aspro il colore.

Provenienza indeterminata.

Si trova indicata per la prima volta nel *Fidecommisso* del 1833, come opera di Francesco Francia. Il Cavalcaselle non solo escluse tale attribuzione, ma scartò anche il nome del Boateri e l'assegnò alla « maniera del Boateri », da cui ci sembra si distacchi notevolmente. Anche il Venturi volle vedervi un'opera « materiale e negligente » e l'attribuì ad « uno dei duecentoventi discepoli del Francia », escludendo anch'egli, però, il Boateri. La tavola non ha la finezza da orafo del Francia migliore, ma la sua assegnazione ad uno scolaro di questo maestro non deve annoverarla tra i più scadenti. La identificazione del De Rinaldis con la « Madonna di Pietro Giulianello » elencata nell'*Inventario* del 1700 è da scartare, in quanto le opere riunite sotto questo nome sono tutte da classificare tra i seguaci del Garofalo.

BIBL.: *Inv. Fid.*, 1833, p. 8; Crowe Cavalcaselle, *Painting in North It.*, 1871 (1912), II, p. 271; Piancastelli, *Ms.*, 1891, p. 166; A. Venturi, *Cat.*, 1893, p. 50; Morelli, *Pittura It.*, 1897, p. 196; Longhi, *Precisioni*, 1928, p. 179; De Rinaldis, in *Archivi*, 1936, p. 7; Suida, *Kress Collection*, 1954, p. 33.

Fot.: Alinari 8019; Anderson 800; Chauffourier 4162; Arch. Fot. Vat. XXIII–22–33 (già Moscioni 21149).

GAROFALO (Benvenuto Tisi).

Ferrara 1481 – Ferrara 1559.

51. – LE NOZZE DI CANA (inv. n. 204). Fig. 54.
Olio su tavola: 0,40 × 0,59.

Conservazione buona.

Provenienza indeterminata. Era nella raccolta nel 1693.

Si trova per la prima volta nell'*Inventario* del 1693 sotto il nome del Garofalo, nome che mantiene attraverso tutti gli *Inventari* successivi e le prime note del Piancastelli. Il Platner invece la classificò come opera di bottega. Il Morelli e il Gruyer pongono questo dipinto tra le opere ancora influenzate dal Dosso, e il Gardner lo riferisce di nuovo al Garofalo stesso. Il Venturi pensa, contro le precedenti opinioni, che non si tratti di un bozzetto, ma di una piccola composizione in sè compiuta. Concordi in tale giudizio, riteniamo sia infatti un'opera giovanile, ancora nella sfera di influenza ferrarese.

BIBL.: *Inv.*, 1693, St. V, n. 33; *Inv.*, 1700, St. V, n. 36; *Inv.*, 1790, St. IV, n. 59; *Inv. Fid.*, 1833, p. 7; Platner, *Beschreib. Rom*, 1842, III, p. 277; Piancastelli, *Ms.*, 1891, p. 129; A. Venturi, *Cat.*, 1893, p. 124; Gruyer: *Art Ferrarais*, 1897, p. 324; Gardner, *Painters of Ferrara*, 1911, p. 237; Longhi, *Precisioni*, 1928, p. 197; A. Venturi, *Storia*, 1934, IX, 4, p. 318; Berenson, *Pitture It.*, 1936, p. 188.

Fot: Anderson 3710; Brogi 15892; Arch. Fot. Vat. XXX–78–11 (già Moscioni 21221).

52. – MADONNA COL BAMBINO TRA I SS. PIETRO E PAOLO (inv. n. 213).
Olio su tavola: 0,39 × 0,30.

Conservazione buona.

Proviene dall'eredità del Cardinale Salviati (1612) giunta attraverso Olimpia Aldobrandini ai Borghese.

Nell'*Inventario* del Cardinale è così citata: « Un quadro con la Madonna e i SS. Pietro e Paolo di mano del Benvenuto da Garofalo con cornice dorata segnato n. 55 » e nell'*Inventario* per la divisione dei beni Aldobrandini, nel 1682: « Un quadretto in tavola con la beatissima Vergine e Christarello che porge le Chiavi a S. Pietro con S. Paolo alla destra di Benvenuto alto palmi uno e mezzo come all'*Inventario* di Guardaroba a Carte 241, n. 439 ». L'esatta attribuzione è ripetuta negli *Inventari* successivi e accettata concordemente. Il Gruyer vi nota ancora, con esattezza, una forte influenza di Dosso.

BIBL.: *Inv. Card. Salviati*, 1612, n. 4; *Inv. Olimpia Aldobrandini*, 8 agosto 1682, n. 1; *Inv.*, 1790, St. I, n. 35; *Inv. Fid.*, 1833, p. 6; Platner, *Beschreib. Rom*, 1842, III, p. 275; Piancastelli, *Ms.*, 1891, p. 127; A. Venturi, *Cat.*, 1893, p. 126; Gruyer, *Art Ferrarais*, 1897, p. 324; Gardner, *Painters of Ferrara*, 1911, p. 237; Longhi, *Precisioni*, 1928, p. 197; Berenson, *Pitture It.*, 1936, p. 188; De Rinaldis, *Cat.*, 1948, p. 74; Della Pergola, *Itin.*, 1951, p. 47.

Fot.: Anderson 2720; Brogi 15893; Chauffourier 4185; Arch. Fot. Vat. XXX–80–6 (già Moscioni 21224).

53. – LA VERGINE COL BAMBINO, S. MICHELE E ALTRI SANTI (inv. n. 240).
Olio su tela: 0,47 × 0,84.

Conservazione buona.

Provenienza indeterminata.

Si trova elencata con sicurezza, per la prima volta, nel *Fidecommisso* del 1833. Il Morelli nota in quest'opera, che dice molto ammirata, una certa fiacchezza e un fare convenzionale. Il Venturi la giudica « del tempo primitivo ». In realtà la raffigurazione appare standardizzata, mentre l'arte, cui ha arriso ampio successo, ha perduto in originalità e freschezza. L'influenza del Dosso è ancora notevole, specie nella figura della Vergine che richiama la « S. Caterina » (inv. n. 142).

Bibl.: *Inv. Fid.*, 1833, p. 14; Platner, *Beschreib. Rom*, 1842, III, p. 299; Piancastelli, *Ms.*, 1891, p. 140; A. Venturi, *Cat.*, 1893, p. 133; Gruyer, *Art Ferrarais*, 1897, p. 324; Gardner, *Painters of Ferrara*, 1911, p. 237; Longhi, *Precisioni*, 1928, p. 198; A. Venturi, *Storia*, 1929, IX, 4, p. 296; De Rinaldis, *Cat.*, 1948, p. 74; Della Pergola, *Itin.*, 1951, p. 47.

Fot.: Alinari 8031; Anderson 3714; Chauffourier 4188; Gab. Fot. Naz. E 9469; Arch. Fot. Vat. XXX-53-2 (già Moscioni 21237).

54. – LA CONVERSIONE DI S. PAOLO (inv. n. 347). Fig. 60.
Olio su tela: 2,47 × 1,57.

Conservazione buona. Nel 1859 questo dipinto, che era in origine su tavola, venne trasportato su tela da Filippo Cecconi Principe «quasi una prova o esperimento — scrive il Piancastelli — per il trasporto della deposizione di Raffaello che deperiva progressivamente ».

Datato: M. D. X. X. X. X. V.

Era nella raccolta già nel 1622. In quell'anno infatti si trova un pagamento al pittore Antonio Mariani, per « acomodato un quadro grande di mano del Garofalo il quale ha sopra la conversione di S. Paolo sc. 6 » (Fondo Borghese, busta 4170–1622). Citato dal Manilli: « la Conversione di S. Paolo, quadro grande, e sotto il piccolo San Pietro, che cammina sull'onde, sono del Garofali ». Il Venturi osserva: « il dipinto mostra a quali aberrazioni giungesse il Garofalo, poi che vide Giulio Romano ». Completamente perduta è infatti la grazia delle sue opere giovanili e la composta misura che costituisce il pregio migliore della sua arte.

Bibl.: Manilli, 1650, p. 82; *Inv.*, 1693, St. II, n. 34; *Inv.*, 1790, St. I, n. 8; Vasi, *Itin.* 1794, (cfr. 1786), p. 390; *Inv. Fid.*, 1833, p. 15; Platner, *Beschreib. Rom*, 1842, III, p. 275; Piancastelli, *Ms.*, 1891, p. 141; A. Venturi, *Cat.*, 1893, p. 169; Gruyer, *Art Ferrarais*, 1897, p. 325; Gardner, *Painters of Ferrara*, 1911, p. 237; Longhi, *Precisioni*, 1928, p. 209; Dobschütz, in *Repert. f. Kstwiss.*, 1929, pp. 101–2; De Rinaldis, *Cat.*, 1948, p. 29; Della Pergola, *Itin.*, 1951, p. 19.

Fot.: Anderson 27765.

55. – PIANTO SUL CRISTO DEPOSTO (inv. n. 205). Fig. 61.
Olio su tela: 0,55 × 0,42;

Conservazione buona.

Proviene dall'acquisto effettuato nel 1787 presso Bartolomeo Cavaceppi, in cambio di un vitalizio.

Si trova subito dopo elencato nell'*Inventario* del 1790: « La deposizione di Cristo dalla Croce, Benvenuto Garofalo ». Il Platner pensa sia opera di scuola, e così il De Rinaldis. Il Venturi invece l'assegna allo stesso Garofalo, giudicandola opera giovanile, anteriore al 1520; il Berenson pur concordando nella paternità, la pone tra le opere tarde. L'autografo ci sembra indubbio, ma per l'accentuato raffaellismo delle figure, siamo favorevoli alla datazione del Berenson.

Bibl.: *Inv.*, 1790, St. I, n. 17; *Inv. Fid.*, 1833, p. 10; Platner, *Beschreib. Rom*, 1842, III, p. 278; Piancastelli, *Ms.*, 1891, p. 136; A. Venturi, *Cat.*, 1893, p. 125; Gardner, *Painters of Ferrara*, 1911, p. 237; Longhi, *Precisioni*, 1928, p. 197; Berenson, *Pitture It.*, 1936, p. 188.

Fot.: Arch. Fot. Vat. XXX-78-5 (già Moscioni 21222); Gab. Fot. Naz. E 32692.

56. – MADONNA COL BAMBINO IN ATTO DI PRENDERE UN UCCELLO (inv. n. 210). Fig. 51.
Olio su tavola: 0,33 × 0,28.

Conservazione buona.

Era nella raccolta nel 1650. Citata dal Manilli: « La Vergine con Christo in braccio che tiene un uccellino in mano di Benvenuto Garofalo », viene in seguito conglobata con gli altri dipinti attribuiti per lo più alla scuola. Il Platner la dice opera di un seguace, il Venturi invece si riporta all'autografo, di un periodo giovanile, e l'accosta alla cimasa dell'ancona di S. Valentino a Reggio Emilia, che è del 1517. Anche il Berenson la data tra le opere della giovinezza. Un'identica composizione si trova ripetuta dall'Ortolano in un dipinto di collezione privata a Bologna (segnalazione orale del dottor Zeri).

Esposta alla Mostra del Libro a Palazzo Venezia, 1954.

BIBL.: Manilli, 1650, p. 68; *Inv.*, 1693, St. I, n. 35; *Inv. Fid.*, 1833, p. 10; Platner, *Beschreib. Rom*, 1842, p. 284; Piancastelli, *Ms.*, 1891, p. 135; A. Venturi, *Cat.*, 1893, p. 124; Gruyer, *Art Ferrarais*, 1897, p. 324; Gardner, *Painters of Ferrara*, 1911, p. 237; Longhi, *Precisioni*, 1928, p. 197; Berenson, *Pittura It.*, 1936, p. 188.

Fot.: Anderson 3712.

57. – ADORAZIONE DEI PASTORI (inv. n. 224).
Olio su tavola: 0,47 × 0,31.

Conservazione buona.
Provenienza indeterminata.

Il De Rinaldis la indicò nell'*Inventario* del 1790 (che egli pubblicò in *Archivi*, 1937, p. 223 con la data « 1760 »), ma in quell'*Inventario* appare invece un' « Adorazione dei Magi », e non dei « Pastori ». Tuttavia era già nella raccolta, poiché è segnata nell'*Inventario* del 1693: « Un quadro di due palmi incirca in tavola con il Presepio del Garofalo ». Il Platner dubita sia opera autentica del Garofalo; il Morelli la pensa eseguita tra il 1504 e il 1512, il Gruyer e il Gardner la assegnano senza esitazione al pittore, a cui non c'è motivo per togliere questa gentile composizione. Il Venturi vi aveva individuato elementi che denotano una profonda influenza dossesca; il Berenson e il Longhi la ritennero tra le sue opere più genuine.

BIBL.: *Inv.*, 1693, St. I, n. 11; *Inv. Fid.*, 1833, p. 9; Platner, *Beschreib. Rom*, 1842, III, p. 277; Piancastelli, *Ms.*, 1891, p. 134; A. Venturi, *Cat.*, 1893, p. 130; Morelli, *Pittura It.*, 1897, p. 207; Gruyer, *Art Ferrarais*, 1897, p. 324; Gardner, *Painters of Ferrara*, 1911, p. 237; Longhi, *Precisioni*, 1928, p. 198; Berenson, *Pitture It.*, 1936, p. 188; De Rinaldis, *Cat.*, 1948, p. 74; Della Pergola, *Itin.*, 1951, p. 49.

Fot.: Chauffourier 4184; Arch. Fot. Vat. XXXI-51-5 (già Moscioni 21231); Gab. Fot. Naz. E 33374.

58. – GESÙ CHIAMA S. PIETRO DALLA BARCA (inv. n. 236). Fig. 56.
Olio su tavola: 0,75 × 0,94.

Conservazione buona.
Provenienza indeterminata.

Citata dal Manilli insieme con la « Conversione di S. Paolo » (inv. n. 347), era nella raccolta già nel 1650. Il Berenson la ritiene opera tarda; il Gruyer vi nota un « soffio raffaellesco ». Opera autentica, anche se non di altissima qualità nelle figure, mentre è notevole nel paesaggio.

Bibl.: Manilli, 1650, p. 82; *Inv.*, 1693, St. IX, n. 74; *Inv.*, 1790, St. VII, n. 112; *Inv. Fid.*, 1833, p. 30; Platner, *Beschreib. Rom*, 1842, III, p. 293; Piancastelli, *Ms.*, 1891, p. 149; A. Venturi, *Cat.*, 1893, p. 133; Gruyer, *Art Ferrarais*, 1897, p. 325; Gardner, *Painters of Ferrara*, 1911, p. 237; Longhi, *Precisioni*, 1928, p. 198; Berenson, *Pitture It.*, 1936, p. 236.

Fot.: Anderson 3713.

59. – LA FLAGELLAZIONE DI CRISTO (inv. n. 237).

Olio su tavola: 0,71 × 0,40.

Conservazione buona.

Proviene probabilmente dall'eredità di Lucrezia d'Este a Pietro Aldobrandini e attraverso Olimpia Aldobrandini ai Borghese.

Nell'*Inventario* di Lucrezia d'Este si trova « uno di N. S. battuto alla colonna di mano del... » lasciato in bianco; ma nell'*Inventario* del 1693 appare l'attribuzione al Garofalo. Col nome del Garofalo il quadro è sicuramente elencato nel 1790 e nell'*Itinerario* del Vasi, e ancora nel *Fidecommisso*. Il Platner tuttavia l'attribuisce a un seguace, mentre il Venturi e il Longhi tornano a considerarlo opera originale. Non vi è motivo per toglierlo al Garofalo, ma la sua datazione deve ritenersi piuttosto tarda.

Bibl.: *Inv. Lucrezia d'Este*, 1592, p. 12; *Inv.*, 1693, St. VIII, n. 4; *Inv.*, 1790, St. X, n. 6; Vasi, *Itinerario*, 1794, p. 396 (cfr. 1786); *Inv. Fid.*, 1833, p. 30; Platner, *Beschreib. Rom*, 1842, III, p. 296; Piancastelli, *Ms.*, 1891, p. 138; A. Venturi, *Cat.*, 1893, p. 133; Longhi, *Precisioni*, 1928, p. 198.

Fot.: Arch. Fot. Vat. XXX–61–24 (già Moscioni 21234); Gab. Fot. Naz. E 32709.

60. – SACRA FAMIGLIA E SANTI (inv. n. 242). Fig. 58.

Olio su tavola: 0,65 × 0,42.

Conservazione discreta. Il volto e la zona pittorica intorno al Bambino presentano alcune cadute di colore.

Provenienza indeterminata.

Elencato per la prima volta nell'*Inventario* del 1693. Questo dipinto che il Platner, il Venturi e il Longhi riferiscono a scuola del Garofalo, mentre il Gruyer e il Gardner non ne fanno cenno, presenta indubbie affinità con il n. inv. 210, che il Venturi e il Berenson non esitano ad attribuire al periodo giovanile del Tisi. Per tale accostamento siamo propensi a lasciare questa tavola al pittore ferrarese, malgrado certe debolezze. Ma anzichè attribuirla al periodo giovanile, pensiamo sia da assegnare ad un momento di già accentuata influenza raffaellesca.

Bibl.: *Inv.*, 1693, St. II, n. 9; *Inv. Fid.*, 1833, p. 11; Platner, *Beschreib. Rom*, 1842, III, p. 277; Piancastelli, *Ms.*, 1891, p. 137; A. Venturi, *Cat.*, 1893, p. 134; Longhi, *Precisioni*, 1928, p. 200; Berenson, *Pitture It.*, 1936, p. 188.

Fot.: Brogi 15894; Gab. Fot. Naz. E 32727; Arch. Fot. Vat. XXX–58–20 (già Moscioni 21238).

61. – SACRA FAMIGLIA (inv. n. 409). Fig. 55.

Olio su tavola: 0,56 × 0,73.

Conservazione buona.

Provenienza indeterminata.

Nessun riferimento sicuro permette di riconoscere questa tavola tra quelle citate dagli *Inventari* prima del *Fidecommisso* del 1833. Il Platner la dice opera di bottega, e così il Venturi e il Longhi. Il Berenson la ritiene invece autografa. Pensiamo egli abbia ragione, malgrado certe durezze nelle figure. La tavola sembra appartenere ad un momento d'influenze ancora dossesche.

BIBL.: *Inv. Fid.*, 1833, p. 33; Platner, *Beschreib. Rom*, 1842, III, p. 277; A. Venturi, *Cat.*, 1893, p. 196; Longhi, *Precisioni*, 1928, p. 207; Berenson, *Pitture It.*, 1936, p. 188.

Fot.: Arch. Fot. Vat. XXX–56–29 (già Moscioni 21306); Gab. Fot. Naz. E 33289.

SEGUACE DEL GAROFALO.

62. – MADONNA COL BAMBINO E S. GIOVANNINO E I SS. GIUSEPPE E ANTONIO (inv. n. 208).
Olio su tavola: 0,45 × 0,31.

Conservazione buona. È stato pulito e saldato il colore nel 1945 da Carlo Matteucci (direttore Aldo De Rinaldis).
Provenienza indeterminata.

Non identificabile prima del *Fidecommisso* del 1833. Assegnata dal Venturi e dal Longhi a scuola del Garofalo, pensiamo sia infatti opera della sua cerchia per la debolezza con cui sono tradotti i modi del pittore ferrarese.

Esposto alla Mostra del Libro a Palazzo Venezia nel 1954.

BIBL.: *Inv. Fid.*, 1833, p. 21; Platner, *Beschreib. Rom*, 1842, III, p. 277; Piancastelli, *Ms.*, 1891, p. 144; A. Venturi, *Cat.*, 1893, p. 125; Gardner, *Painters of Ferrara*, 1911, p. 174; Longhi, *Precisioni*, 1928, p. 197.

Fot.: Gab. Fot. Naz. E 23988.

ALTRO SEGUACE DEL GAROFALO.

63. – MARTIRIO DI S. CATERINA (inv. n. 216).
Olio su tavola: 0,50 × 0,32.

Conservazione buona.

Proviene forse dall'eredità di Lucrezia d'Este, nel cui *Inventario* sono elencate due volte « Uno di S. Catharina di mano… » tra varie opere del Garofalo. A sua volta l'*Inventario* di Olimpia Aldobrandini annota la S. Caterina che abbiamo identificato col n. inv. 142, e « un quadretto con S. Caterina della Rota con cornice nera alta pmi uno e mezzo di mano di Pietro Perugino » che potrebbe essere anche questo. È infatti facile trovare sotto il nome del Perugino sia le opere della scuola del Francia, che quelle del Garofalo. L'*Inventario* del 1693 lo elenca sotto il nome del Garofalo. Attribuito alla sua scuola dal Venturi e dal Longhi, come dalla critica successiva, concordiamo nell'assegnarlo ad un seguace, diverso, però, dal precedente.

BIBL.: *Inv. Lucrezia d'Este*, 1592, p. 12; *Inv. Olimpia Aldobrandini*, 1682, St. II; *Inv.*, 1693, St. I, n. 5; *Inv.*, 1790, St. I, n. 16; *Inv. Fid.*, 1833, p. 8; Platner, *Beschreib. Rom*, 1842, III, p. 281; Piancastelli, *Ms.*, 1891, p. 132; A. Venturi, *Cat.*, 1893, p. 127; Gruyer, *Art Ferrarais*, 1897, p. 324; Longhi, *Precisioni*, 1928, p. 197; Berenson, *Pitture It.*, 1936, p. 188.

Fot.: Gab. Fot. Naz. E 32770.

SEGUACE DEL GAROFALO.

64. – LA RESURREZIONE DI LAZZARO (inv. n. 238).
Olio su tavola: 0,66 × 0,45.

Conservazione buona.
Provenienza indeterminata. Era nella raccolta nel 1650.

Citata dal Manilli come opera autentica del Garofalo e come tale riportata da tutti gli *Inventari* fino al Piancastelli, fu dal Venturi riconosciuta come copia del quadro di molto maggiori dimensioni conservato nell'Ateneo di Ferrara. Che il dipinto abbia avuto successo e sia stato più volte ripetuto, lo prova, nella stessa Galleria Borghese, la presenza di un'altra copia (inv. n. 243) di identiche misure. Il Berenson non la include negli elenchi delle opere del Garofalo, il Platner l'attribuisce al Garofalo stesso, il Venturi e il Longhi la dicono, giustamente, copia di scuola. L'opera è molto debole e tradisce la maniera.

BIBL.: Manilli, 1650, p. 112; *Inv.*, 1693, St. II, n. 5; *Inv.*, 1790, St. I, n. 28; *Inv. Fid.*, 1833, p. 11; Platner, *Beschreib. Rom*, 1842, III, p. 296; Piancastelli, *Ms.*, 1891, p. 139; A. Venturi, *Cat.*, 1893, p. 133; Longhi, *Precisioni*, 1928, p. 198.

Fot.: Arch. Fot. Vat. XXX–44–9 (già Moscioni 21235); Gab. Fot. Naz. E 32703.

SEGUACE DEL GAROFALO.

65. – LA RESURREZIONE DI LAZZARO (inv. n. 243).
Olio su tavola: 0,67 × 0,45.

Conservazione buona.
Provenienza indeterminata.

È altra copia dal quadro di Ferrara, di cui alla scheda precedente. Questa tavola è entrata tardi nella raccolta e si può individuare nell'*Inventario* del 1790 e poi nel *Fidecommisso*, dove appare ben differenziata dall'altra. Ritenuta unanimemente opera di un seguace.

BIBL.: *Inv.*, 1790, St. II, n. 14; *Inv. Fid.*, 1833, p. 35; Piancastelli, *Ms.*, 1891, p. 152; A. Venturi, *Cat.*, 1893, p. 134; Longhi, *Precisioni*, 1928, p. 200.

Fot.: Gab. Fot. Naz. E 32703.

SEGUACE DEL GAROFALO.

66. – ADORAZIONE DEI MAGI (inv. n. 239). Fig. 69.
Olio su tavola: 1,42 × 1,12.

Conservazione buona.

Proviene dalla Chiesa di S. Bartolo in Ferrara, e venne inviata al Cardinale Scipione nel 1608. (Cfr. Bibl. gen., Documenti, n. 5).

In una lettera conservata nell'Archivio Borghese, di cui però non è ancora apparso l'originale, ma che è copiata dal Piancastelli nel suo manoscritto, il Cardinale Pio di Ferrara, in data 9 agosto 1608 scriveva al Cardinale Borghese dicendogli che esisteva in S. Bartolo un quadro rappresentante l' « Adorazione dei Magi » del Garofalo, e se desiderava averlo, si sarebbe dato premura egli stesso di portarlo fino a Roma (A. G. B. 1608). Il dipinto mantiene nell'*Inventario* del 1693 il nome del Garofalo, ma giunge invece al *Fidecommisso* come opera di scuola, e come tale è considerato da tutta la critica successiva.

BIBL.: *Inv.*, 1693, St. III, n. 8; *Inv.*, 1790, St. III, n. 38; *Inv. Fid.*, 1833, p. 19; Piancastelli, *Ms.*, 1891, p. 142; A. Venturi, *Cat.*, 1893, p. 133; Gruyer, *Art Ferrarais*, 1897, p. 235; Longhi, *Precisioni*, 1928, p. 198; Berenson, *Pitture It.*, 1936, p. 188.

Fot.: Arch. Fot. Vat. XXX–44–5 (già Moscioni 21236); Gab. Fot. Naz. E 32839.

SEGUACE DEL GAROFALO.

67. – LA CONVERSIONE DI S. PAOLO (inv. n. 246).
Olio su tavola: 0,56 × 0,39.

Conservazione buona.
Proviene probabilmente dall'eredità di Lucrezia d'Este (1592).

Nell'*Inventario* di Lucrezia d'Este (1592) è inclusa una « Conversione di S. Paolo » che reca il nome del Mazzolino, ma che si ritrova citata con precisione nell'*Inventario* del 1693 come opera del Garofalo. Il Platner la giudica opera di un seguace e così il Venturi e il Longhi. Non vi è dubbio infatti che sia assai più debole di quelle autografe e che debba essere riferita alla scuola del Garofalo.

BIBL.: *Inv. Lucrezia d'Este*, 1592, p. 8; *Inv.*, 1693, St. IX, n. 14; *Inv. Fid.*, 1833, p. 22; Platner, *Beschreib. Rom*, 1842, III, p. 288; Piancastelli, *Ms.*, 1891, p. 145; A. Venturi, *Cat.*, 1893, p. 135; Longhi, *Precisioni*, 1928, p. 200.

Fot.: Arch. Fot. Vat. XXX–55–17 (già Moscioni 21240); Gab. Fot. Naz. E 33244.

SEGUACE FIAMMINGO DEL GAROFALO.

68. – CRISTO E LA SAMARITANA (inv. n. 221). Fig. 66.
Olio su tavola: 0,47 × 0,32.

Conservazione buona.
Provenienza indeterminata.

Si trova elencato per la prima volta nell'*Inventario* del 1693. Il Platner l'attribuisce genericamente alla scuola del Garofalo, e trova concordi tutti i successivi storiografi. I caratteri di questo seguace sono ben definiti, e se pure diverso dal pittore che ha eseguito il n. inv. 227, sono entrambi da riportarsi nell'ambiente fiammingo. Probabilmente uno di quei pittori giunti dal Nord alla Corte di Ferrara, dove introdussero i loro modi, e da cui appresero le forme italiane.

BIBL.: *Inv.*, 1693, St. V, n. 10; *Inv.*, 1790, St. I, n. 34; *Inv. Fid.*, 1833, p. 9; Platner, *Beschreib. Rom*, 1842, III, p. 281; Piancastelli, *Ms.*, 1891, p. 133; A. Venturi, *Cat.*, 1893, p. 130; Gruyer, *Art Ferrarais*, 1897, p. 325; Longhi, *Precisioni*, 1928, p. 197; A. Venturi, *Storia*, 1929, IX, 4, p. 318; Berenson, *Pitture It.*, 1936, p. 188.

Fot.: Gab. Fot. Naz. E 23987.

ALTRO SEGUACE FIAMMINGO DEL GAROFALO.

69. – CRISTO E LA SAMARITANA (inv. n. 227). Fig. 71.
Olio su tavola: 0,41 × 0,51.

Conservazione buona.
Provenienza indeterminata.

Era nella raccolta nel 1693 sotto il nome del Garofalo. Dall'*Inventario* del 1790, invece, al *Fidecommisso* del 1833 e alle prime schede del Piancastelli, questo dipinto è stato elencato sotto l'assurda attribuzione a Michelangelo Buonarroti, e poi alla scuola del Buonarroti. Il Venturi pensò ad un imitatore fiammingo del Garofalo, e ci sembra a ragione, distinguendolo tuttavia da quello che ha dipinto la tavoletta precedente (inv. n. 221).

BIBL.: *Inv.*, 1693, St. III, n. 40; *Inv.*, 1790, St. VIII, n. 36; *Inv. Fid.*, 1833, p. 33; Piancastelli, *Ms.*, 1891, p. 230; A. Venturi, *Cat.*, 1893, p. 131; Longhi, *Precisioni*, 1928, p. 198.

Fot.: Anderson 4630; Arch. Fot. Vat. XXX–62–2 (già Moscioni 21232).

SEGUACE DEL GAROFALO.

70. – NOLI ME TANGERE (inv. n. 244). Fig. 68.

Olio su tela: 1,01 × 1,57.

Conservazione buona.

Provenienza indeterminata.

Era nella raccolta nel 1693, e nell'*Inventario* di quell'anno è citato come opera del Garofalo. In quello invece del 1700 appare sotto il nome di Pietro Giulianello, legato a tre opere della cerchia del Garofalo: la «Samaritana», una «Madonna» ed un terzo dipinto di cui non è precisato il soggetto. Nell'*Inventario* del 1790 lo stesso nome di Pietro Giulianello ritorna per la «Samaritana al Pozzo», mentre il *Fidecommisso* riporta Pietro Giulianello questa volta, per il «Noli me tangere». Ancora troviamo nel Lanzi e nel Platner, e infine nel Piancastelli questo nome, e il Piancastelli, asserendo essere il Giulianello del tutto ignoto, attribuisce il dipinto allo stesso Garofalo. Il Morelli pone questo dipinto in relazione con il n. inv. 235, e lo orienta verso la terza maniera costesca del Garofalo; il Gruyer e il Venturi sembrano piuttosto propensi a riferirlo alla scuola del Tisi. Il nome di Pietro Giulianello non è un nome di fantasia; ma risponde a quello di alcuni famigli dei Borghese, e ritorna durante l'Ottocento, il che può far pensare sia stato, alla fine del Seicento, colui che ha venduto, o ceduto in cambio di qualche beneficio, alcuni quadri ai Borghese. Così troviamo citati, negli stessi inventari, i nomi del Martiniani, del Benincasa, del Cavaceppi, che passarono dal ruolo di primi proprietari a quello di presunti artisti. Per la durezza delle figure, questa tela va certo annoverata tra quelle di un seguace del Garofalo.

BIBL.: *Inv.*, 1693, St. III, n. 32; *Inv.*, 1700, St. V, n. 43; *Inv. Fid.*, 1833, p. 23; Lanzi, *Storia*, 1834, II, p. 35; Platner, *Beschreib. Rom*, 1842, III, p. 290; Piancastelli, *Ms.*, 1891, p. 155; A. Venturi, *Cat.*, 1893, p. 134; Gruyer, *Art Ferrarais*, 1897, p. 249; Morelli, *Pittura It.*, 1897, p. 208; Longhi, *Precisioni*, 1928, p. 200; Berenson, *Pitture It.*, 1936, p. 188.

Fot.: Gab. Fot. Naz. E 33245.

SEGUACE DEL GAROFALO.

71. – CRISTO E LA SAMARITANA (inv. n. 235). Fig. 70.

Olio su tela: 0,90 × 1,57.

Conservazione buona.

Provenienza indeterminata.

Era nella raccolta nel 1700, citato nell'*Inventario* di circa quell'anno, sotto il nome di Pietro Giulianello, che conserva anche nell'*Inventario* del 1790. Il Morelli lo giudica opera del Garofalo, di un periodo di transizione tra la maniera dossesca e la terza maniera costesca. Il Venturi lo riporta ad uno scolaro, identificabile per il dito appuntito e grossolano. Tuttavia il paesaggio ampio che si può confrontare con quello della «Vocazione di S. Pietro» della stessa raccolta, e la stessa figura della Samaritana, fanno ritenere quest'opera affatto spregevole. È da unire per qualità e stile al n. inv. 244, alla cui scheda si rimanda per quanto concerne il presunto autore identificato nel Settecento con Pietro Giulianello.

BIBL.: *Inv.*, 1700, St. III, n. 21; *Inv.*, 1790, St. III, n. 3; *Inv. Fid.*, 1833, p. 23; Platner, *Beschreib. Rom*, 1842, p. 290; Piancastelli, *Ms.*, 1891, p. 146; A. Venturi, *Cat.*, 1893, p. 132; Morelli, *Pittura It.*, 1897, p. 208; Gruyer, *Art Ferrarais*, 1897, p. 325; Longhi, *Precisioni*, 1928, p. 198.

Fot.: Anderson 3711.

GIROLAMO DA CARPI (Girolamo Sellaro).

Ferrara 1501 – Ferrara 1556.

72. – PAESAGGIO CON CORTEO MAGICO (inv. n. 8).
Olio su tela: 1,10 × 1,59.

Conservazione buona.

Provenienza indeterminata. Si può supporre sia entrato nella raccolta intorno al 1608, quando giunsero da Ferrara le prime opere del Dosso, cui fu lungamente attribuito.

Nella fronte dell'edificio, a destra, reca la data: 1527.

Il Manilli così ne scrive nel 1650: « Processione chimerica di streghe, con molte bizzarrie di vedute », ed è da identificare con « Un paese con maschera dei Dossi » elencato nell'*Inventario* del 1790. Il Gamba fu il primo ad attribuirlo a Girolamo da Carpi, ed evidente appare la diversità di stile e di concezione con il n. inv. 6, con cui era stato fino allora appaiato, ed oggi concordemente attribuito a Nicolò dell'Abate. L'Antal, più di recente, pensò ad un maestro fiammingo che abbia lavorato a Ferrara, ma l'inverso ci sembra più verosimile: trattarsi cioè di un maestro ferrarese, che segue le esperienze, e i capricci, dei fiamminghi ospiti di quella città. La data, 1527, fin qui ignorata, può far riflettere per la sua acerbità. Un piccolo paesaggio, di un seguace del Patinier, pervenuto nella stessa raccolta Borghese (n. inv. 363) riproduce non solo il paesaggio e la distribuzione degli stessi motivi di questo dipinto (il porto a destra, il castello a sinistra, il taglio dei monti) ma anche gli strani cammelli del corteo.

Esposto nel 1952 alla Mostra del Demoniaco nell'Arte a Roma.

BIBL.: Manilli, 1650, p. 100; *Inv.*, 1693, St. IV, n. 1; *Inv.*, 1790, St. IX, n. 47; *Inv. Fid.*, 1833, p. 38; Piancastelli, *Ms.*, 1891, p. 126; A. Venturi, *Cat.*, 1893, p. 25; Gruyer, *Art Ferrarais*, 1897, p. 286; Morelli, *Pittura It.*, 1897, p. 219; Gardner, *Painters of Ferrara*, 1911, p. 234; Gamba, in *Cron. Arte*, 1924, pp. 77-89; Longhi, *Precisioni*, 1928, p. 176; Antal, in *Art Bull.*, 1948, pp. 81-87; De Rinaldis, *Cat.*, 1948, p. 20; Della Pergola, *Itin.*, 1951, p. 11; *Mostra Dem.*, 1952, p. 31.

Fot.: Anderson 24897; Arch. Fot. Vat. XXIII-22-25 (già Moscioni 21144).

73. – RITRATTO D'UOMO CON I GUANTI IN MANO (inv. n. 97).
Olio su tela: 0,76 × 0,58.

Conservazione discreta. Il quadro era stato interamente dipinto, forse nell'Ottocento, coprendo di un manto nero la figura dell'uomo, rimasta incompiuta. Un'accurata pulitura eseguita nel 1952 da Rocco Ventura, ha rivelato infatti le parti finite pittoricamente nel volto, nei guanti e nelle mani, mentre il fondo e il vestito, di ben diversa fattura da quello che appariva fin qui, erano appena accennati.

Proviene dal sequestro eseguito dal fiscale di Paolo V presso il Cavalier d'Arpino nel 1607. Nell'*Inventario* di quell'anno è segnato: « Un quadro d'un ritratto d'un Dottore con li guanti in mano senza cornice », che si può identificare con questo, rimasto sempre nella raccolta.

Gli *Elenchi Fidecommissari* danno un'attribuzione al Moroni. Il Berenson l'elencò tra le opere del Farinata e il Longhi vi vide « una interpretazione nordica dei modi tizianeschi, simile a quelle offerteci dal Calcar ». La pulitura ha accentuato i toni veneti, ma per quel tanto che vennero assorbiti dalla pittura ferrarese, mentre molto più raffinato si rivela il rapporto tra l'immagine e il fondo, e l'iconografia e lo stile conducono a Girolamo da Carpi. Un confronto con il ritratto dell'Accademia di Venezia, se permette di accertare

47

l'identità del personaggio, che il Serafin dice, ci sembra a torto, essere Tommaso Mosti (*Girolamo da Carpi*, 1915, p. 112) esclude però siano opere uscite da uno stesso pennello.

BIBL.: *Inv. Cavalier d'Arpino*, 1607; Tassi, *Vite*, 1793, p. 168; *Inv. Fid.*, 1833, p. 36; Lermolieff, *Gall. Borghese*, 1890, p. 304; Piancastelli, *Ms.*, 1891, p. 48; A. Venturi, *Cat.*, 1893, p. 81; Berenson, *North It. Painters*, 1907, p. 215; Longhi, *Precisioni*, 1928, p. 186; Marten, *G. B. Moroni*, 1928, p. 112; Lendorff, *G. B. Moroni*, 1933, p. 86, n. 102; Cugini, *Moroni*, 1939, p. 322.

Fot.: Alinari 8013; Anderson 4078; Brogi 15904; Arch. Fot. Vat., XXIII–23–13 (già Moscioni 21183), tutte prima del restauro; Gab. Fot. Naz. E 32810 dopo il restauro.

GOBBO DEI CARRACCI (Pietro Paolo Bonzi).

Cortona 1575 c. – Roma 1633 c.

74. – TESTA DI SATIRO CORONATA DI PAMPINI (inv. n. 160).
Olio su carta foderata in tela: 0,45 × 0,28.

Conservazione buona.
Era nella raccolta con sicurezza nel 1790.

È il quadro che, elencato nell'*Inventario* del 1790 come: « Bacco, gobbo Caracci », ha provocato più tardi la confusione, dal Venturi al Marangoni e al De Rinaldis, con il Bacchino malato (inv. n. 534) fin da allora, invece, rettamente attribuito al Caravaggio. Pur essendo la sua prima attribuzione al Gobbo dei Carracci, nel *Fidecommisso* passava come « autore incognito ». Il Venturi lo dava alla scuola dei Carracci, e così il Longhi. Le qualità di immediatezza, la vivacità del segno e la facile larga pennellata che il Venturi dice « da frescante », rivelano una individualità ben definita oltre la corrente carraccesca. Non siamo perciò alieni dal ritornare alla vecchia attribuzione settecentesca, specie se si confronti questo disegno così vivo con la « Natura morta » dei Depositi degli Uffizi, pubblicata dal Marangoni (in *Riv. Arte*, 1917, X, pp. 22–24) anch'essa ricordata come opera del Bonzi in un *Inventario* del Settecento, sebbene il Longhi (in *Paragone*, 1950, n. 1, p. 37) rifiuti tale accostamento. Il ricordo che ne trasmette il Baglione ci sembra rispondere assai bene all'immediatezza di questo disegno. Egli dice che quella del Gobbo de' frutti, era un'arte priva di disegno ed esperta nel maneggiare i colori che esprimeva « bravamente con gran forza e con vivacità assai naturale», per finire con la poetica similitudine «e il suo ingegno era un vivo autunno d'ogni sorte di bei frutti » (*Le Vite*, 1642, p. 343).

Il recente studio del Battisti in *Commentari* (V., 4, p. 290 ss.) non ci permette, per la insufficienza delle riproduzioni, di poter giudicare se il quadro di Madrid, firmato, consolidi o meno la nostra ipotesi.

BIBL.: *Inv.*, 1790, St. IV, n. 48; *Inv. Fid.*, 1833, p. 25; Piancastelli, *Ms.*, 1891, p. 446; A. Venturi, *Cat.*, 1893, p. 107; Longhi, *Precisioni*, 1928, p. 191.

Fot.: Gab. Fot. Naz. E 32148.

GIAN FRANCESCO GRIMALDI.

Bologna 1606 – Bologna 1680 c.

75. – PAESAGGIO CON SCENA SOTTO UNA TENDA (inv. n. 38).
Olio su rame: 0,44 × 0,67.
Fot.: Gab. Fot. Naz. E 15508.

76. – PAESAGGIO CON PESCATORI (inv. n. 47).

Olio su rame: 0,44 × 0,67.

Fot.: Gab. Fot. Naz. E 33247.

77. – PAESAGGIO CON CASCATA (inv. n. 296).

Olio su rame: 0,44 × 0,67.

Fot.: Gab. Fot. Naz. E 15713.

78. – PAESAGGIO CON LA PREDICA DEL BATTISTA (inv. n. 299).

Olio su rame: 0,44 × 0,67.

Fot.: Gab. Fot. Naz. E 15507; Arch. Fot. Vat. IX–21–13 (già Moscioni 11438).

Conservazione buona.

Provengono da un acquisto diretto dei Borghese presso il Grimaldi nel 1678 circa (A. S. B. V., busta 23, n. 210, a. 1678).

Nel fondo Borghese depositato presso l'Archivio Segreto Vaticano si trova il seguente pagamento in data 1678: « A Gio. Francesco Grimaldi per diverse pitture fatte come nel Conto n. 718 posto in Filza del Libro Mastro A sc. 926 ». (Cfr. Bibl. gen., Documenti, n. 25). Il pagamento di 926 scudi include opere di maggiore importanza, ma che i quattro paesaggi risalgono a questo momento è provato dal fatto che per la prima volta si trovano menzionati nella raccolta attraverso il Montelatici, che scrive nel 1700: « E li quattro consimili, che rappresentano paesi con piccole figure, dipinti su rame, vengono espressi da Gio. Francesco Bolognese ».

Esposti nel 1922 alla Mostra della Pittura Italiana del Seicento e Settecento a Firenze.

BIBL.: Montelatici, 1700, p. 302; *Inv. Fid.*, 1833, pp. 17–23; A. Venturi, *Cat.*, 1893, pp. 53, 58, 153; *Mostra '600*, 1922, p. 103; Longhi, *Precisioni*, 1928, p. 180; De Rinaldis, *Itin.*, 1939, p. 30; De Rinaldis, *Cat.*, 1948, p. 69.

SEGUACE DI G. F. GRIMALDI.

79. – PAESE (inv. n. 25).

Olio su tela: 0,56 × 0,90.

Conservazione buona, anche se il colore è fortemente scurito.

Provenienza indeterminata.

Attribuito a Giov. Batt. Viola nell'*Inventario* del 1693: « un quadro di 4 palmi con un Paese con figurine e Diversi Paesi (*sic*) et lontananze del N. 708 cornice dorata del Viola » e attraverso il *Fidecommisso*, ininterrottamente, fino al Piancastelli, si può pensare sia uno dei « Paesi » dipinti da questo pittore per i Borghese, e di cui esistono i pagamenti nell'Archivio Vaticano: « 1613, 9 agosto sc. 20 m.ta pag.ti a Ms. Gio. Batta Viola Pittore Conto a bon Conto de doi quadri che fa » (A. S. B. V., busta 23, n. 12 Riscontro di Banco 1607–1613, p. 163). Mentre il Venturi aveva fatto il nome di Agostino Tassi, il Longhi era tornato al Viola, sulla scorta della citazione del Barbier de Montault, che nel 1879 ripeteva l'attribuzione tradizionale. Tuttavia anche il Longhi si rifaceva alla maniera del Grimaldi, e pur non scartando del tutto il nome del Viola, preferiamo lasciare questo paese nella sfera di quella influenza, in cui è certamente acclimatato.

BIBL.: *Inv.*, 1693, St. II, n. 49; *Inv. Fid.*, 1833, p. 24; Barbier de Montault, *Musées*, 1870, p. 357; Piancastelli, *Ms.*, 1891, p. 195; A. Venturi, *Cat.*, 1893, p. 41; Longhi, *Precisioni*, 1928, p. 178.

Fot.: Gab. Fot. Naz. E 33332.

4

GUERCINO (Giovan Francesco Barbieri).

Cento 1591 – Bologna 1666.

80. – SANSONE PORGE AI GENITORI IL FAVO DI MIELE (inv. n. 70).
Olio su tela: 1,12 × 1,46.

Conservazione buona.
Era già nella raccolta nel 1650.
Il Manilli ne scrive: « Il quadro di Salomone (*sic*) che porge un favo di miele al padre è del Guercino da Cento ». Il fatto che nel 1650 il dipinto fosse già in possesso dei Borghese esclude che si possa riferire ad esso, come aveva proposto il Venturi, il pagamento del 1658 citato nel registro delle spese compilato dai nipoti del Guercino: « 1658. Il di 21 Febbraio Dal Sig. Gio. Battista Tartaleoni si è ricevuto dobble d'Italia N. 44 per pagamento del Sansone giovine quando portò a suo Padre ed a sua Madre il Favo di Miele, e queste fanno lir. 600 che sono ducati 132 scudi 165 ». Dovette essere questa una replica più tarda di un dipinto che del resto mostra caratteri giovanili e si può far risalire ad un'epoca anteriore al 1629, non solo perchè non v'è traccia di un ugual soggetto negli elenchi citati, che cominciano appunto da quell'anno, ma anche al periodo romano del pittore. Non è nemmeno da supporre che nel 1658 egli ripetesse un dipinto di altro maestro, o che prima del 1629 avesse seguaci già capaci di tanto. La cronologia così stabilita ci sembra giustificare la morbidezza delle immagini e il cielo insolito, che fanno dubitare dell'attribuzione al Guercino, se si misuri questa opera col metro di quelle posteriori al 1621. Da notare che il Manilli scrive quando il Guercino era ancora vivo, e che le sue attribuzioni su opere contemporanee sono sempre esatte.

BIBL.: Manilli, 1650, p. 85; *Inv. Fid.*, 1833, p. 23; Atti, *Guercino*, 1861, p. 140; Piancastelli, *Ms.*, 1891, p. 202; A. Venturi, *Cat.*, 1893, p. 60; Longhi, *Precisioni*, 1928, p. 182; De Rinaldis, *Cat.*, 1948, p. 60; Della Pergola, *Itin.*, 1951, p. 40.
Fot.: Arch. Fot. Vat. III–7–14; Gab. Fot. Naz. E 33440.

81. – IL FIGLIUOL PRODIGO (inv. n. 42).
Olio su tela: 1,25 × 1,63.

Conservazione buona. Nel 1946 è stata compiuta una radicale pulitura da Carlo Matteucci (direttore Aldo De Rinaldis).
Proviene dalla raccolta del Principe Lancellotti presso cui lo ricorda il Malvasia, e venne acquistato a Roma il 4 dicembre 1818, insieme con tre altri dipinti, tramite il mediatore Ignazio Grossi, a cui vennero pagati, complessivamente, 3000 scudi (Piancastelli).
Questo dipinto, che viene elencato per la prima volta nell'*Inventario Fidecommissario*, prendeva il posto, nella Galleria, di un altro di uguale soggetto, già rammentato negli inventari di tutto il Settecento, e venduto al sig. Durand di Parigi nel 1801. Un'altra replica veniva acquistata nel 1870 dal Principe Marcantonio Borghese, presso il sig. Francesco Fanti e proveniente dal Principe Hercolani (due sole figure tagliate a mezzo busto, su tela: 1,35 × 0,99) e destinato al Castello di Nettuno dove si trova tuttora. È noto del resto che il Guercino aveva eseguito numerose varianti di questo tema: una nel 1618 per il Cardinale Ludovisi, una nel 1619 per il Cardinale Serra, un'altra nel 1642 per Taddeo Barberini, che ne fece dono ad Urbano VIII; ancora nel 1642 per Don Gregorio Maffoni; nel 1651 per Giovanni Nane, Patrizio Veneziano, e nel 1654 per l'arcivescovo Boncompagni

che la donava al Principe Colonna. Le particolarità stilistiche e il colore fortemente contrastato della copia Borghese fanno pensare sia stato eseguito dopo il 1621, epoca del soggiorno romano del pittore. Inciso nel 1770 dal Cunego.

BIBL.: Malvasia, *Felsina*, 1678 (1841), IV, p. 298; *Picturae*, 1773 tavola 37; *Inv. Fid.*, 1833, p. 13; Atti, *Guercino*, 1861, p. 131; A. S. V. B. *Fondo Borgh.*, 1870, Busta, 347, n. 15; Piancastelli, *Ms.*, 1891, p. 201; A. Venturi, *Cat.*, 1893, p. 56; Longhi, *Precisioni*, 1928, p. 180; De Rinaldis, *Cat.*, 1948, p. 65; Della Pergola; *Itin.*, 1951, p. 41; Petrucci, *Cat.*, 1953, pp. 48, 300.
FOT.: Anderson 852; Brogi 15897; Chauffourier 4136; Arch. Fot. Vat. XXIII–22–6 (già Moscioni 21157).

COPIA DAL GUERCINO.

82. – LA GLORIA DI S. CRISOGONO (inv. n. 575).
Olio su tela: 0,57 × 0,39.

Conservazione buona.

Fu acquistato il 18 giugno 1932 per L. 5000.

È una piccola copia della tela che ornava il soffitto della Chiesa di S. Crisogono, e che venne tolta e venduta alla fine del Settecento e si trova a Lancaster House, Londra. Ne è prova, oltre la scarsa qualità del dipinto, la pittura mancante ai quattro angoli, coperti nella Chiesa dalla incorniciatura che chiudeva la tela. Una simile piccola tela, anche quella creduta bozzetto, si trova alla Galleria Nazionale d'Arte Antica di Roma, proveniente dalla raccolta del Monte di Pietà.

BIBL.: De Rinaldis, *Itin.*, 1937, p. 29.
FOT.: Gab. Fot. Naz. E 32738.

INNOCENZO DA IMOLA (Innocenzo Francucci).

Imola 1490 c. – Bologna 1550 c.

83. – RITRATTO DI DONNA (inv. n. 416).
Olio su tela: 0,78 × 0,58.

Conservazione buona. Era stato allargato ai lati, con la ricostruzione di un più ampio tendaggio e del parapetto e il Venturi riporta infatti le misure corrispondenti a quella modifica, avvenuta in epoca imprecisata: 0,90 × 0,72. È stato riportato alle proporzioni originali nel 1950 e pulito da Augusto Cecconi Principe.

Provenienza indeterminata.

Non è identificabile in alcun *Inventario* prima del *Fidecommisso*, dove reca l'attribuzione alla scuola del Garofalo. Il Morelli, in un giudizio riferito dal Venturi, suggerì il nome di Girolamo da Carpi, ripreso dal Serafini. Il Venturi invece vi riconobbe la mano di Innocenzo da Imola. Il Pallucchini l'accosta, con molta giustezza, alla « Maddalena » della Galleria Estense di Modena.

Esposto nel 1951 alla Mostra di Innocenzo Francucci ad Imola.

BIBL.: *Inv. Fid.*, 1833, p. 36; Piancastelli, *Ms.*, 1891, p. 153; A. Venturi, *Cat.*, 1893, p. 199; Serafini, *Gir. da Carpi*, 1915, pp. 26, 28, 435; Longhi, *Precisioni*, 1928, p. 218; Buscaroli, in *Comune Bologna*, 1929, p. 11 (estr.); A. Venturi, *Storia*, 1929, IX, 4, p. 377; Buscaroli, *Pittura romagnola*, 1931, p. 420; Pallucchini: *Cat. Estense*, 1945, p. 346; Della Pergola, *Itin.*, 1951, p. 36; *Mostra I. da I.*, 1951, pp. 11, 20.
FOT.: Alinari 27499; Anderson 840; Arch. Fot. Vat. XXX–56–27 (già Moscioni 21309) tutte prima del restauro; Gab. Fot. Naz. E 32759 dopo il restauro.

84. – SPOSALIZIO DI S. CATERINA (inv. n. 466).

Olio su tavola: 0,84 × 0,67.

Conservazione buona.

Provenienza indeterminata.

Entrato probabilmente nella raccolta, come gli altri due dipinti di Innocenzo, poco prima del *Fidecommisso*, perchè non si trova ricordato in nessuno dei precedenti inventari, mentre reca nel 1833 la giusta attribuzione al Francucci. Risponde al momento più accademico dell'arte di questo pittore.

BIBL.: *Inv. Fid.*, 1833, p. 34; Piancastelli, *Ms.*, 1891, p. 169; A. Venturi, *Cat.*, 1893, p. 214; Longhi, *Precisioni*, 1928, p. 222.

Fot.: Anderson 3928; Gab. Fot. Naz. E 15457; Arch. Fot. Vat. X–23–12 (già Moscioni 21326).

85. – MADONNA COL BAMBINO, I SS. FRANCESCO E GIROLAMO (inv. n. 438).

Olio su tavola: 0,68 × 0,55.

Conservazione buona.

Provenienza indeterminata.

Di autore ignoto nel *Fidecommisso*, dove la figura di S. Francesco, chiaramente individuabile per le stigmate, non viene ricordata (mentre nel manoscritto del Piancastelli è confusa con S. Antonio) e quella di S. Girolamo interpretata come S. Giuseppe. Il Pallucchini l'accosta al n. 347 della Galleria Estense di Modena.

BIBL.: *Inv. Fid.*, 1833, p. 40; Piancastelli, *Ms.*, 1891, p. 476; A. Venturi, *Cat.*, 1893, p. 205; Longhi, *Precisioni*, 1928, p. 221, De Rinaldis, *Itin.*, 1939, p. 46; Pallucchini, *Cat. Estense*, 1945, p. 152.

Fot.: Anderson 31258.

GASPARE LANDI.

Piacenza 1756 – Piacenza 1830.

86. – RITRATTO DI CANOVA (inv. n. 557).

Olio su tela: 0,60 × 0,47.

Conservazione buona.

Donato dal Barone Messinger nel 1919.

Firmato e datato: « Landi dipinse Canova. Roma 1806 ». Una replica si trova nell'Accademia Carrara di Bergamo, eseguita dal Landi pure nel 1806 per il Conte Poldi Pezzoli.

Esposto nel 1922 alla Mostra Landiana a Piacenza, nel 1926 alla Esposizione d'Arte Internazionale a Venezia e nel 1931 alla Mostra di Roma nell'Ottocento a Roma.

BIBL.: A. Venturi, in *Arte*, 1907, pp. 59–60; D'Achiardi, *Coll. Messinger*, 1910, p. 88; Malamani, *Canova* (1911), p. 109; *Mostra di L.*, 1922; Strinati, in *Emporium*, 1924, p. 605; *Biennale Venezia*, 1926; Longhi, *Precisioni*, 1928, p. 226; *Mostra di Roma nell'800*, 1931; Rigillo, in *Aurea Parma*, 1932, p. 70; De Rinaldis, *Cat.*, 1948, p. 58; De Rinaldis, *L'Arte in Roma*, 1948, p. 176/177.

Fot.: Alinari 41020; Anderson 24629

87. – AUTORITRATTO (inv. n. 558).

Olio su tela: 0,60 × 0,47.

Conservazione buona.

Dono del Barone Messinger nel 1919.

Firmato e datato: « Landi se stesso. Roma l'anno 1806 ».

Esposto nel 1922 alla Mostra Landiana a Piacenza, nel 1926 all'Esposizione d'Arte Internazionale a Venezia e nel 1931 alla Mostra di Roma nell'Ottocento a Roma.

BIBL.: A. Venturi, in *Arte*, 1907, pp. 59/60; D'Achiardi, *Coll. Messinger*, 1910, p. 89; *Mostra di L.* 1922; Strinati, in *Emporium*, 1924, p. 605; *Biennale Venezia*, 1926; Longhi, *Precisioni*, 1928, p. 226; De Rinaldis, *Cat.*, 1948, p. 70; De Rinaldis, *L'Arte in Roma*, 1948, p. 176/177.

Fot.: Alinari 41019; Anderson 25150.

GIOVANNI LANFRANCO.

Parma 1582 – Roma 1647.

88. – GIUSEPPE E LA MOGLIE DI PUTIFARRE (inv. n. 67).
Olio su tela: 1,01 × 1,57.

Conservazione buona. Nel 1950 venne rintelato da Decio Podio e furono eseguite da Augusto Cecconi Principe alcune piccole riprese in parti di colore cadute.
Provenienza indeterminata.

Si trova citato per la prima volta nell'*Inventario* del 1693, e poi nel Ramdohr e nell'*Inventario* del 1790 e nell'edizione francese del Vasi del 1792, in Palazzo Borghese, sempre col nome del Lanfranco. Il 10 agosto 1608 il Lanfranco riceveva 57 scudi dal Cardinale Scipione Borghese « per fare una copia del Quadro di Pittura venuto di Perugia » (A. S. B. V. 1608, vol. 7925, p. 62, n. 345. Cfr. Bibl. gen., Documenti n. 3). Si trattava evidentemente della « Deposizione » di Raffaello, incamerata nella raccolta Borghese con gran pianto dei Perugini, ed è interessante sapere che Lanfranco l'ha studiata attentamente. Ma nessuna delle opere del Lanfranco tuttora nella Galleria ha lasciato, fino al punto delle attuali ricerche, traccia nell'archivio. Questa tela, estremamente povera di colore, deve ritenersi coeva ai lavori di Palazzo Costaguti.

BIBL.: *Inv.*, 1693, St. III, n. 3; Ramdohr, *Malherei in Rom*, 1787, p. 268; *Inv.*, 1790, St. III, n. 34; Vasi, *Itinéraire*, 1792, p. 386; *Inv. Fid.*, 1833, p. 23; Platner, *Beschreib. Rom*, 1842, III, p. 290; Piancastelli, *Ms.*, 1891, p. 114; A. Venturi, *Cat.*, 1893, p. 68; Voss, *Malerei*, 1925, p. 528; Longhi, *Precisioni*, 1928, p. 182; Della Pergola in *Vasari*, 1934, p. 11; De Rinaldis, *Itin.*, 1939, p. 37; Golzio, in *Capitolium*, 1943, p. 304; Della Pergola, *Itin.*, 1951 p. 39; Salerno in *Burl. Mag.*, 1952, p. 195.

Fot.: Gab. Fot. Naz. E 33434.

89. – NORANDINO E LUCINA SORPRESI DALL'ORCO (inv. n. 16).
Olio su tela: 2,60 × 3,38.

Conservazione meno che discreta. Nel 1916 il dipinto venne rifoderato da Tito Venturini Papari (direttore Giovanni Piancastelli) che eliminò le vecchie vernici, ma il colore è di nuovo in gran parte sollevato.

Il dipinto, ricordato dal Bellori come « Ulisse e Polifemo », e così dal Rossini, proviene dalla Villa di Frascati per cui era stato eseguito e dove rimase fino al 1690 circa. L'*Inventario* del 1693, infatti, lo elenca già tra i quadri della raccolta. Il Bellori dice: « Per il Cardinale Scipione Borghese il Lanfranco colorì un gran quadro ad olio, per la Villa di Frascati, Polifemo, ovvero l'Orco nella bocca dell'antro, tenendo la mano sopra una giovinetta coperta di pelle, la quale a lui si volge con timore, fuggendo gli altri a scampo ». L'edizione francese del Vasi, nel 1792, vi riconosceva per primo l'episodio di Lucina e Norandino, dal Canto XVII dell'*Orlando Furioso*. Di ampia stesura e dipinto con estrema scioltezza, si può ritenere eseguito intorno al 1615. Fu inciso da Domenico Cunego nel 1772.

BIBL.: Bellori, *Vite*, 1672 (1931), p. 382; *Inv.*, 1693, St. III, n. 19; *Inv.*, 1700, St. III, n. 72; *Picturae*, 1773 (tavola 39); Ramdohr, *Malherei*, 1787, p. 268; Vasi, *Itinéraire*, 1792, p. 358; Nibby, *Itinerario*, 1827 (cfr. 1797), II, p. 422; Platner, *Beschreib. Rom*, 1842, III, p. 283; Piancastelli, *Ms.*, 1891, p. 113; A. Venturi, *Cat.*, 1893, p. 32; Longhi, *Precisioni*, 1928, p. 177; Della Pergola, in *Vasari*, 1934, p. 11; De Rinaldis, *Cat.*, 1948, p. 24; Della Pergola, *Itin.*, 1951, p. 13; Salerno, *Burl. Mag.*, 1952, p. 195; Petrucci, *Cat.*, 1953, pp. 48, 300.

Fot.: Anderson 32578.

LUCA LONGHI.

Ravenna 1507 – Ravenna 1580.

90. – GESÙ PREDICA DAVANTI MARTA E MARIA (inv. n. 145).
Olio su tavola: 0,30 × 0,58.

Conservazione buona nella parte pittorica; ma il tarlo ha quasi interamente vuotata la tavoletta. Nel 1952 è stata pulita da Alvaro Esposti rivelando la piena conservazione coloristica e la particolare grazia delle immagini.

Proviene dall'eredità di Olimpia Aldobrandini.

Nell'*Inventario* per la divisione dei beni di Olimpia Aldobrandini, effettuata nel 1682 tra i Pamphili e i Borghese, si trova annotato: « Un quadro bislongo in Tavola con Christo quando predicava pel Tempio alla Maddalena di Federico Zuccaro, con cornice di ebano lungo palmi due e mezzo alto palmi uno e un quarto come a dº Inventario i fogli 241 n. 440 ». L'attribuzione fidecommissaria reca ancora il nome Zuccari, che il Piancastelli completava in quello di Federico Zuccari. Il Morelli riferiva questo quadretto « ad un buon maestro veneto della scuola di Paolo Veronese » che avrebbe copiato il dipinto attribuito a Pedro Campaña, di uguale soggetto, conservato nella Galleria Nazionale di Londra. Adolfo Venturi, assegnando questo Borghese a Carletto Caliari, ne poneva in risalto i toni veneziani, ed il Longhi pensava ad un « manierista venezianeggiante verso il 1570–1590 », pur notandovi rapporti con Lavinia Fontana. Più di recente il Bologna si orientava verso un pittore della cerchia di Marten de Vos. Gli accenti bolognesi, bene individuati dal Longhi fin dal 1928, diventano determinanti quando si confronti questo dipinto con la « S. Caterina » dell'Eremitaggio di Leningrado, e le « Nozze di Cana » della Biblioteca Classense di Ravenna, opera di Luca Longhi, veronesiano nella composizione, manierista nelle figure, e acutamente ritrattista in alcune immagini che acquistano un rilievo singolare. Certo assai più raffinato di quello che non appaia nelle grandi composizioni, Luca Longhi afferma per questa piccola tavola la sua paternità, anche se si confrontino le tre teste–ritratto alla estrema sinistra, con i ritratti che egli ha fatto di Girolamo Rossi, del medico Giovanni Arrigoni, del Capitano Rasponi, tutti conservati nell'Accademia delle Belle Arti di Ravenna, e con le figurette di bimbi nella pala in cui è rappresentata la Famiglia Cavalli in Casa Cavalli a Ravenna.

Concorde su tale nome si dichiara Philip Pouncey, grande conoscitore del nostro manierismo attraverso specialmente quella preziosa fonte d'informazioni che sono le stampe e i disegni, il quale appunto ci segnala un'incisione, attribuita a Cornelius Cort, e due disegni di notevole importanza per la storia di questo dipinto. L'incisione infatti rappresenza l'affresco eseguito da Federico Zuccari, intorno al 1564 nella Cappella Grimani in S. Francesco della Vigna, a Venezia, per cui i disegni N. 4413 del Louvre, e N. 11036 F. degli Uffizi sono certo studi preparatori. Da questi disegni, come dall'incisione, naturalmente capovolta rispetto a quelli e all'affresco oggi interamente scomparso, risulta chiarissima l'origine del quadretto Borghese, come di quello della National

Gallery di Londra, entrambi derivazioni da un'opera che dovette essere studiata e variata da molti amatori della tarda pittura romana del '500. Le varianti del quadro Borghese negli sfondi paesaggistici riecheggianti i veneti, nello spostamento a sinistra del Cristo, come nelle teste–ritratto così caratteristiche, confermano la mano di Luca Longhi; ma il nome di Federico Zuccari, citato nell'Inventario del 1682, non è più così fuori posto come poteva sembrare, e reclama anzi la piena priorità dell'invenzione di questo dipinto.

Senza poter dire se il dipinto della Galleria Nazionale di Londra appartiene alla identica mano, nè se questo Borghese sia o meno una derivazione da quello, perchè non è stato possibile rivederlo alla luce di questo confronto, crediamo di non sbagliare assegnando al Longhi la tavoletta pervenuta con l'eredità Aldobrandini.

BIBL.: Inv. Olimpia Aldobrandini, 1682; Inv. Fid., 1833, p. 19; Piancastelli, Ms., 1891, p. 336; A. Venturi, Cat., 1893, p. 102; Morelli, Pittura It., 1897, pp. 248-9; Longhi, Precisioni, 1928, p. 192; Cat. Gall. Naz. Londra, 1929, p. 48; Bologna, in Paragone, 1953, n. 43, p. 46; Della Pergola, Boll. d'Arte, 1954, pp. 135/136; Della Pergola, Boll. d'Arte, 1955, pp. 83-84.

Fot.: Anderson 24633; Gab. Fot. Naz. C 2969; Arch. Fot. Vat. XXXI–43–13 (già Moscioni 21200) tutte prima del restauro; Gab. Fot. Naz. E 32841 (dopo il restauro).

MAZZOLINO (Ludovico Mazzoli).

Ferrara 1448 c. – Ferrara 1528.

91. – CRISTO E L'ADULTERA (inv. n. 451). Fig. 93.
Olio su tavola: 0,29 × 0,17.

Conservazione buona.

Proviene dalla raccolta di Ippolito Aldobrandini, attraverso l'eredità di Olimpia Aldobrandini.

L'*Inventario* di Olimpia Aldobrandini così lo descrive: « Un quadro di tavola con N.ro Sig.re e l'Adultera con molti farisei alto p.mi uno e tre quarti con cornice fatta a frontespizio come a detto Inventario di Guardarobba a fogli 221 N. 270 et a quello del Sig.r Cardinale a fogli 128 » ed è anche ricordato dalle guide della fine del Settecento; ma mentre il Vasi lo assegna giustamente al Mazzolino, l'*Inventario* del 1790 l'attribuisce al Perugino e con il nome del Perugino è iscritto nel *Fidecommisso* del 1833 e giunge fino al Piancastelli. La riscoperta dell'autore è dovuta al Morelli in un giudizio trascritto di nuovo dal Piancastelli nel 1891. Il Venturi e il Gruyer lo confermarono, e così più tardi il Gardner, il Longhi e il De Rinaldis. È un'opera di schietto candore narrativo, prossima al « Cristo e S. Tommaso » della stessa raccolta (inv. n. 223).

BIBL.: Inv. Olimpia Aldobrandini, 1682; Vasi, Itinéraire, 1792, p. 368; 1794, p. 398; Inv., 1790, St. VII, n. 51; Inv. Fid., 1833, p. 30; A. Venturi, in Arch. St. Arte, 1890 (III), p. 464; Piancastelli, Ms., 1891, p. 283; A. Venturi, Cat., 1893, p. 208; Gruyer, Art Ferrarais, 1897, p. 254; Gardner, Painters of Ferrara, 1911, p. 228; Longhi, Precisioni, 1928, p. 221; Della Pergola, Itin., 1951, p. 47.

Fot.: Gab. Fot. Naz. E 26785.

92. – PRESEPE (inv. n. 247). Fig. 91.
Olio su tavola: 0,41 × 0,54.

Conservazione buona.

Proviene dall'eredità di Lucrezia d'Este agli Aldobrandini, e da Olimpia Aldobrandini ai Borghese.

L'*Inventario* di Lucrezia d'Este reca « Una Natività di N. S. di man del Mazzolino » e quello di Olimpia Aldobrandini, sebbene vi sia una piccola inesattezza numerica, riporta certo lo stesso dipinto: « Un quadro della Natività di N.ro Signore con quattro figure oltre (*sic*) al putto del Mazzolino in tavola alto pmi uno e due terzi ». Tuttavia la giusta attribuzione si perde per via, e il *Fidecommisso* lo annota come opera di scuola veneziana. Il nome del Mazzolino, proposto dal Morelli e trascritto dal Piancastelli, parve dubbio al Venturi, ma fu accolto dal Gruyer, dal Gardner, dal Longhi, dal Berenson e dal De Rinaldis.

Esposto nel 1933 alla Mostra della Pittura Ferrarese a Ferrara.

BIBL.: *Inv. Lucrezia d'Este*, 1592, p. 12; *Inv. Olimpia Aldobrandini*, 1682; *Inv. Fid.*, 1833, p. 27; A. Venturi, in *Arch. St. Arte*, 1890, III, p. 464; Piancastelli, *Ms.*, 1891, p. 69; A. Venturi, *Cat.*, 1893, p. 135; Gruyer, *Art Ferrarais*, 1897, p. 254; Gardner, *Paint. of Ferrara*, 1911, p. 228; Longhi, *Precisioni*, 1928, p. 200; *Mostra Ferrarese*, 1933, p. 131; Longhi, *Officina*, 1934, p. 199; Berenson, *Pitture It.*, 1936, p. 307; De Rinaldis, *Cat.*, 1948, p. 76; Della Pergola, *Itin.*, 1951, p. 47.

Fot.: Arch. Fot. Vat. XXX–55–11 (già Moscioni 21241); Gab. Fot. Naz. E 28417.

93. – ADORAZIONE DEI MAGI (inv. n. 218). Fig. 92.
Olio su tavola: 0,39 × 0,30.

Conservazione buona.

Proviene dalla raccolta del Card. Salviati passata in eredità nel 1612 agli Aldobrandini e da questi ai Borghese.

L'*Inventario* del Cardinale Salviati lo elenca: « Un quadro dell'Adorazione dei Maggi di mano del Mazzolino», mentre quello di Olimpia Aldobrandini è più preciso: « Un quadro in tavola con l'Adorazione dei Magi con il Christarello e la Beatissima Vergine, S. Gioseppe con nove altre figure con cornice in arco con fusarole e due Cherubini dall'Angioli (*sic*) alto pmi uno e mezzo del Mazzolino come a detto Inventario a fogli 241 Nº 438 ». La giusta attribuzione si è mantenuta invariata attraverso inventari e critica fino ad oggi.

BIBL.: *Inv. Card. Salviati*, 1612, n. 2; *Inv. Olimpia Aldobrandini*, 1682; *Inv. Fid.*, 1833, p. 6; A. Venturi, in *Arch. St. Arte*, 1890, III, p. 464; Piancastelli, *Ms.*, 1891, p. 156; A. Venturi, *Cat.*, 1893, p. 129; Morelli, *Pittura It.*, 1897, p. 219; Gruyer, *Art Ferrarais*, 1897, p. 254; Gardner, *Painters of Ferrara*, 1911, p. 228; A. Venturi, *Storia*, 1914, VII, p. 746; Longhi, *Precisioni*, 1928, p. 197; Berenson, *Pitture It.*, 1936, p. 307; De Rinaldis, *Cat.*, 1948, p. 74; Della Pergola, *Itin.*, 1951, p. 49.

Fot.: Anderson 4075; Brogi 15903, Arch. Fot. Vat. XXX–80–10 (già Moscioni 21228).

94. – INCREDULITÀ DI S. TOMMASO (inv. n. 223).
Olio su tela: 0,37 × 0,31.

Conservazione buona.

Proviene dall'eredità del Card. Salviati, attraverso Olimpia Aldobrandini.

« Un quadro con Christo e S. Tomaso con cornice dorata di mano di L. Mazzolini segnato n. 275 ». Così è elencato nell'*Inventario* del 1612 dei beni del Card. Salviati, passati agli Aldobrandini, e nell'*Inventario* del 1682, per la divisione dei beni di Olimpia: « Un quadro in tavola con Nro Signore e S. Tomaso Apostolo, che con il deto tocca il costato con cornice dorata di mano di Scarsellino di palmi uno e mezzo incirca come a dᵒ Inventario a carte 241 N. 437 ». L'attribuzione allo Scarsellino, dovuta ad un errore di trascrizione certamente, non ha seguito. Il *Fidecommisso* però lo riporta come opera della scuola del Mazzolino. Il Gruyer, il Venturi, il Longhi, il Berenson non esitarono a riportare allo stesso Mazzolino questa limpida tavoletta, in cui la narrazione assume un tono di favola.

BIBL.: *Inv. Card. Salviati*, 1612, n. 7; *Inv. Olimpia Aldobrandini*, 1682; *Inv. Fid.*, 1833, p. 33; A. Venturi, in *Arch. St. Arte*, 1891, III, p. 464; Piancastelli, *Ms.*, 1891, p. 158; A. Venturi, *Cat.*, 1893, p. 130; Gruyer, *Art Ferrarais*, 1897, p. 254; Longhi, *Precisioni*, 1928, p. 198; Berenson, *Pitture It.*, 1936, p. 307; De Rinaldis, *Itin.*, 1939, p. 44; Della Pergola, *Gall. Borgh.*, 1950, p. 43.
   Fot.: Gab. Fot. Naz. E 26784.

NICOLÒ DELL'ABATE.

Modena 1509 c. – Fontainebleau 1571.

95. – PAESE CON FIGURE DI DAME E CAVALIERI (inv. n. 6).
   Olio su tela: 1,16 × 1,59.

Conservazione buona.

Provenienza indeterminata. Ma dovette entrare nella raccolta intorno al 1608, quando Enzo Bentivoglio mandò al Cardinale Scipione un forte gruppo di opere ferraresi. Non vi è traccia sicura, però, negli inventari, prima del 1693.

L'*Inventario* del 1693 l'attribuisce al « Dosi di Ferrara ». Il Piancastelli, probabilmente sulla traccia del Morelli, l'assegna a Battista di Dosso, e così il Venturi, mentre il Gamba, con più esattezza, fece il nome di Nicolò dell'Abate. Il Longhi e il De Rinaldis ne accettarono l'attribuzione, ma uno studio recente dell'Antal ha riaperto la discussione, proponendo un seguace fiammingo di Battista Dosso. L'opera rientra nel numero di quelle nate a Ferrara, sulla metà del Cinquecento, sotto l'influenza della pittura fiamminga ampiamente presente in quella Corte. Non è cosa nuova affermare che i paesaggi del Patinier, del Breughel e dei loro seguaci, con quelle visioni metà realistiche e metà fantastiche che sono ad essi particolari, operarono in modo decisivo sulla formazione di artisti fantasiosi come Nicolò dell'Abate. Assai vicino al n. 88 della Galleria Spada, a cui l'aveva accostato il Longhi, e al paesaggio fantastico della Coll. Pallavicini, identificato dallo Zeri (in via di pubbl.), ha un punto di riferimento, nella stessa raccolta Borghese, con il n. 517.

Esposto nel 1935 nella Mostra d'Arte Italiana a Parigi.

BIBL.: *Inv.*, 1693, St. IV, n. 26; *Inv. Fid.*, 1833, p. 37; Piancastelli, *Ms.*, 1891, p. 125; A. Venturi, *Cat.*, 1893, p. 24; Gruyer, *Art Ferrarais*, 1897, p. 286; Morelli, *Pittura It.*, 1897, p. 219; Gardner, *Painters of Ferrara*, 1911, p. 168; Zwanziger, *Dosso*, 1911, pp. 98–100; Gamba, in *Cron. Arte*, 1924, pp. 77–89; Longhi, *Precisioni*, 1928, p. 176; Fiocco, *Veronese*, 1928, p. 78; A. Venturi, *Storia*, 1933, IX, 6, p. 607; Longhi, *Officina*, 1934, p. 154; Bodmer, in *Comune Bologna*, 1934, p. 37; *Mostra Parigi*, 1935, p. 148; De Rinaldis, *Cat.*, 1948, p. 20; Antal, in *Art Bull.*, 1948, p. 87; Della Pergola, *Itin.*, 1951, p. 11.
   Fot.: Anderson 24896; Arch. Fot. Vat. XXXI–61–16 (già Moscioni 21143).

96. – RITRATTO DI DONNA (inv. n. 77).
   Olio su pergamena: 0,45 × 0,30.

Conservazione nel complesso buona. Venne rifoderato in epoca imprecisata.
Provenienza indeterminata. La prima notizia sicura è data dal *Fidecommisso* del 1833.

Negli *Elenchi Fidecommissari* è attribuito genericamente a scuola veneta. Il Piancastelli sulla scorta dei giudizi orali del Morelli lo iscrisse sotto il nome di Lorenzo Sabatini, ponendolo nel più naturale clima emiliano. Nel 1924 il Gamba l'accostò ad un ritratto del Museo del Prado, avanzando l'attribuzione a Nicolò dell'Abate, accolta cautamente dal Longhi e senza riserve dal De Rinaldis. La vicinanza di rapporti con la figura femminile del « Colloquio amoroso » del Museo Nazionale di Algeri, databile tra il 1547 e il 1551, permette di comprendere nello stesso momento questo ritratto ancora nella sfera delle opere dossesche.

BIBL.: *Inv. Fid.*, 1833, p. 26; Piancastelli, *Ms.*, 1891, p. 68; A. Venturi, *Cat.*, 1893, p. 74; Fournier Sarbovèse, *Artistes*, 1902, p. 34; Gamba, in *Cron. Arte*, 1924, pp. 77–89; Longhi, *Precisioni*, 1928, p. 183; A. Venturi, *Storia*, 1933, IX, 6, p. 605; Bodmer in *Comune Bologna*, 1934, p. 37; De Rinaldis, *Cat.*, 1948, p. 49; Quintavalle, *Parmigianino*, 1948, p. 107; Della Pergola, *Gall. Borgh.*, 1951, p. 40.

Fot.: Anderson 2719.

MANIERA DI NICOLÒ DELL'ABATE.

97. – PAESAGGIO COL BATTESIMO DI GESÙ (inv. n. 517).

Olio su rame: 0,08 × 0,10.

Conservazione buona.
Provenienza indeterminata.

È identificabile nel *Fidecommisso*, dove è attribuito al Breughel. Il Longhi trovò invece una attribuzione al Callot, che rifiutò. Ci sembra possibile riconoscervi un'opera, certamente secondaria, nello spirito di quella pittura ferrarese che sentiva le prime influenze fiamminghe, e che si può, in questo caso, accostare alla maniera di Nicolò dell'Abate.

BIBL.: *Inv. Fid.*, 1833, p. 31; Piancastelli, *Ms.*, 1891, p. 395; A. Venturi, *Cat.*, 1893, p. 221; Longhi, *Precisioni*, 1928, p. 224.

Fot.: Gab. Fot. Naz. F 5257.

LELIO ORSI.

Novellara 1511 – Novellara 1587.

98. – SS. CECILIA E VALERIANO (inv. n. 167).

Olio su rame: 0,78 × 0,60.

Conservazione buona.
Era nella raccolta del 1650. Provenienza indeterminata.

Il Manilli, che lo cita per primo, non fa nome di autore: « L'antico–moderno di Santa Cecilia con S. Valeriano, e coll'Angelo di sopra, è di incerto e fu ritoccato da Domenichino ». Il Longhi notava come l'attributo « antico–moderno » venisse usato dal Manilli, e in genere nel Seicento, per opere che segnavano il passaggio tra lo stile del Quattrocento e quello cinquecentesco. Più tardi, nell'*Inventario* del 1693, lo troviamo assegnato al Correggio; in quello del 1700: « la Sta Cecilia di Orazio Gentileschi »; nel Rossini: « la Sta Cecilia del Correggio »; nell'*Inventario* del 1790, di nuovo: « S. Cecilia di Orazio Gentileschi » e il Pungileone lo descrive minutamente come opera del Correggio. Il Fidecommisso, per un errore forse di trascrizione, lo pone sotto « scuola di Paolo Veronese ». Sull'organo sono tre lettere: L. E. O. che il Longhi, il quale per primo assegnò il dipinto a Lelio Orsi, interpretò come sigle di questo pittore, mentre il De Rinaldis volle vedervi quelle di Ottavio Leoni. L'accenno del Manilli a ritocchi effettuati dal Domenichino giustifica certa staticità e freddezza nel volto della Santa, mentre il riconoscimento del Longhi a Lelio Orsi ci sembra più che giustificato. L'opera dovrebbe essere datata 1554 circa.

Esposto nel 1950 alla Mostra di Lelio Orsi a Reggio Emilia.

BIBL.: Manilli, 1650, p. 97; *Inv.*, 1693, St. II, n. 21; *Inv.* 1700, n. 40; Rossini, *Mercurio*, 1725, (cfr. 1693), p. 37; *Inv.*, 1790, St. VII, n. 37; *Inv.*, 1725 e 1765, pp. 120, 146; *Inv. Fid.*, 1833, p. 34; Pungileone, *Correggio*, I, 1817, p. 39; Piancastelli, *Ms.*, 1891, p. 57; A. Venturi, *Cat.*, 1893, pp. 109–110; Longhi, *Precisioni*, 1928, pp. 13–17, 194; Kurz, in *Jarb. d. Ksthist. Smlgn in Wien*, 1937, p. 189; De Rinaldis, *Itin.*, 1939, p. 34; *Mostra L. O.*, 1950, p. 50; Salvini, in *Boll. Arte*, 1951, pp. 82–83; Della Pergola, *Itin.*, 1951, pp. 21–22; Gregori, in *Paragone*, 1953, n. 43, p. 56.

Fot.: Gab. Fot. Naz. E 18836.

ORTOLANO (Giovanbattista Benvenuti).

Ferrara 1485 c. – Ancora attivo nel 1524.

99. – DEPOSIZIONE DALLA CROCE (inv. n. 390).
Olio su tavola: 2,64 × 2,02.

Conservazione discreta. Fu restaurato e pulito intorno al 1930 (direttore Achille Bertini Calosso), da Tito Venturini Papari.

Proviene, secondo il Venturi, dalla Chiesa di S. Cristoforo degli Esposti a Ferrara; secondo il Gruyer, dalla Chiesa dei Serviti, nella stessa città, distrutta nel 1599 per opere di fortificazioni.

La prima notizia che si ha della sua appartenenza alla Galleria è del 1622, nel conto del corniciaio doratore Annibale Durante: « Per haver indorato a filo d'oro et dato di nero brunito la cornice grande del quadro del Ortolano alto pmi 14, scudi 20 » (A. S. B. V., busta 4170, 13 ottobre 1622). È significativo trovare la giusta attribuzione all'Ortolano, che avevano anche altri dipinti nella raccolta. Anche il Manilli riporta l'esatta attribuzione: « Quello della Vergine, con Christo e S. Gio. Battista e con molte altre figure, è dell'Hortolano ». Nell'*Inventario* del 1790 e poi nel *Fidecommisso*, e via via fino al 1891, l'autore diventa invece Benvenuto Tisi, il Garofalo. Il Venturi rivendicò, contro il Morelli, la ben distinta personalità dell'Ortolano e l'originalità della sua opera, riprendendo la distinzione dal Garofalo già fatta dal Mündler. La « Deposizione » della Pinacoteca di Napoli, che reca la data 1521, permette di classificare questo dipinto in quello stesso momento.

BIBL.: Manilli, 1650, p. 85; *Inv.*, 1700, St IX, n. 18, Barotti, *Pitture di Ferrara*, 1770, p. 182; Cittadella, *Pitt. Ferraresi*, 1782, I, p. 152; *Inv.* 1790, St. VIII, n. 44; *Inv. Fid.*, 1833, p. 8; Baruffaldi, *Vite*, 1844, p. 172; Cittadella, *Memoria*, 1863; Mündler, in *Jahrb. f. Kstwiss*, 1869; IV; A. Venturi, in *Arch. St. Arte*, 1889, II, p. 445; Frizzoni, in *Arch. St. Arte*, 1892, V, p. 404; A. Venturi, *Cat.*, 1893, p. 188; Burckhardt–Bode, *Cicerone*, 1893, II, pp. 729, 737 (cfr. 1855); A. Venturi, in *Arch. St. Arte*, 1894, VII, p. 96; Müntz, *Renaissance*, 1895, p. 563; Morelli, *Pittura It.*, 1897, pp. 204–205, 212; Gruyer, *Art Ferrarais*, 1897, pp. 333, 334, 335, 337; Gardner, *Painters of Ferrara*, 1911, p. 186; Longhi, *Precisioni*, 1928, p. 215; De Rinaldis, *Cat. Pin. Napoli*, 1928, p. 213; A. Venturi, *Storia*, 1929, IX, 4, p. 330; Longhi, *Officina*, 1934, p. 127; De Rinaldis, *Cat.*, 1948, p. 75; Della Pergola, *Itin.*, 1951, p. 47.

FOT.: Alinari 7676; Anderson 4210; Brogi 15928; Chauffourier 4109; Gab. Fot. Naz. E 26627; Arch. Fot. Vat. XXX–56–34 (già Moscioni 21294).

PARMIGIANINO (Francesco Mazzola).

Parma 1503 – Casalmaggiore 1540.

100. – RITRATTO D'UOMO (inv. n. 85).
Olio su tavola: 0,52 × 0,42.

Conservazione discreta. Nel 1937 è stato fissato il colore lungo tutta la zona verticale del dipinto e vennero tolti vecchi restauri alterati, da Carlo Matteucci (direttore De Rinaldis). Nel 1946 lo stesso restauratore eseguì una pulitura generale.

Provenienza indeterminata. Accertato nella raccolta dal 1693.

La giusta attribuzione al Parmigianino si trova nell'*Inventario* del 1693 che lo elenca per la prima volta, come « Ritratto del Pianerlotto », ed è stata accolta senza contrasti da tutta la critica posteriore. Il De Rinaldis notava come la rappresentazione a mezzo busto fosse rara nella ritrattistica del maestro parmense, e tanto la Froelich–Bum come il Copertini e il Venturi non mancarono di segnalare la nobiltà dell'immagine, sobria nel colore e nell'impostazione. Il Copertini lo data tra il 1524 e il 1527. Non sappiamo trovare giustificazione all'attribuzione del Quintavalle ad Annibale Carracci. Il Freedberg vi vede « un giovane prelato », ma il copricapo non è diverso da quello dell' « Autoritratto » degli Uffizi.

BIBL.: *Inv.*, 1693, St. IV, n. 32; *Inv.*, 1790, St. VIII, n. 21; *Inv. Fid.*, 1833, p. 34; Piancastelli, *Ms.*, 1891, p. 88; A. Venturi, *Cat.*, 1893, p. 77; Froelich–Bum, P., 1921, p. 31; Tinti, in *Dedalo*, 1924, p. 208; A. Venturi, *Storia*, 1926, IX p. 677; Copertini, P. ,1932, pp. 202, 218; Rapetti, *Arch. Stor. Parmense*, 1940, V, p. 39; Quintavalle, P., 1948, pp. 110, 128, 204; De Rinaldis, *Cat.*, 1948, p. 84; Freedberg, P., 1950, pp. 111–112, 206–207; Della Pergola, *Gall. Borgh.*, 1950, p. 41.

Fot.: Anderson 2307; Brogi 15907; Arch. Fot. Vat. XXIII–23–16 (già Moscioni 21176).

SEGUACE DEL PARMIGIANINO.

101 – RITRATTO DI GIOVANETTO (inv. n. 86).
Olio su tela: 0,72 × 0,58.

Conservazione buona.
Provenienza indeterminata. Era nella raccolta nel 1693.

Non crediamo che questo ritratto possa identificarsi con quel « Ritratto del Principe di Condé all'età di nove anni », inviato dalla Francia nel 1593 e a lungo elencato negli inventari Borghese e che ha dato motivo per chiamare questa tela « Ritratto di giovane Principe » fino al De Rinaldis. Così non si può riferirlo a quello ricordato dal Montelatici « Ritratto di Gastone Borbone duca d'Orliens in età fanciullesca ». Il dipinto è meglio accertabile attraverso l'*Inventario* del 1693 dove è descritto come: « Un quadro di 4 palmi in circa in tela un giovane con la spada al fianco con un pezzo di carta dipinta che dice " in Roma „ del N. 650 cornice dorata di Titiano ». L'attribuzione a Tiziano diventa a « scuola di Raffaello » nel *Fidecommisso* del 1833. Fu assegnato al Parmigianino dal Venturi e in un primo tempo dal Longhi, poi da questi accostato al Vasari. Il De Rinaldis pensò a Girolamo Bedoli Mazzola, mentre la Froelich–Bum, che volle riconoscervi il ritratto di Lorenzo Cybo citato dal Vasari, non ebbe dubbi sull'attribuzione al Parmigianino. Il Copertini lo pensò eseguito a Roma, per l'indicazione del cartello, lo datò circa 1525 e lo disse ridipinto grossolanamente, il che non è. Nessuno degli accostamenti citati persuade interamente, nè quello del Quintavalle a Jacopino del Conte, e l'opera di ancora incerta paternità ci sembra tuttora orientata nella sfera d'influenza parmigianinesca.

BIBL.: *Inv.*, 1693, St. VIII, n. 62; *Inv. Fid.*, 1833, p. 37; Piancastelli, *Ms.*, 1891, p. 312; A. Venturi, *Cat.*, 1893, p. 77; Froelich–Bum, P., 1921, pp. 32, 78, 153; A. Venturi, *Storia*, 1926, IX, 2, p. 684; Longhi, *Precisioni*, 1928, p. 185; Copertini, P., 1932, pp. 202, 218; De Rinaldis, *Itin.*, 1939, p. 44; Longhi, *Ampliamenti*, 1940, p. 379; Quintavalle, P., 1948, pp. 68, 98, 100, 124; De Rinaldis, *Cat.*, 1948 .p. 82; Freedberg, P., 1950, pp. 203, 233; Della Pergola, *Itin.*, 1951, p. 53.

Fot.: Anderson 2306, Arch. Fot. Vat. XXX–71–28 (già Moscioni 21177).

COPIA DAL PARMIGIANINO.

102. – SANTA CATERINA ED ANGELI (inv. n. 109).
Olio su tela: 0,78 × 0,56.

Conservazione buona.
Provenienza indeterminata.

È citato nell'*Inventario* del 1693 come opera del Parmigianino, mentre il Montelatici lo riporta al Correggio e il *Fidecommisso* del 1833 lo riferisce nuovamente al Parmigianino. Deriva infatti dalla « Madonna » detta « dal collo lungo » della Galleria degli Uffizi e può ritenersi uno studio, o meglio un'interpretazione libera di quel dipinto, per mano di un abile artista. Il Longhi, che lo data tra il 1580 e il 1590, propose l'attribuzione a Ludovico Carracci. Il Bodmer lo classificò come opera di scuola del Parmigianino.

BIBL.: *Inv.*, 1693, St. IV, n. 13; Montelatici, 1700, p. 257; *Inv.*, 1790, St. IV, n. 56; *Inv. Fid.*, 1833, p. 9; Piancastelli, *Ms.*, 1891, p. 87; A. Venturi, *Cat.*, 1893, p. 88; Müntz, *Histoire*, 1895, p. 581; Longhi, *Precisioni*, 1928, p. 187; Copertini, *P.*, 1932, p. 153; Bodmer, *L. Carracci*, 1939, p. 142; Quintavalle, *P.*, 1948, pp. 153–54; Freedberg, *P.*, 1950, p. 189.

Fot.: Gab. Fot. Naz. E 32740.

BARTOLOMEO PASSEROTTI.

Bologna 1529 – Bologna 1592.

103. – UNA LEZIONE D'ANATOMIA (inv. n. 460). Fig. 104.
Olio su tela: 0,42 × 0,52.

Conservazione buona.
Provenienza indeterminata.

Si trova elencato nell'*Inventario* del 1693 come opera di Francesco Salviati e poi in quelli del 1700 e 1790 attribuito ad Agostino Carracci, nel *Fidecommisso* e fino alle schede del Piancastelli, sotto la più generica indicazione di « scuola dei Carracci ». Il Venturi fece il nome di Lucio Massari, ma l'attribuzione del Longhi al maestro di questo pittore, Bartolomeo Passerotti, è più persuasiva.

Fu esposto nel 1929 alla prima Mostra Nazionale di Storia delle Scienze a Firenze.

BIBL.: *Inv.*, 1693, St. XI, n. 65; *Inv.*, 1700, St. VIII, n. 10; *Inv.*, 1790, St. II, n. 18; *Inv. Fid.*, 1833, p. 28; Piancastelli, *Ms.*, 1891, p. 190; A. Venturi, *Cat.*, 1893, p. 211; Capparoni, *Boll. Ist. Arte Sanitaria*, 1926 I, VI, n. 3 p. 205; Longhi, *Precisioni*, 1928, p. 222; Della Pergola, *Itin.*, 1951, p. 35.

Fot.: Alinari 41320; Anderson 31263; Gab. Fot. Naz. C 3789, E 8390.

PADRE PITTORINO (Bonaventura Bisi).

Bologna 1612 – Bologna 1659.

104. – ADAMO ED EVA (inv. n. 528). Fig. 103.
Miniatura su pergamena (ellittica: 0,22 × 0,27).

Conservazione buona.
Provenienza indeterminata.

Si trova elencato nell'*Inventario* del 1700 come « Adamo ed Eva di Raffaele », in quello del 1790 « Adamo ed Eva, Cav. d'Arpino, copia di Raffaele, miniatura » e nel *Fidecommisso* « Adamo ed Eva, del Cav. d'Arpino, con disegno di Raffaele, tondo del diametro di palmi 1, once 3, in pietra » e finalmente nelle schede del Piancastelli « in pergamena ovale ». Vale la pena indicare questi passaggi da un inventario all'altro, per notare i molti equivoci sia delle attribuzioni che delle identificazioni. Il Venturi fece il nome del Padre Pittorino il quale, a detta del Pungileone nella *Vita di Raffaello*, aveva eseguito una « Vergine col Bambino » in miniatura ovale, da un esemplare raffaellesco, e che era noto come preciso miniatore. Il presupposto da Raffaello però ci sembra da scartare per questa pergamena, mentre il prototipo può essere stato del Cavalier d'Arpino. Tre grandi tele erano state eseguite per Scipione Borghese dal Baglione, dal Cavalier d'Arpino e dal Passignano, raffiguranti rispettivamente « Eva che porge il pomo ad Adamo », la « Creazione di Adamo ed Eva », la « Cacciata dal Paradiso Terrestre ». Di queste opere scomparse alla fine del Settecento, forse è un ricordo in questa miniatura.

BIBL.: *Inv.*, 1700, St. VIII, n. 20; *Inv.*, 1790, St. VII, n. 6; *Inv. Fid.*, 1833, p. 30; Piancastelli, *Ms.*, 1891, p. 336; A. Venturi, *Cat.*, 1893, p. 223; Longhi, *Precisioni*, 1928, p. 224.

Fot.: Gab. Fot. Naz. E 32805.

MARCELLO PROVENZALE.

Cento 1575 – Roma 1639.

105. – MADONNA COL BAMBINO (inv. n. 498).
Mosaico: 0,56 × 0,33.

Conservazione buona.
Proviene dall'acquisto diretto di Scipione Borghese.
Firmato e datato: « Opus Marcelli Provenzalis de Cento A. D. 1600».
Il Provenzale era entrato a far parte della Famiglia di Scipione Borghese e nel 1628 era ancora compreso in quegli elenchi (A. S. B. V., Busta 6075 C. 53; 1628). Questa « Madonna col Bambino» è la prima opera datata tra quelle rimaste nella raccolta. L'*Inventario* del 1693 cita esattamente: « un quadro di due palmi e mezzo incirca con la Madonna e Bambino e Musaico sopra le nuvole con Cornice nera del N. 144 di Marcello Provenzale ».

BIBL.: *Inv.*, 1693, St. XI, n. 1190; *Inv.*, 1700, St. VIII, n. 5; *Inv.*, 1790, St. VII, n. 105; *Inv. Fid.*, 1833, p. 218; A. Venturi, *Cat.*, 1893, p. 218; Longhi, *Precisioni*, 1928, p. 223.

Fot.: Gab. Fot. Naz. E. 32829.

106. – ORFEO (inv. n. 492).
Mosaico: 0,43 × 0,60.

Conservazione buona.
Eseguito per il Cardinale Scipione, come attestano la data e lo stemma araldico, l'aquila e il drago, discesi dall'emblema per unirsi agli animali affascinati dal suono della viola d'Orfeo. Ricordato dal Rossini, nel *Mercurio Errante*, e da tutti gli inventari, come una delle opere più fini del Provenzale.
Firmato e datato: « Marcello Provenzalis Centen. Opus A. 1618 ».

BIBL.: Baglione, *Vite*, 1642, p. 350; *Inv.*, 1693, St. XI, n. 40; *Inv.*, 1700, St. VIII, n. 4; Rossini, *Mercurio*, 1725, p. 39 (cfr. 1693); *Uomini Illustri*, III, 1774, IX, p. 2; *Inv.*, 1790, St. VII, n. 86; *Inv. Fid.*, 1833 p. 30; A. Venturi, *Cat.*, 1893, p. 217; Longhi, *Precisioni*, 1928, p. 223.

Fot.: Gab. Fot. Naz. E 33279.

107. – RITRATTO DI PAOLO V (inv. n. 495).
Mosaico: 0,71 × 0,60.

Conservazione buona.
Eseguito per il Cardinale Scipione nel 1621.
Firmato e datato: « Marcelli Provenzalis Centen. Opus PAULUS · V · BURGHESIUS · ROMANUS P. O. M. ANN. MDCXXI · PONT. XVI ».

Ricordato dal Rossini, dal Vasi e in tutti gli inventari dal 1700 e 1790 come una delle opere più notevoli conservate nella Galleria. La sua esecuzione è in realtà abbastanza fine. Fu esposto nel 1930 alla Mostra di Roma Settecentesca, a Roma.

BIBL.: *Inv.*, 1693, St. XI, n. 70; *Inv.*, 1700, St. VIII, n. 3; Wright, *Observations*, 1721, p. 294; Rossini, *Mercurio*, 1725, p. 39 (cfr. 1693); *Inv.*, 1790, St. VII, n. 1; Vasi, *Itinéraire*, 1792, p. 363; *Inv. Fid.*, 1833, p. 12; A. Venturi, *Cat.*, 1893, p. 218; Boncompagni–Ludovisi, *Ambasciate Giapponesi*, 1904, LXIV; Longhi, *Precisioni*, 1928, p. 223; *Mostra Seicento*, 1930, p. 9; Pastor, *Storia*, 1930, XII, p. 36; Longhi, in *Paragone*, 1951, n. 21, p. 38.

Fot.: Gab. Fot. Naz. E 13922; Alinari 8180.

108. – AUTORITRATTO (inv. n. 96).
Olio su tela: 0,64 × 0,48.

Conservazione buona.
Acquisto o dono diretto dell'artista al Cardinale Scipione intorno al 1620.

Si può identificare solo nel *Fidecommisso*, dove è iscritto come « Ritratto, di Michel'Angelo da Caravaggio » ed aveva un posto d'onore nella Stanza dell'« Amor Sacro e Profano ». Ancora al Caravaggio viene attribuito dal Piancastelli mentre il Venturi l'assegna ad Antonio Balestra. Il Longhi riconobbe che il costume non poteva riferirsi in alcun modo al tempo del Balestra, e inquadrò giustamente il ritratto intorno al 1620 « probabilmente di scuola romana ». L'identificazione del personaggio rappresentato è stata possibile, mediante le incisioni di Ottavio Leoni, con quella di Marcello Provenzale. Risponde infatti sia al disegno della Marucelliana, del Leoni, che all'incisione che questi ne trasse nel 1623, pubblicata nei *Ritratti di alcuni celebri pittori*, Roma, 1731, p. 32, come più tardi nella serie degli *Uomini Illustri*, 1774, vol. IX, p. 1. Che tale ritratto possa essere anch'esso opera di Ottavio Leoni sarebbe confermato dal pagamento che il Leoni ricevette nel 1619: « a Mᵒ Ottavio Padovano pittore sc. 60 m.ta per il prezzo di 4 Ritratti di pittura fatti da lui per nostro servitio. Con ricevuta pagherete. Di Monte Cavallo qᵒ di 26 Agosto 1619. Il Cardinale Borghese. Stefano Pignatelli Mag.ᵒ » (A. S. B. V., vol. 7992, p. 123, n. 379). Già nel 1612 aveva avuto: « E a di 15 ottobre pagati Sc. 60 m.ta a Mro Ottavio Leoni Pittore disse per intero pagamento di diversi quadri di Pittura Hauti da lui » e nel 1613: « E adi 11 febraro sc. 80 m.ta pag.ti a Mo Ottavio Leoni Padovano disse per saldo di tutte le pitture haute da lui sino a questo giorno » (A. S. B. V., busta 23. Riscontro di Banco n. 12, p. 139 e 149). Ma se dobbiamo giudicare Ottavio Leoni dalla spontanea vivacità dei suoi disegni, male potremmo attribuirgli questo ritratto. Invece se lo confrontiamo con il musaico di Paolo V, eseguito dal Provenzale nel 1621, vi ritroviamo una stessa fattura contenuta e allisciata, che ci consente di vedere in quest'opera il suo autoritratto.

BIBL.: *Inv. Fid.*, 1833, p. 13; Piancastelli, *Ms.*, 1891, p. 104; A. Venturi, *Cat.*, 1893, p. 81; Longhi, *Precisioni*, 1928, p. 186.

Fot.: Gab. Fot. Naz. C. 32790.

RAFFAELLINO DA REGGIO (Raffaello Motta).

Codemondo 1550 – Roma 1578.

109. – TOBIOLO E L'ANGELO (inv. n. 298).
Olio su tavola: 1,07 × 0,69.

Conservazione buona. Pulito leggermente nel 1950 da Augusto Cecconi Principe. Proviene dalla raccolta Santafiora.

Il Fantini nel 1616 cita un quadro di questo soggetto dipinto da Raffaellino da Reggio per la Famiglia Sanfiora o Santafiora, a Sala, nel Parmigiano, e il Faldi pensa possa essere identificato con questo, che nel 1650 era già in possesso dei Borghese, e dovette essere stato eseguito dopo il soggiorno romano, intorno al 1570. Una conferma si può trovare nel fatto che (Urlichs, *Beiträge z. Smlgn Rudolf II*, in *Zeitsch. f. Bild. Kst*, 1870, p. 51) altri dipinti erano passati a Scipione dalla raccolta Santafiora, e tra questi la « S. Caterina » del Correggio, oggi al Louvre. Il Manilli lo ricorda con l'esatta attribuzione, e così l'*Inventario* del 1693. Un disegno preparatorio venne indicato dal Venturi nel Gabinetto della Galleria degli Uffizi (n. 2014) e una incisione eseguita da Agostino Carracci è segnalata dal Bartsch il quale però nota come la data, 1581, debba essere ritenuta falsa. Questa incisione, citata anche dal Malvasia, è stata pubblicata dal Faldi, che ne ha rinvenuto un esemplare al British Museum. La Collobi data anche lei il « Tobiolo » tra le ultime opere del pittore.

Esposto alla Mostra di Fontainebleau e la Maniera Italiana a Napoli nel 1952.

BIBL.: Fantini, R. M., 1616, p. 26; Manilli, 1650, p. 83; *Inv.*, 1693, St. VII, n. 14; Malvasia, *Felsina*, 1678 (1841), I, p. 367; Ramdhor, *Malherei in Rom*, 1787, I, p. 200; *Inv.*, 1790, St. I, n. 21; *Inv. Fid.*, 1833, p. 40; Piancastelli, *Ms.*, 1891, p. 102; A. Venturi, *Cat.*, 1893, p. 153; Bartsch, *Peintre Graveur*, 1920, p. 23; Longhi, *Precisioni*, 1928, p. 205; A. Venturi, *Storia*, 1933, IX, 6, p. 651; Collobi, in *Riv. Ist. Archeol St. Arte*, 1938, p. 273; Faldi, in *Boll. Arte*, 1951, p. 330, 332, 333; *Mostra Fontainebleau e Maniera it.*, 1952, p. 43.

Fot.: Gab. Fot. Naz. C. 3787.

GUIDO RENI.

Calvenzano 1575 – Bologna 1642.

110. – MOSÈ CON LE TAVOLE DELLA LEGGE (inv. n. 180).
Olio su tela: 1,74 × 1,34.

Conservazione buona. Pulito superficialmente nel 1954 da Alvaro Esposti.
Provenienza indeterminata. Forse acquisto diretto dall'Autore.

Nel 1657 lo Scannelli lo elencava già tra le opere della raccolta Borghese. L'*Inventario* del 1693 riporta giustamente « un quadro con Moisè con le tavole della Legge con cornice con N. 317 in tela di Guido Reno », mentre gli *Inventari* del 1700 e successivi l'assegnano, il primo al Guercino, gli altri a « Guido, maniera del Guercino ». Così è elencato ancora nel *Fidecommisso* del 1833 e nelle note del Piancastelli. Il Venturi vi riconosceva un momento romano del Reni sotto l'influenza del Caravaggio. Si può pensare eseguito prima del 1620. La replica Barberini ricordata dal Malvasia nel 1678 nel Palazzo del Monte della Pietà passò poi nella raccolta Sciarra–Colonna dove lo annotarono il Platner e il Longhi, e di qui, nel 1894, in proprietà Almagià a Palazzo Fiano, dove tuttora si trova.

Esposto nel 1954 alla Mostra di Guido Reni a Bologna.

BIBL.: Scannelli, *Microcosmo*, 1657, p. 354; Malvasia, *Felsina*, 1678 (1844), IV, p. 64; *Inv.*, 1693, St. III, n. 20; *Inv.*, 1790, St. III, n. 4; Ramdhor, *Malherei in Rom*, 1787, I, p. 290; *Inv. Fid.*, 1833, p. 16; Platner, *Beschreib. Rom*, 1842, p. 277; Piancastelli, *Ms.*, 1891, p. 193; A. Venturi, *Cat.*, 1893, p. 114; Longhi, *Precisioni*, 1928, p. 195; De Rinaldis, *Itin.*, 1939, p. 9; Della Pergola, *Itin.*, 1951, p. 11; *Mostra R.*, 1954, p. 80; Della Pergola in *Paragone*, 1955, n. 63, pp. 35-38.

Fot.: Gab. Fot. Naz. E 33288.

SEGUACE DI GUIDO RENI.

111. - UNA PARCA (inv. n. 99).
Olio su tela: 0,78 × 0,62.

Conservazione buona sebbene il dipinto si presenti molto scurito.
Provenienza indeterminata.

È segnato nel *Fidecommisso* come « Ritratto del Romanelli ». Il Venturi l'attribuisce invece a Simone Vouet e lo chiama: « Ritratto di una sarta »; il Longhi l'interpreta come « Ritratto di una Parca » e lo dice dipinto da un fiacco seguace del Reni operante in Roma verso il 1630-40. Quest'ultima ipotesi ci sembra ancora la più vicina. Non si trova traccia prima del *Fidecommisso* e probabilmente è entrato nella raccolta poco prima del 1833.

BIBL.: *Inv. Fid.*, 1833, p. 12; Piancastelli, *Ms.*, 1891, p. 347; A. Venturi, *Cat.*, 1893, p. 82; Longhi, *Precisioni*, 1928, p. 186.
Fot.: Gab. Fot. Naz. E 33287.

COPIA DA GUIDO RENI.

112. - CRISTO IN CROCE (inv. n. 580).
Olio su tela: 0,24 × 0,19.

Conservazione scadente.
Acquistato nel 1916 per L. 100.

Mediocrissima copia del sec. XVIII inoltrato dal « Cristo in Croce » dell'Estense di Modena di Guido Reni, che a sua volta sembra derivare dal « Crocifisso » del Dürer nella Galleria Statale di Dresda, dipinto a Venezia nel 1506.

BIBL.: *Inv. Gall. Borghese*, 1916, 26 aprile (cfr. 1905).
Fot.: Gab. Fot. Naz. F 5266.

SCARSELLINO (Ippolito Scarsella).

Ferrara 1551 – Ferrara 1620.

113. - MADONNA COL BAMBINO, S. GIUSEPPE E GIOVANNINO (inv. n. 222).
Olio su tavola: 0,37 × 0,26.

Conservazione buona.

Proviene dall'eredità di Lucrezia d'Este passata agli Aldobrandini, e attraverso Olimpia Aldobrandini ai Borghese.

Nell'*Inventario* del 1592, del guardaroba di Lucrezia d'Este, è elencato, insieme con la piccola Madonna di Dosso Dossi (inv. n. 211): « la Madonna con N.ro Sig.re Imbrazzo di mano di Mondino Scarsella ». Si parla di due quadretti, e la stessa designazione si trova nell'*Inventario* di Olimpia Aldobrandini, del 1682: « Un quadro in tavola con la Madonna con il putto in braccio alto pmi uno in circa del Mondin Scarsella come a d° Inv. a foglio 239 N. 426 ». È interessante notare come, viventi ancora i due Scarsellino, questa tavoletta fosse attribuita a Sigismondo Scarsella (Mondino), mentre più tardi passa sotto il nome di Scarsellino puro e semplice. Inoltre una variante di questo dipinto, anche quella attribuita allo « Scarsellino Vecchio », era nel 1690 in casa Boscoli a Parma: « Una Madonna a sedere sul terreno con il Bambino al quale porge un frutto e S. Giuseppe posto in profilo volto

5

alla testa e sta osservando l'atto, quest'è di mano del Scarsellino Vecchio, di Ferrara »
(Campori, *Racc. di Cataloghi e Inventari*, Modena, 1870, p. 397). Non riesce agevole togliere
questa « Sacra Famiglia » allo Scarsellino per assegnarla al padre, della cui opera si ha così
scarsa documentazione; nè la confusione avvenuta nel *Fidecommisso*, che l'assegna al Mazzolino, può mutare l'attribuzione, ripresa giustamente dal Venturi, ad Ippolito Scarsella.

BIBL.: *Inv. Lucrezia d'Este*, 1592, p. 9; *Inv. Olimpia Aldobrandini*, 1682; *Inv.*, 1700, St. IX, n. 11; *Inv.
Fid.*, 1833, p. 32; Piancastelli, *Ms.*, 1891, p. 157; A. Venturi, *Cat.*, 1893, p. 130; Gardner, *Painters of
Ferrara*, 1911, p. 252; Longhi, *Precisioni*, 1928, p. 197; A. Venturi, *Storia*, 1934, IX, 7, p. 805; Berenson,
Pitture It., 1936, p. 445; Mahon, in *Burl. Mag.*, 1937, p. 178; De Rinaldis, *Cat.*, 1948, p. 76; Della Per-
gola, *Itin.*, 1951, p. 49.
Fot.: Anderson 1211; Brogi 15913; Arch. Fot. Vat. XXX–78–6 (già Moscioni 21230).

114. – LA CENA IN CASA DI SIMON FARISEO (inv. n. 169). Fig. 119.
Olio su tela: 0,81 × 1,41.

Conservazione buona.
Provenienza indeterminata.
Accertabile con sicurezza nell'*Inventario* del 1790, dove reca l'attribuzione a Paolo
Veronese, che nel *Fidecommisso* viene corretta in quella, esatta, allo Scarsellino. Il Venturi
vi nota influenze bassanesche.

BIBL.: *Inv.*, 1790, St. III, n. 20; *Inv Fid.*, 1833, p. 16; Piancastelli, *Ms.*, 1891, p. 162; A. Venturi,
Cat., 1893, p. 110; Longhi, *Precisioni*, 1928, p. 194; A. Venturi, *Storia*, 1934, IX, 7, p. 912.
Fot.: Anderson 31269; Gab. Fot. Naz. D 597.

115. – VENERE E ADONE (inv. n. 212).
Olio su tela: 0,98 × 1,20.

Conservazione buona.
Provenienza indeterminata.
Era nella raccolta nel 1650, citato dal Manilli: « Il quadro di Adone morto, con Venere, e con molte altre figure, è di Scarsellino ». Il Venturi riferì quest'opera ad un periodo
tardo dell'attività del pittore. Non è comprensibile come di questo dipinto non ne faccia
cenno alcuno degli storiografi della pittura ferrarese, mentre il Buscaroli lo ricorda come
« la corsa di Atteone ». L'*Inventario* del 1693 ne parla come del « quadro con quattro ninfe
e tre cani del Scarsellino di Ferrara in tela di quattro palmi ».

BIBL.: Manilli, 1650, p. 102; *Inv.*, 1693, St. I, n. 1; *Inv. Fid.*, 1833, p. 7; Piancastelli, *Ms.*, 1891,
p. 159; A. Venturi, *Cat.*, 1893, p. 126; Longhi, *Precisioni*, 1928, p. 197; Buscaroli, *Pittura di paesaggio*,
1935, p. 220; De Rinaldis, *Itin.*, 1939, p. 44; Della Pergola, *Gall. Borgh.* 1951, p. 42.
Fot.: Gab. Fot. Naz. E 10664.

116. – CRISTO COI DISCEPOLI SULLA VIA DI EMMAUS (inv. n. 226).
Olio su tela: 0,98 × 1,17.

Conservazione abbastanza buona. Il colore è alquanto scurito.
Provenienza indeterminata.
Era nella raccolta nel 1650 citato dal Manilli come opera dello Scarsellino: « Sopra
la Porta del Giardino, il quadro di Nostro Signore che va in Emmaus, con i due Discepoli,

è di Scarsellino». La sicurezza dell'attribuzione, ripetuta nell'*Inventario* del 1693, fa pensare che la provenienza sia stata diretta, da un acquisto forse dal pittore stesso.

Bibl.: Manilli, 1650, p. 68; *Inv.*, 1693, St. II, n. 8; *Inv.*, 1790, St. II, n. 50; *Inv. Fid.*, 1833, p. 7; Piancastelli, *Ms.*, 1891, p. 160; A. Venturi, *Cat.*, 1893, p. 131; Longhi, *Precisioni*, 1928, p. 198; De Rinaldis, *Cat.*, 1948, p. 77; Della Pergola, *Itin.*, 1951, p. 48.
Fot.: Gab. Fot. Naz. E 34009; E. 10663.

117. - DIANA ED ENDIMIONE (inv. n. 214).
Olio su tela: 0,39 × 0,56.

Provenienza indeterminata.
Conservazione buona.

Era nella raccolta nel 1693, citato nell'*Inventario* di quell'anno con la giusta attribuzione: « un quadro alto due palmi in circa in tavola una Donna nuda nel bagno et un'altra che sta a sedere con due Amorini in aria et un'Aquila del N. 711 dello Scarsellini ». Malgrado dica in tavola, invece che in tela, l'opera è certamente la stessa. Dopo il Venturi e il Morelli, il Gruyer lo ricorda come « Diana che esce dal bagno » e il Gardner come « Diana ed Endimione ». L'aquila che si libra nel cielo, a destra, sembra avere un significato araldico e può avere riferimento allo stesso stemma dei Borghese.

Bibl.: *Inv.*, 1693, St. VI, n. 16; *Inv.*, 1790, St. II, n. 59; *Inv. Fid.*, 1833, p. 25; Piancastelli, *Ms.*, 1891, p. 163; A. Venturi, *Cat.*, 1893, p. 127; Morelli, *Pittura It.*, 1897, p. 219; Gruyer, *Art Ferrarais*, 1897, p. 413; Gardner, *Painters of Ferrara*, 1911, p. 252; Longhi, *Precisioni*, 1928, p. 197; A. Venturi, *Storia*, 1934, IX, 7, p. 804; Berenson, *Pitture It.*, 1936, p. 445; De Rinaldis, *Cat.*, 1948, p. 77; Della Pergola, *Itin.*, 1951, p. 48.
Fot.: Brogi 15939; Gab. Fot. Naz. E 10670; Arch. Fot. Vat. XXX–78–14 (già Moscioni 21225).

118. - IL BAGNO DI VENERE (inv. n. 219).
Olio su tela: 0,43 × 0,57.

Conservazione buona.
Provenienza indeterminata.

Era nella raccolta nel 1693 e l'*Inventario* di quell'anno così lo cita « un quadro di due palmi in tavola e mezzo in circa, una Donna che si lava con molti Amorini che gli portano i Panni in tela del n. 449 con cornice dorata dello Scarsellino di Ferrara ». Nel *Fidecommisso* troviamo « Venere con diversi Amorini dello Scarsellino », il Gardner lo cita come « il Bagno di Diana ». È anche questa un'opera prevalentemente decorativa, ed ha trovato citazione nel Morelli, nel Gruyer, nel Gardner, nel Buscaroli, con maggior fortuna di altre ben più notevoli.

Bibl.: *Inv.*, 1693, St. VI, n. 6; *Inv. Fid.*, 1833, p. 25; Piancastelli, *Ms.*, 1891, p. 161; A. Venturi, *Cat.*, 1893, p. 129; Morelli, *Pittura It.*, 1897, p. 119; Gruyer, *Art Ferrarais*, 1897, p. 413; Gardner, *Painters of Ferrara*, 1911, p. 252; Longhi, *Precisioni*, 1928, p. 197; A. Venturi, *Storia*, 1934, IX, 7, p. 804; Buscaroli, *Pittura di paesaggio*, 1935, p. 220; De Rinaldis, *Itin.*, 1939, p. 44; Della Pergola, *Itin.*, 1951, p. 48.
Fot.: Brogi 15938; Gab. Fot. Naz. E 10669; E 33278 Arch. Fot. Vat. XXX–60–25 (già Moscioni 21198).

119. - LA STRAGE DEGLI INNOCENTI (inv. n. 209). Fig. 114.
Olio su rame: 0,40 × 0,50.

Conservazione non buona. Presenta diverse cadute di colore.
Provenienza indeterminata.

Si trova citato per la prima volta nell'*Inventario* del 1693 « un quadro in rame con la Strage delli Innocenti del n. 257 cornice dorata di Scarsellin di Ferrara ». L'*Inventario* del 1790 l'ascrive a Paolo Veronese; e come scuola di Paolo Veronese lo troviamo nelle schede del Piancastelli. Il Venturi corresse l'impropria attribuzione tornando a quella primitiva, e genuina, dello Scarsellino, accolta dal Longhi e dal Berenson. La qualità del dipinto non è molto brillante, ma non vi è sufficiente motivo per togliere quest'opera al pittore ferrarese.

BIBL.: *Inv.*, 1693, St. III, n. 35; *Inv.*, 1790, St. IV, n. 53; *Inv. Fid.*, 1833, p. 27; Piancastelli, *Ms.*, 1891, p. 53; A. Venturi, *Cat.*, 1893, p. 125; Longhi, *Precisoni*, 1928, p. 197; Berenson, *Pitture It.*, 1936, p. 445.

Fot.: Gab. Fot. Naz. E 32728

BARTOLOMEO SCHEDONI.

Modena 1570 – Parma 1615.

120. – LA VERGINE GESÙ E S. GIOVANNINO (inv. n. 316).
Olio su tavola: 0,28 × 0,22.

Conservazione discreta. La tavola ha una leggera fenditura e alcune piccole cadute di colore.

Provenienza indeterminata.

L'*Inventario* del 1790 reca elencata questa tavoletta come opera dello stesso Schedoni, e con tale nome giunge fino al Venturi. Il Moschini pose in dubbio l'attribuzione, pur mantenendo la piccola composizione nella cerchia di quel maestro; mentre il Longhi la riferì ad un maestro vicino all'Anselmi, al Setti, al Tinti, nel giro della provincia emiliana. Il Grassi (riferimento orale) non dubita si tratti di un originale dello Schedoni che imita qui il Parmigianino, e concordiamo con questo giudizio.

BIBL.: *Inv.*, 1790, St. X, n. 45; Vasi, *Itinéraire*, 1792, p. 396; *Inv. Fid.*, 1833, p. 20; Piancastelli, *Ms.*, 1891, p. 100; A. Venturi, *Cat.*, 1893, p. 159; Moschini, in *Arte*, 1927, p. 148; Longhi, *Precisioni*, 1928, p. 207.

Fot.: Gab. Fot. Naz. E 32778.

ELISABETTA SIRANI.

Bologna 1638 – Bologna 1665.

121. – LUCREZIA (inv. n. 90).
Olio su tela. 1,01 × 0,78.

Conservazione generalmente buona.
Provenienza indeterminata.

Era nella raccolta nel 1790, così elencato nell'*Inventario* di quell'anno: « Lucrezia, di stile baroccesco ». Il Cantalamessa pensò che fosse il dipinto eseguito nel 1664 per Simone Tassi mercante e mecenate bolognese, di cui parla la stessa pittrice nell'elenco delle sue opere, riportato dal Malvasia: « Una Porzia in atto di ferirsi una coscia, quando desiderava saper la congiura che tramava il marito, quadro sopruscio, e di lontano in un'altra camera, donzelle che lavorano, per il Signor Simone Tassi ». La descrizione però non ha nulla a che vedere con questo dipinto: l'atto del ferimento è ancora da venire e il gesto della donna, che si libera dal velo, fa pensare debba essere rivolto piuttosto verso il seno; nè vi è un secondo piano in cui dovrebbero apparire le « donzelle che lavorano » e le stesse misure del dipinto, più alto che largo, male si adattano per un quadro sopraporta. Se il soggetto non è quindi identificabile con quello proposto dal Cantalamessa, e deve invece ritenersi una « Lucrezia », l'attribuzione alla Sirani ci sembra giusta e il dipinto rientra nel numero delle opere eseguite dalla pittrice bolognese verso la fine della sua vita, condotto nei modi del Reni e con un riferimento assai prossimo alla mezza figura di Lucrezia nella serie conservata alla Pinacoteca Capitolina. Anche una certa affinità si può trovarvi con l'incisione citata dal Bartsch (*Cat. des Estampes par Reni* ecc., Vienna, 1795, p. 87) che la Sirani aveva eseguito per Monsignor Paleotti. Una copia leggermente variata, più tarda e d'altra mano, si trova nei depositi della Gall. Nazionale d'Arte Antica a Roma.

Entrambe possono trovare il loro prototipo nel finissimo dipinto appartenente alla Coll. Viti, ed esposto fuori catalogo alla Mostra del Reni a Bologna nel 1954.

BIBL.: Malvasia, *Felsina*, 1678 (1844), II, p. 339; *Inv.*, 1790, St. VII, n. 48; *Inv. Fid.*, 1833, p. 11; Piancastelli, *Ms.*, 1891, p. 212; A. Venturi, *Cat.*, 1893, p. 79; Cantalamessa, in *Boll. Arte*, 1922, p. 43; Longhi, *Precisioni*, 1928, p. 185.

FOT.: Anderson 4545; Arch. Fot. Vat. XXIII–23–25 (già Moscioni 21178).

LIONELLO SPADA.

Bologna 1576 – Parma 1622.

122. - UN CONCERTO (inv. n. 41).
Olio su tela, 1,77 × 1,38.

Conservazione buona. È stato pulito e ripreso in alcune parti mancanti nel 1945 da Carlo Matteucci (direttore Aldo De Rinaldis).

Provenienza indeterminata.

Entrato tardi nella raccolta, appare elencato in un *Inventario* della fine del 1700 come opera del Caravaggio e nel *Fidecommisso* del 1833 con l'esatta attribuzione a Lionello Spada. Il Malvasia (*Felsina Pittrice*, 1678) non fa cenno di questa opera nella vita dello Spada: ma certo venne eseguita nella scia caravaggesca. L'affollamento delle immagini, la composizione affastellata, la vivacità urtante dei colori sembrano dare ragione al sopranome dato al pittore, di « scimia del Caravaggio ».

Esposto nel 1953 alla Mostra del Corelli a Roma.

BIBL.: *Inv.*, fine 1700, St. VI, n. 29 (Fondo Borgh.); *Inv. Fid.*, 1833, p. 14; Piancastelli, *Ms.*, 1891, p. 197; A. Venturi, *Cat.*, 1893, p. 55; Longhi, *Precisioni*, 1928, p. 180; De Rinaldis, *Cat.*, 1948, p. 23; Della Pergola, *Itin.*, 1951, p. 41; *Mostra Corelli*, 1953, p. 29.

FOT.: Anderson 25156.

ALESSANDRO TIARINI.

Bologna 1577 – Bologna 1668.

123. - RINALDO E ARMIDA (inv. n. 36).
Olio su tela: 1,24 × 1,85.

Conservazione buona.

Lasciato in legato a Scipione Borghese nel 1624 dal Cardinale Alessandro d'Este.

Nessun dubbio sulla paternità di quest'opera citata nell'*Inventario delle Pitture* del Cardinale Alessandro d'Este, e poi dal Manilli, come del Tiarini, e di cui parla a lungo il Malvasia, nella vita di questo artista: « ... e nella vigna similmente Borghese nella quarta stanza a basso quel Rinaldo intero che dorme, e Armida che l'elmo suo porge ad una donna, capriccioso di scorciabili al solito, e conservatissimo, per la già considerata ragione d'aver egli (Tiarini) sempre fatto il letto alle figure, lavorato di corpo a tornatele a ricoprire ». Nell'*Inventario* del 1790 il nome del Tiarini scompare e l'attribuzione passa a « Pietro da Cortona, stile P. Veronese » e gli *Elenchi Fidecommissari*, dimenticando l'antica testimonianza lo ponevano nell'anonimato della scuola bolognese, dove era ancora, con il Piancastelli. Il Venturi lo riconosceva invece come autografo del Tiarini. Il Campori, nelle note all'*Inventario* del Cardinale d'Este, dava erroneamente il dipinto come emigrato in Francia e non più tornato.

BIBL.: *Inv. Card. Alessandro d'Este*, 1624 (Campori, *Cataloghi*, 1870, pp. 59, 70); Malvasia, *Felsina*, 1678 (1844), II, p. 142; *Inv.*, 1790, St. IV, n. 46; *Inv. Fid.*, 1833, p. 22; Piancastelli, *Ms.*, 1891, p. 222; A. Venturi, *Cat.*, 1893, pp. 52, 53; Longhi, *Precisioni*, 1928, p. 179; De Rinaldis, *Cat.*, 1948, p. 23; Della Pergola, *Itin.*, 1951, p. 39.

Fot.: Anderson 25149; Gab. Fot. Naz. C 2212.

PELLEGRINO TIBALDI.

Puria di Valsolda 1527 – Milano 1596.

124. - ADORAZIONE DEL BAMBINO (inv. n. 415).
Olio su tela: *1,57 × 1,05.*

Conservazione buona.
Provenienza indeterminata.
Firmato e datato: « Peregrinus Tibaldi Bonom. Faciebat Anno Fatis sui XXI–MDXLVIII ».
Ricordato dal Manilli e poi dal Malvasia, il quale lamentava che il dipinto non fosse più esposto nella Villa Borghese, « sopra la statua di Diogene », dove era stato fino allora. Il Briganti lo ritiene prima opera sicura eseguita a Roma « opera molto meditata, d'ispirazione raccolta ». Chiara appare la volontà d'innestarsi nell'esperienza michelangiolesca che è sentita con grandiosa nobiltà d'impianto. Una replica è ricordata dal Venturi (1933) nella Gall. Liechtenstein di Vienna.

BIBL.: Manilli, 1650, p. 97; Malvasia, *Felsina*, 1678 (1844), I, p. 136; *Inv.*, 1700, St. I, n. 21; *Inv. Fid.*, 1833, p. 17; Piancastelli, *Ms.*, 1891, p. 170; A. Venturi, *Cat.*, 1893, p. 198; Longhi, *Precisioni*, 1928, p. 218; A. Venturi, *Storia*, 1933, IX, 6, pp. 520, 524, 527; Briganti, *P. T.*, 1945, p. 62; De Rinaldis, *Cat.*, 1948, p. 54; Della Pergola, *Itin.*, 1951, p. 36.

Fot.: Gab. Fot. Naz. C 3788, C 6056.

DA GIOACCHINO ASSERETO.

Genova 1600 – Genova 1649.

125. – PRESENTAZIONE DEL BAMBINO AL TEMPIO (inv. n. 569).
Carta su teletta: 1,10 × 0,74.

Conservazione buona.

Ceduto da Lord Duveen nel 1926 in cambio della tassa d'esportazione per gli Arazzi Fiamminghi della Collezione Stroganoff.

Entrato nella Galleria Borghese come opera giovanile di Lorenzo Lotto, venne riconosciuto dal Longhi come replica parziale della « Circoncisione di Brera » (o « Presentazione al Tempio ») allora attribuita a Benedetto Crespi e dal Longhi stesso riferita all'Assereto. La carta su cui è il dipinto, è applicata ad una leggerissima garza coperta a sua volta da un lieve strato di gesso che dà alla pittura un senso di granulosità. Questa preparazione, insolita nell'arte italiana, è riportata su di una tela in tutto identica a quelle in uso in Inghilterra, agli inizi del secolo. Il dipinto non presenta il colore spesso e greve proprio all'Assereto, e la copia, piuttosto tarda, deve essere stata eseguita, da mano forse inglese, sulla parte centrale della pala di Brera.

BIBL.: Ghiner in *Vita Art.*, 1926, p. 12 ss., 17 ss.; 23 ss.; Ojetti, in *Dedalo*, 1926, pp. 479–80; Longhi in *Dedalo*, 1926, pp. 356–59.

Fot.: Alinari 41018; Anderson 26351; Gab. Fot. Naz. E 8706.

LUCA CAMBIASO.

Moneglia 1527 – Madrid 1585.

126. – VENERE E ADONE (inv. n. 317). Fig. 127.
Olio su tela: 1,41 × 0,98.

Conservazione buona.
Provenienza indeterminata.

Era nella raccolta nel 1650, citato dal Manilli: « Il quadro di due Amanti con Cupido in aria, è di Luca Cangiassi ». L'*Inventario* del 1693 non lo ricorda, ma riappare nell'*Inventario* del 1790 come opera sempre del Cambiaso. Il pittore dovette eseguirlo verso la fine della sua attività, e il dipinto, che appare vicino alla « Venere e Adone » della Galleria Nazionale di Roma, appartiene ad una serie di facile effetto, che ebbe senza dubbio un immediato successo.

Fu esposto nel 1927 alla Mostra Centenaria di Luca Cambiaso a Genova.

BIBL.: Manilli, 1650, p. 115; *Inv.*, 1790, St. VI, n. 34; *Inv. Fid.*, 1833, p. 12; Piancastelli, *Ms.*, 1891, p. 92; A. Venturi, *Cat.*, 1893, p. 159; *Mostra L. C.*, 1927, p. 17; Longhi, *Precisioni*, 1928, n. 207; A. Venturi, *Storia*, 1933, IX, 7, p. 853.

Fot.: Anderson 4569; Arch. Fot. Vat. XXX–57–17 (già Moscioni 21264).

127. – AMORE IN RIPOSO (inv. n. 191). Fig. 126.

Olio su tela: 0,92 × 0,66.

Conservazione buona.

Provenienza indeterminata.

È citato per la prima volta nell'*Inventario* del 1693: « Un quadro di 4 palmi di altezza in circa con un Amore che sta a sede con Carcasso alla cintura cornice dorata del n. 454 in tela del Pomarangi ». Al Pomarancio vengono attribuite anche altre opere del Cambiaso, ma nell'*Inventario* del 1790 è detto: « Un Amore, Luca Cangiasi ». Tale attribuzione non ha subìto più spostamenti.

BIBL.: *Inv.*, 1693, St., VI, n. 30; *Inv.*, 1790, St. VI, n. 7; *Inv. Fid.*, 1833, p. 39; Piancastelli, *Ms.*, 1891, p. 95; A. Venturi, *Cat.*, 1893, p. 118; Longhi, *Precisioni* 1928, p. 196; A. Venturi, *Storia*, 1933, IX, 7, p. 853; Della Pergola, *Itin.*, 1952, p. 22.

Fot.: Gab. Fot. Naz. E 33270.

128. – VENERE E AMORE SUL MARE (inv. n. 123).

Olio su tela: 1,06 × 0,99.

Provenienza indeterminata.

Si trovava nella raccolta nel 1693, e nell'*Inventario* di quell'anno anche questo dipinto è attribuito al Pomarancio: « un quadro di cinque palmi in tela una Donna Nuda a sedere sopra un sasso con un panno bianco et un Amorino in tela del N … alta di 5 palmi del Pomarangi con cornice dorata ». Nell'*Inventario* del 1790, invece « Venere sul mare con Amore sopra un delfino » è riportato al Cambiaso: « di Luca Cangiassi ».

Esposto nel 1927 alla Mostra Centenaria di Luca Cambiaso, e nel 1938 alla Mostra dei Pittori Genovesi del Seicento e del Settecento, a Genova.

BIBL.: *Inv.*, 1693, St. VI, n. 15; *Inv.*, 1790, St. VI, n. 5; *Inv. Fid.*, 1833, p. 25; Piancastelli, *Ms.*, 1891, p. 94; A. Venturi, *Cat.*, 1893, p. 93; Jacobsen, in *Arch. St. Arte*, 1896, p. 89; *Mostra L. C.*, 1927, p. 17; Longhi, *Precisioni*, 1928, p. 189; A. Venturi, *Storia*, 1933, IX, 7, p. 853; Garibaldi, *Magnasco*, 1938, p. 7; *Mostra Pittori Genovesi*, 1938, p. 16; De Rinaldis, *Cat.*, 1948, p. 24; Della Pergola; *Itin.*, 1951, p. 24.

Fot.: Anderson 3420; Brogi 15882; Chauffourier 4112.

GIOVAN BATTISTA CASTIGLIONE (il Grechetto).

Genova 1610 – Mantova 1665.

129. – SCENA PASTORALE (inv. n. 550). Fig. 130.

Olio su tela: 0,54 × 1,06.

Fot.: Anderson 17696.

130. – ALTRA SCENA PASTORALE (inv. n. 551). Fig. 129.

Olio su tela: 0,54 × 1,06.

Fot.: Anderson 17695.

Firmato in una elisse sul cavallo bianco, con le sigle: G. B. C.

Furono acquistati entrambi nel 1912 per L. 1000 ciascuno. Gradevoli opere di decorazione, non escono da uno schema divenuto solito a questo pittore. Forse vi si può riconoscere, nel primo, il viaggio di Abramo, nel secondo il viaggio di Giacobbe: temi più volte trattati dal Castiglione.

BIBL.: Cantalamessa, in *Boll. Arte*, 1913, pp. 113-15; Cronache, in *Boll. Arte*, 1914, p. 91; Strinati, in *Emporium*, 1924, pp. 601-12; Longhi, *Precisioni*, 1928, pp. 226, 240; Delogu, *G. B. C.*, 1928, p. 50.

MAESTRO LIGURE.

Prima metà sec. XVII.

131. - AMORE E PSICHE (inv. n. 52).
Olio su tela: 1,13 × 1,46.

Conservazione discreta. La tela era stata ampliata ai lati in epoca indeterminata, ma certo antica. Nel 1951 il dipinto venne rintelato da Alvaro Esposti e riportato su un telaio più grande, per poterlo innestare nel vano della Sala VI, dove si trova tuttora.
Provenienza indeterminata.

Si trova elencato con sicurezza, per la prima volta, nell'*Inventario* del 1790, dove appare come opera del « Cappuccino di Genova ». Tale attribuzione si ritrova nel *Fidecommisso* del 1833 e nelle schede del Piancastelli, del 1891.

Il Venturi lo dice opera d'incognito del sec. XVIII, il Longhi ne rileva « la qualità poverissima ». Se la più antica attribuzione allo Strozzi è senz'altro da scartare, anche per un più che lontano riferimento, non ci sembra però di dovere uscire dal clima genovese per inquadrare questo dipinto, che non può scendere oltre la metà del Seicento.

BIBL.: *Inv.*, 1790, St. X, n. 6; *Inv. Fid.*, 1833, p. 25; Piancastelli, *Ms.*, 1891, p. 112; A. Venturi, *Cat.*, 1893, p. 58; Longhi, *Precisioni*, 1929, p. 181.
Fot.: Gab. Fot. Naz. E 33305.

PITTORI LOMBARDI

SOFONISBA ANGUISSOLA.

Cremona 1528 – Genova 1625.

132. – RITRATTO DELLA SORELLA LUCIA (inv. n. 118).
Olio su tela: 0,28 × 0,20.

Conservazione buona.
Provenienza indeterminata.

Appare accertato solamente attraverso il *Fidecommisso* del 1833 come « opera del Sofonisma » nome che ricorre più volte anche negli *Inventari* del Seicento e Settecento senza tuttavia che sia possibile riconoscerne le opere. Il Piancastelli riferisce la nota che l'assegna a Sofonisba Anguissola, riportata anche dal Venturi. Il Morelli, sulla scorta del ritratto del Museo del Prado, lo assegnò invece a Lucia Anguissola. Il Fournier–Sarbovèze, e Aldo De Rinaldis pensarono alla stessa Sofonisba. Sembra in realtà opera autografa di questa pittrice, ma il personaggio raffigurato, anzichè alle proprie, porta alle fattezze della sorella Lucia.

Nel verso, in un frammento di tela riportata (forse originale), è scritto in caratteri stampatelli: SUPHONSBA CREMONENSIS ET NOBILI FAMILIA ANGUSCIOLA PINXIT ANNO MDVLI.

BIBL.: *Inv. Fid.*, 1833, p. 20; Piancastelli, *Ms.*, 1891, p. 100; A. Venturi, *Cat.*, 1893, p. 92; Morelli, *Pittura It.*, 1897, p. 200; Fournier-Sarbovèze, *Artistes*, 1902, p. 33; Longhi, *Precisioni*, 1928, p. 189; De Rinaldis, *Itin.*, 1939, p. 44.
Fot.: Anderson 2305; Gab. Fot. Naz. E 32734.

133. – RITRATTO DELLA SORELLA ELENA (inv. n. 521).
Olio su tavola: 0,24 × 0,18.

Conservazione buona.
Provenienza indeterminata.

Era nella raccolta nel 1693, e così lo nota l'*Inventario* di quell'anno: « un quadretto in tavola di un palmo incirca con una Monaca che tiene un Cristo in mano, e dall'altra un giglio, del N. 627 cornice nera ». Il *Fidecommisso* e le note del Piancastelli lo danno a Scuola Veneziana; il Venturi lo interpreta come S. Caterina da Siena, e lo assegna a Raffaele Vanni, mentre il Longhi pensa ad un pittore fiorentino della prima metà del Seicento. Sebbene meno fine del ritrattino della sorella Lucia (inv. n. 118), questo non ci sembra lontano dai modi di Sofonisba Anguissola, e la figura rappresentata è in tutto simile a quella della sorella Elena, già ritrattata nel dipinto, di qualità superiore, della Galleria di Lord Yarborough, pubblicata dal Fournier-Sarbovèze (*Artistes Oubliés*, 1902, p. 17).

BIBL.: *Inv.*, 1693, St. XI, n. 110; *Inv. Fid.*, 1833, p. 30; Piancastelli, *Ms.*, 1891, p. 70; A. Venturi, *Cat.*, 1893, p. 222; Longhi, *Precisioni*, 1928, p. 224.
Fot.: Gab. Fot. Naz. E 32699.

GIOVANNI ANTONIO BOLTRAFFIO.

Milano 1467 – Milano 1516.

134. – RITRATTO DI DONNA (inv. n. 151).
Olio su tavola: 0,31 × 0,22.

Conservazione mediocre. Già il Venturi denunciava un restauro che aveva tolto al dipinto ogni genuinità. Nel 1946 venne iniziata una pulitura da Carlo Matteucci (direttore Aldo De Rinaldis), pulitura ripresa e terminata nel 1953 da Alvaro Esposti. Se notevoli sono le lacune di colore, è apparsa però una più nobile intensità di espressione. La figuretta della lontra, ricomparsa, fa pensare a una derivazione dalla « Dama dell'Ermellino » di Leonardo.

Provenienza indeterminata.

È identificabile solo nel *Fidecommisso* del 1833, che lo indica come « maniera di Leonardo ». Il Venturi vi nota una finezza prossima ad Ambrogio de Predis, il Suida, più giustamente, lo riferisce al Boltraffio. Prossimo al ritratto femminile della Collezione del Conte Borromeo d'Adda, siamo propensi a vedervi anche noi un'opera di quel maestro.

BIBL.: *Inv. Fid.*, 1833, p. 39; Piancastelli, *Ms.*, 1891, p. 76; A. Venturi, *Cat.*, 1893, p. 105; Longhi, *Precisioni*, 1928, p. 193; Suida, *Leonardo*, 1929, p. 213.

Fot.: Gab. Fot. Naz. E 9471, E 10539, E 32757; E 34284 (dopo il restauro).

CESARE DA SESTO.

Sesto Calende 1477 – Milano 1523.

135. – UNA SANTA MARTIRE (inv. n. 161).
Olio su tavola: 0,36 × 0,27.

Conservazione buona.

Provenienza indeterminata.

È forse il « quadruccio alto due palmi incirca in tavola con un mezzo busto di una Testa di una Santa nel n. 63 con cornice dorata di mano di Leonardo da Venci » citato nell'*Inventario* del 1693. Nel *Fidecommisso* appare con la confusissima denominazione di « Una Madonna del Zuccari », e mantiene tale errore fino al Piancastelli. Il Venturi l'annovera tra le opere di scuola fiorentina, e « per il roseo sfumato e il verde chiaro delle vesti » pensa a Santi di Tito, sia pure come ricordo lontano. Il Longhi lo riportò giustamente a scuola lombarda e ci sembra di poter consentire col Suida che fece per questo quadretto il nome di Cesare da Sesto. Il Berenson l'aveva attribuito ad Andrea da Salerno.

BIBL.: *Inv.*, 1693, St. III, n. 24; *Inv. Fid.*, 1833, p. 21; Piancastelli, *Ms.*, 1891, p. 338; A. Venturi, *Cat.*, 1893, p. 107; Longhi, *Precisioni*, 1928, p. 193; Suida, *Leonardo*, 1929, pp. 220, 303; Berenson *Pitture It.*, 1936, p. 14.

Fot.: Anderson 21030; Gab. Fot. Naz. E 32797.

FRA' GALGARIO (Vittore Ghislandi).

Bergamo 1655 – Bergamo 1745.

136. – RITRATTO D'UOMO (inv. n. 159).
Olio su tela: 0,47 × 0,30.

Conservazione buona.

Provenienza indeterminata.

Accertabile nel *Fidecommisso* del 1833 dove è segnato come « Ritratto, Maniera di Tiziano ». Anche il Piancastelli lo riferisce sotto il nome del Vecellio, mentre il Venturi lo assegna a Scuola Veneziana. Il Longhi lo giudica « opera accademica della metà del Settecento a Roma », ma ci sembra possa essere accostato, per la vivacità di tratto e singolare delicatezza di colore, al « Giovane Contadino » della Raccolta Olcese di Milano come al « Ritratto di Dama » degli Eredi Beltrami, opere di Fra' Galgario, che in questo schizzo tracciato con grande rapidità e maestria sembra avere lasciato una singolare rappresentazione delle sue impressioni dal vero.

BIBL.: *Inv Fid.*, 1833, p 39; Piancastelli, *Ms.*, 1891, p. 21; A. Venturi, *Cat.*, 1893, p. 107; Longhi, *Precisioni*, 1928, p. 193.

Fot.: Gab. Fot. Naz. E 32792.

GIAMPIETRINO (Giovan Pietro Rizzo).
Lombardia: metà del sec. XVI.

137. – MADONNA IN ATTO DI ALLATTARE IL BAMBINO (inv. n. 456).
Olio su tavola: 0,78 × 0,60.

Conservazione buona, sebbene il colore sia alquanto cresciuto di tono.
Provenienza indeterminata.

Era nella raccolta nel 1613, come prova un conto del corniciaio doratore Annibale Durante (A. S. B. V., busta 4170–1613), che fece in quell'anno la cornice per questo dipinto, attribuito a Leonardo (Cfr. Bibl. gen., Documenti, n. 12). La stessa attribuzione mantiene nell'*Inventario* del 1693 e per tutto il Settecento, per passare a « scuola di Leonardo » nelle schede del Piancastelli, malgrado il Frizzoni, fin dal 1869, l'avesse già attribuito al Giampietrino. Il De Hevesy ha notato come la Madonna pubblicata dal Suida (p. 30) sembri ispirata da questa Borghese, mentre il Venturi avvertiva di una replica, con leggere varianti, nella Galleria Statale di Monaco. Una replica autografa su tela, forse della stessa « Madonna » Borghese, ci viene segnalata dal dott. Zeri nella Collezione Pallavicini, a Roma. Il Suida pensa che questa tavola derivi da un originale perduto di Leonardo, ma data la scarsità di opere lasciate da questo maestro, è più probabile, se mai, l'ispirazione da suoi disegni ed appunti.

Fu esposta nel 1939 a Milano, alla Mostra di Leonardo da Vinci, come opera di Marco d'Oggiono.

BIBL.: *Inv.*, 1693, St. III, n. 6; *Inv.*, 1700, St. IV, n. 127; *Inv.*, 1790, St. I, n. 22; *Inv. Fid.*, 1833, p. 34; Burckhardt, *Cicerone*, 1869, (cfr. 1855) III, p. 873; Piancastelli, *Ms.*, 1891, p 79; A. Venturi, *Cat.*, 1893, p. 209; Morelli, *Pittura It.*, 1897, pp. 156–58; Lafenestre, *Rome*, 1905, p. 30; A. Venturi, *Storia*, 1915, VII, 4, pp. 1047–48; Longhi, Precisioni, 1928, p. 222: Suida, *Leonardo*, 1929, pp. 55, 272, 301; Bodmer, *Leonardo*, 1931, pp. 72, 373; De Hevesy, in *Gaz. B. Arts*, 1931, p. 111; Berenson, *Pitture It.*, 1936, p. 198; *Mostra Leonardo*, 1939, p. 210; A. Venturi, *Leonardo*, 1942, p. XLI; De Rinaldis, *Cat.* 1948, p. 41; Della Pergola, *Gall. Borgh.*, 1950, p. 22; Pignatti, *Lotto*, 1953, p. 70; Heydenreich, *Leonardo*, 1954, I, p. 203; Suida, in *Leonardo Saggi e ricerche*, 1954, p. 325.

Fot.: Alinari 8014; Anderson 4241; Brogi 11956; Chauffourier 4156; Arch. Fot. Vat. XXX–46–35 (già Moscioni 21321).

LEONARDO DA VINCI (replica variata da).
Vinci 1452 – Amboise 1519.

138. – LA LEDA (inv. n. 434).
Olio su tela: 1,12 × 0,86.

Conservazione buona.
Provenienza indeterminata.

Si trova elencato per la prima volta nell'*Inventario* del 1693: «Un quadro di quattro palmi con una Donna Nuda che abbraccia un cigno con due Putti con un mazzo di fiori in mano del N. 472 con cornice dorata di Leonardo da Vinci». Il nome di Leonardo si tramanda fino al Piancastelli, e venne rifiutato per la prima volta dal Morelli, che avanzò quello del Sodoma. Al Bachiacca lo riferì il Müller–Walde, e più di recente il Kenneth Clark; al Bugiardini il Sirèn e il Castelfranco ma in realtà nessuna di queste attribuzioni convince per questa edizione della Leda, che certamente si presenta come opera di una personalità non secondaria. Il mistero e la fortuna dell'originale perduto si rivelano attraverso le molte repliche pervenute. Dal disegno attribuito a Raffaello in un foglio della Collezione Reale di Windsor, eseguito tra il 1501 e il 1506, si possono elencare: la «Leda» già Spiridon (e prima de Ruble, e della Rozière) entrata oggi a far parte delle raccolte statali; la «Leda» della Raccolta Oppler di Hannover, che il Müller–Walde ritenne copia del XVIII secolo; la «Leda» Barker, in Inghilterra, che sembra si possa identificare con quella pervenuta alla Collezione Johnson di Filadelfia; la «Leda» della Raccolta Pembroke a Wilton House, ricordata dal Richardson; la «Leda» Henry–Doetscher a Londra, attribuita a Giampietrino; quella della Raccolta Firmian, poi Principe Kaunitz a Vienna, segnalata dall'Amoretti il quale cita anche una replica in Palazzo Mattei a Roma; la «Leda» del Museo di Bruxelles, che il Sirèn e il Berenson attribuiscono al Franciabigio ed ora al Puligo; la «Leda» Richerton a Londra e infine una miniatura su pergamena, nella raccolta d'Ancona. Altri disegni, oltre quello attribuito a Raffaello, sono segnalati dal Morelli a Weimar, a Chatsworth, ancora a Windsor e nella Grosvenor Gallery a Londra, e al Museo del Castello Sforzesco di Milano.

Esposto nel 1938 alla Mostra di Leonardo a Milano e nel 1950 alla Mostra del Sodoma a Vercelli e a Siena, come opera del Sodoma.

BIBL.: *Inv.*, 1693, St. VI, n. 8; *Inv.*, 1700, St. VI, n. 4; Rossini, *Mercurio*, 1725 (cfr. 1693), p. 39; *Inv.*, 1790, St. VI, n. 33; *Inv. Fid.*, 1833, p. 24; Lermolieff, in *Zeitschr. f. bild. Kst*, 1874, p. 177; Frizzoni, in *Arch. St. Arte*, 1891, IV, p. 276; Piancastelli, *Ms.*, 1891, p. 74; A. Venturi, *Cat.*, 1893, p. 204; Müntz, 1895, p. 517; Morelli, *Pittura It.*, 1897, pp. 148–52; Müller–Walde, in *Jahrb. d. Preuss. Kstsmlgn*, 1897, p. 136; Müntz, in *Athenaeum*, 1898, p. 393; Roberts, in *Athaenaeum*, 1898, p. 425; Müntz, L., 1899, p. 428; Priuli–Bon, *Sodoma*, 1900, p. 113; Perkins, in *Rass. Arte*, 1905, pp. 133–134; Cust, *Sodoma*, 1906, p. 115; Seidlitz, L., 1909, II, p. 128; Hauvette, *Sodoma*, 1911, p. 83; Gielly, *Sodoma*, 1911, p. 16; Reymond, in *Revue Art. Anc. Mod.*, 1912, p. 321; Sirèn, L., 1916, p. 184; Poggi, L., 1919, p. XXXVI; D'Ancona, in *Arte*, 1920, pp. 74–84; De Rinaldis, L., 1922, p. 215; A. Venturi, *Storia*, 1925, IX, p. 212; Schubring, *Hochrenaiss.*, 1926, p. 583; Hildebrant, L., 1927, p. 200; Longhi, *Precisioni*, 1928, p. 221; Sirèn, L., 1928, I, pp. 152–3, 188; Suida, L., 1929, pp. 158, 232, 274, 306; Wescher, in *Pantheon*, 1929, p. 234; Bodmer, L., 1931, pp. 53, 369–370; *Mostra L.*, 1939, n. 47; Bottari, L., 1942, p. 53; *Mostra Sodoma*, 1950, n. 47; Siviero, *Op. Recuperate*, 1950, p. XXVIII; De Hevesy, *Emporium*, 1952, p. 249; Baroni, L., 1952, p. 34; Kenneth Clark, L., 1952, p. 122; Lüdecke, *L. d. V.*, 1952, p. 44; Heydenreich, *L. d. V.*, 1954, I, pp. 17, 59, 73, 200; II, p. 56; Castelfranco, in *L. Saggi e Ricerche* 1954, p. 458.

Fot.: Anderson 891; Alinari 8179; Brogi 15925; Chauffourier 4204.

COPIA DA LEONARDO DA VINCI.

139. – S. GIOVANNI BATTISTA (inv. n. 471).
Olio su tavola: 0,55 × 0,40.

Conservazione mediocre.
Provenienza indeterminata.

È entrato nella raccolta dopo il 1801. Nell'*Inventario di Lucrezia d'Este*, del 1592 è segnato un «S. Giovanni Battista di mano di Lonardo da Vince» che passa in quello di

Olimpia Aldobrandini e via via in tutti gli *Inventari* Borghese fino al 1790 e che è compreso tra i dipinti, tutti di altissima qualità, venduti nel 1801 al Sig. Durand di Parigi. L'*Inventario* del 1693 precisava: « un quadro di due palmi e mezzo di un S. Giovanni che accenna col dito a lettere Agnus Dei del N. 188 con cornice dorata in tavola di Leonardo da Vinci». Il confronto con le altre opere vendute nel 1801 (tra cui la «Cena» del Caravaggio oggi alla Galleria Nazionale di Londra) fa pensare che il « S. Giovanni » fosse una replica antica e certo non spregevole del « Battista » del Louvre. È evidente che si cercò allora di colmare il vuoto nella raccolta con un'opera che in qualche modo si accostasse all'esemplare alienato, ma la scelta non fu davvero felice. Il dipinto pervenuto con il *Fidecommisso* non può essere accostato nemmeno per approssimazione alle derivazioni leonardesche dell'Ambrosiana, della Collezione Watters di Londra, o di quella di Basilea. Il Sirèn, che elenca tutte le altre repliche (*Léonard de Vinci*, 1928, I) non ricorda questa Borghese.

BIBL.: *Inv. Lucrezia d'Este*, 1592, p. 12; *Inv.*, 1693, St. V, n. 55; *Inv.*, 1790, St. VIII, n. 16 (per il quadro venduto nel 1801); *Inv. Fid.*, 1833, p. 34; Piancastelli, *Ms.*, 1891, p. 464; A. Venturi, *Cat.*, 1893,. p. 214; Longhi, *Precisioni*, 1928, p. 223 (per il dipinto attuale).

Fot.: Gab. Fot. Naz. E 32769.

SEGUACE DI BERNARDINO LUINI.

140. – S. AGATA (inv. n. 429).
Olio su tavola: 0,39 × 0,28.

Conservazione buona.
Provenienza indeterminata.

Era nella raccolta del 1693, elencato come opera di Leonardo, sotto il cui nome erano riunite tutte le opere lombarde. Anche il Vasi e il Montelatici lo ricordano con questa attribuzione. A scuola del Luini venne assegnato dal Morelli, e il Suida lo riconobbe replica, piuttosto notevole, della « S. Agata» già nella Raccolta Spiridon. Il Venturi e il Longhi pensarono anche essi fosse copia dal Luini, il Beltrami lo accostò alla figura della « Santa Caterina » della Galleria Nazionale di Londra e dell'Eremitage di Leningrado, che ne sono certo i prototipi. Il piccolo quadro Borghese, che il Montelatici diceva: « simile all'Immagine che di tal Santa si venera a Catania » e «di maniera molto stimata», non manca di finezza, anche se non si può pensare sia proprio di mano del Luini.

BIBL.: *Inv.*, 1693, St. III, n. 34; *Inv.*, 1700, St. III, n. 25; Montelatici, 1700, p. 226; *Inv.*, 1790, St. IV, n. 57; Vasi, *Itinerario*, 1794, p. 391; *Inv. Fid.*, 1833, p. 39; Piancastelli, *Ms.*, 1891, p. 78; A. Venturi, *Cat.*, 1893, p. 201; Morelli, *Pittura It.*, 1897, p. 166; Beltrami, *B. L.*, 1911, p. 572; Longhi, *Precisioni*, 1928, p. 218; Suida, in *Belvedere*, 1929, VIII, p. 149.

Fot.: Alinari 8008; Anderson 3970; Brogi 11954; Arch. Fot. Vat. XXX–52–27 (già Moscioni 21314).

SEGUACE DI BERNARDINO LUINI.

141. – SANTA CATERINA (inv. n. 195).
Olio su tela: 0,62 × 0,46.

Conservazione discreta.
Provenienza indeterminata.

Era nella raccolta nel 1693, così elencato: « un quadro in tela di tre palmi con una S.ta Caterina che tiene un libro in mano del N. 250 con cornice dorata di Leonardo da Vinci».

Tuttavia nel 1790 viene inventariato come « Una Santa con palma in mano, Raffaele Vanni » e ancora al Vanni è attribuito nel *Fidecommisso* e nelle schede del Piancastelli. Il Venturi lo riferì a scuola lombarda e vi riconobbe la copia di una « Santa Martire » di Bernardino Luini, senza però metterla in rapporto con la « S. Caterina » del Museo di Budapest che egli attribuiva ad Aurelio Luini (*L'Arte*, 1900, pp. 202–212) con cui ha stretti rapporti. È certo una delle innumerevoli repliche variate dalla « S. Caterina » di Saronno, ripetuta negli esemplari della Galleria Reale di Copenaghen e nella Collezione Reale di Windsor, mentre il Beltrami ricorda copie antiche (ma non è chiaro se si riferisca proprio a questo tipo) ad Amburgo nel Museo Malaspina di Pavia, all'Ambrosiana, e il Morelli si riferisce (*Della Pittura Italiana*, trad. Frizzoni, 1897, p. 156) alla « Santa Caterina » che egli attribuisce ad Aurelio Luini, in Palazzo Pitti. Tutte queste repliche, copie e varianti, sono di gran lunga inferiori al quadro di Budapest e all'affresco di Saronno, e attestano la fortuna del prototipo nell'opera della bottega del Luini.

BIBL.: *Inv.*, 1693, St. III, n. 26; *Inv.*, 1790, St. IV n. 62; *Inv. Fid.*, 1833, p. 32; Piancastelli, *Ms.*, 1891, p. 275; A. Venturi, *Cat.*, 1893, p. 120; Longhi, *Precisioni*, 1928, p. 196.

Fot.: Gab. Fot. Naz. E 33375.

MAESTRO LOMBARDO.

Inizio del sec. XVI.

142. – S. GIROLAMO (inv. n. 183).
Olio su tavola: 0,36 × 0,26.

Conservazione abbastanza buona. Presenta piccole abrasioni specie nel fondo. Pulito nel 1953 da Mauro Manca.

Provenienza indeterminata.

Identificabile solo nel *Fidecommisso*, dove è attribuito a Tiziano. Il Venturi lo lascia sotto scuola veneziana, il Longhi ne intuiva « la sottile qualità di un bellinesco alle soglie del giorgionismo ». Ma più che verso Venezia ci sembra di doverlo portare a contatto della cultura bresciana o bergamasca all'inizio del secolo, mentre lo stesso Longhi recentemente (opinione orale) vi vedeva l'opera di un maestro non secondario, che aveva appresa la lezione del Dürer.

BIBL.: *Inv. Fid.*, 1833, p. 39; Piancastelli, *Ms.*, 1891, p. 22; A. Venturi, *Cat.*, 1893, p. 115; Longhi, *Precisioni*, 1928, p. 195.

Fot.: Gab. Fot. Naz. E 32755.

MAESTRO LOMBARDO.

Prima metà del sec. XVI.

143. – RITRATTO D'UOMO (inv. n. 116).
Olio su tavola, 0,27 × 0,20.

Conservazione buona.

Provenienza indeterminata.

Compare nel *Fidecommisso* del 1833 con l'attribuzione ad Andrea Sacchi che mantiene fino al Piancastelli. Il Venturi lo riferisce invece a Bartolomeo Schedoni, con cui non sapremmo vedere rapporto; il Longhi, scartando tale nome, come già aveva fatto il Moschini, l'orientava giustamente verso la provincia veneta, « in direzione di Bergamo e Cremona ». È un'opera molto fine, di un naturalismo non immune da influenze nordiche.

BIBL.: *Inv. Fid.*, 1833, p. 20; Piancastelli, *Ms.*, 1891, p. 343; A. Venturi, *Cat.*, 1893, p. 91; Moschini, in *Arte*, 1927, p. 148; Longhi, *Precisioni*, 1928, p. 189.

Fot.: Gab. Fot. Naz. E 27674.

MAESTRO LOMBARDO.

Seconda metà del sec. XVI.

144. – SANTA CATERINA (inv. n. 166).
Olio su tela, 0,68 × 0,51.

Conservazione buona.
Provenienza indeterminata.
Accanto al vasetto è scritto: NYMPI.
È identificabile nel *Fidecommisso*, dove il nome della Santa è lasciato in bianco, e l'attribuzione va a scuola veneziana. Il Venturi lo lasciò sotto tale indicazione, rilevando una grossolanità di stile, che fu raccolta anche dal Longhi. Questi riportò il dipinto, invece, nella cerchia del Domenichino « ma di quel rango infimo che soleva operare nelle chiese della campagna romana e della Ciociaria ». Se al Domenichino può far pensare lo sguardo estatico rivolto al cielo, il colore, che ammorbidisce molto certa angolosità dell'immagine, porta piuttosto verso il Moretto e la pittura lombarda. Certo opera più tarda, e di un epigono assai meno raffinato.

BIBL.: *Inv. Fid.*, 1833, p. 35; Piancastelli, *Ms.*, 1891, p. 71; A. Venturi, *Cat.*, 1893, p. 109; Longhi, *Precisioni*, 1928, p. 194.

Fot.: Gab. Fot. Naz. E 32771.

MAESTRO DELLA PALA SFORZESCA.

Lombardia: prima metà del sec. XVI.

145. – TESTA FEMMINILE (inv. n. 514).
Carta disegnata a punta d'argento: 0,18 × 0,24.

Conservazione buona. I contorni sono però stati duramente ripassati in epoca imprecisata.
Provenienza indeterminata.
Reca l'attribuzione a Leonardo nell'*Inventario* del 1790, alla scuola di Leonardo nel *Fidecommisso*, a un seguace di Bernardino de' Conti nel Morelli, al Boltraffio nel Loeser. Lo Jacobsen l'accostò alla Pala di Brera assegnando anche questo al cosidetto « Maestro della Pala Sforzesca », e questa attribuzione è rimasta, anche se non troppo convincente. Il disegno è meno rigido, meno duro nel chiaroscuro di quanto non sia la pala milanese (ed è da tenere conto del nuovo segno incisivo). Il Müntz che l'attribuiva allo stesso Leonardo pensava fosse uno studio per la Vergine delle Rocce oggi al Louvre, ma se qualche rapporto può esservi, e molto lontano, è piuttosto di derivazione.

BIBL.: *Inv.*, 1790, St. X, n. 62; Vasi, *Itinerario*, 1794, p. 396; *Inv. Fid.*, 1833. p. 27; Müller-Walde, *Leonardo*, 1889, p. 4; Piancastelli, *Ms.*, 1891, p. 75; Müntz, in *Arch. St. Arte*, 1892, p. 28; A. Venturi,

Cat., 1893, p. 220; Morelli, *Pittura It.*, 1897, pp. 174–76; Loeser, in *Arch. St. Arte*, 1897, p. 356; Jacobsen, in *Rass. Arte*, 1910, pp. 53–55; Longhi, *Precisioni*, 1928, p. 224; Suida, *Leonardo*, 1929, p. 180; De Rinaldis, *Cat.*, 1948, p. 40; Della Pergola, *Itin.*, 1951, p. 30.

Fot.: Alinari 8005; Anderson 3961; Brogi 15926; Chauffourier 4205; Arch. Fot. Vat. X–22–1 (già Moscioni 21328).

MARCO D'OGGIONO.

Oggiono 1470 c. – Milano? 1530 c.

146. – REDENTORE BENEDICENTE (inv. n. 435). Fig. 147.
Olio su tavola: 0,33 × 0,26.

Conservazione buona.

Donato a Scipione Borghese da Paolo V con Chirografo del 23 maggio 1611 (A. S. B. V., Busta 6095–*bis* 527 Cfr. Bibl. gen., Documenti, n. 8).

Attribuito a Leonardo nell'atto della donazione, e mantenuta questa attribuzione attraverso tutto l'Ottocento, venne dal Lübke riferito ad un seguace di Leonardo che dovette avere dal maestro l'ispirazione dell'opera. Il Frizzoni l'assegnò a Marco d'Oggiono e così il Morelli e la critica successiva. Anche il Suida ritiene che derivi da un prototipo di Leonardo, ma anche per questa sembra strano pensare che tante opere del maestro siano andate perdute, mentre sembra più facile ritenere che gli scolari si valessero di disegni ed appunti di cui fu prodigo.

Esposto nel 1930 alla Mostra d'Arte Antica a Londra.

BIBL.: *Inv.*, 1693, St. IV, n. 52; *Inv.*, 1790, St. II, n. 52; *Inv. Fid.*, 1833, p. 39; Frizzoni, in *Burckhardt's Cicerone*, 1869, p. 873; Lübke, *It. Malerei*, II, 1878, p. 452; Piancastelli, *Ms.*, 1891, p. 77; A. Venturi, *Cat.*, 1893, p. 204; Müntz, *Histoire*, 1895, p. 672; Morelli, *Pittura It.*, 1897, p. 160; A. Venturi, *Storia*, 1915, VII, p. 1054; Longhi, *Precisioni*, 1928, p. 221; Suida, *Leonardo*, 1929, pp. 139, 213, 273, 296; *It. Art in London*, 1930; A. Venturi, *Leonardo*, 1942, p. XLI; De Rinaldis, *Cat.*, 1948, p. 42; Della Pergola, *Itin.*, 1951, p. 30.

Fot.: Alinari 8011; Anderson 896; Brogi 15955; Arch. Fot. Vat. XXXI, 44, 12 (già Moscioni 21317).

VARIANTE DA FRANCESCO MELZI.

Milano 1493 – Milano 1570 c.

147. – LA FLORA (inv. n. 470). Fig. 146.
Olio su tavola: 0,65 × 0,55.

Conservazione buona. Pulito nel 1953 da Mauro Manca.
Provenienza indeterminata.

Era nella raccolta nel 1693 e l'*Inventario* di quell'anno lo annota sotto il nome di Leonardo: « un quadro con dentro una Donna che tiene un mazzo di fiori in mano et in testa una corona di fiori alto 3 palmi in circa con cornice dorata in tavola del N. 16 ». Anche l'*Inventario* del 1790 riporta l'attribuzione a Leonardo, mentre nel *Fidecommisso* è annotato come opera della sua bottega. Il Venturi riferisce questa figura ad una del quadro di Bernardino Luini noto come « la Vanità e la Modestia » (detto anche « Marta e Maddalena ») già nella Collezione Sciarra, poi Rotschild. Il Cantalamessa aveva avanzato il nome del Melzi, rifiutato dal Longhi, ma ripreso recentemente da André de Hevesy, che vede nel quadro Borghese una variante della « Colombina » di Leningrado. Particolarmente vicino alla Flora di Hampton Court anche come esecuzione, la derivazione dal Melzi ci sembra senza discussione. Il Suida, giudicando il quadro Borghese come opera luinesca da Leonardo, si riporta alla « Flora » del Museo di Berlino come prototipo.

Bibl.: *Inv.*, 1693, St. III, n. 51; *Inv.*, 1790, St. I, n. 32; *Inv. Fid.*, 1833, p. 22; Piancastelli, *Ms.*, 1891, p. 73; A. Venturi, *Cat.*, 1893, p. 214; Morelli, *Pittura It.*, 1897, p. 166; Sirèn, *Leonardo*, 1928, p. 159; Longhi, *Precisioni*, 1928, p. 214; Suida, *Leonardo*, 1929, p. 275; Bodmer, *Leonardo*, 1931, pp. 88, 374; De Hevesy, in *Emporium*, 1952, p. 249.

Fot.: Alinari 27513 (prima della pulitura); Gab. Naz. Fot. E 32754 (dopo la pulitura).

SODOMA (Giovan Antonio Bazzi).

Vercelli 1477 – Siena 1549.

148. – SACRA FAMIGLIA (inv. n. 459).
Olio su tavola: 0,75 × 0,67.

Conservazione discreta. Il Venturi lamentava guasti e ritocchi, che non appaiono così evidenti. Il colore è molto appesantito da varie vernici.

Provenienza indeterminata.

Si trova elencato per la prima volta dal Manilli, nel 1650, come opera del Sodoma, ma è dimenticato nei successivi inventari e ricompare nel 1790 quando il Della Valle lo riscoprì, scrivendone nelle *Lettere Sanesi*: « Nella ricchissima Galleria Borghese v'è di suo (Sodoma) in tavola, una Vergine col Bambino, la quale il custode dice di nuovo sconosciuta, ma che a me non è tale certamente ». Il Gielly e il De Rinaldis lo datano dopo il 1510, il Carli, nel *Catalogo della Mostra* del 1950, lo pone tra il 1525 e il 1530, con maggiore approssimazione.

Esposto alla Mostra del Sodoma a Vercelli e a Siena nel 1950.

Bibl.: Manilli, 1650, p. 79; Della Valle, *Lett. Sanesi*, 1782-86, III, p. 279; *Inv.*, 1790, St. VII, n. 101; *Inv. Fid.*, 1833, p. 36; Piancastelli, *Ms.*, 1891, p. 233; Frizzoni, *G. A. B.*, 1891, p. 144; A. Venturi, *Cat.*, 1893, p. 210; Morelli, *Pittura It.*, 1897, p. 152; Priuli-Bon, *S.*, 1900, p. 113; Faccio, *G. A. B.*, 1902, p. 189; Hobart–Cust, *S.*, 1906, p. 351; Kuppfer, *Maler d. Schönh.*, 1908, p. 99; Segard, *S.*, 1910, p. 459; Jacobsen, *S.*, 1910, p. 67; Hauvette, *S.*, 1911, p. 56; Gielly, *S.*, 1911, p. 168; Terrasse, *S.*, 1925, p. 57; De Rinaldis, *Cat.*, 1948, p. 41; Della Pergola, *Gall. Borgh.*, 1950, p. 23; *Mostra S.*, 1950, n. 21.

Fot.: Alinari, 7974; Anderson 1213; Brogi 7436; Chauffourier 4102; Gab. Fot. Naz. E 13046; Gab. Fot. Naz. E 21765; Arch. Fot. Vat. X–24–13 (già Moscioni 21323).

149. – LA PIETÀ (inv. n. 462).
Olio su tavola: 0,69 × 0,58.

Conservazione discreta. Il forte ispessimento di vecchie vernici ha reso fosca la superficie pittorica.

Provenienza indeterminata.

Era nella raccolta nel 1650, citato dal Manilli: « L'altro della Pietà è stimato, da alcuni, di Lionardo; e da altri, del Sodoma ». È giunto al *Fidecommisso* del 1833 come opera di ignoto mentre ancora nell'*Inventario* del 1693 veniva attribuito a Leonardo. Il Frizzoni e il Morelli lo restituirono al Sodoma; il Venturi accettava l'attribuzione, che non ha più subìto varianti. Il De Rinaldis lo datava poco dopo il 1510, ma concordiamo con il Carli, che nel *Catalogo della Mostra* lo ritiene opera tarda, verso il 1540.

Esposto nel 1938 alla Mostra d'Arte a Palazzo Carignano a Torino e nel 1950 alla Mostra del Sodoma a Vercelli e a Siena.

Bibl.: Manilli, 1650, p. 64; *Inv.*, 1693, St. IV, n. 7; *Inv. Fid.*, 1833, p. 40; Piancastelli, *Ms.*, 1891, p. 477; Frizzoni, *G. A. B.*, 1891, pp. 144, 165; A. Venturi, *Cat.*, 1893, p. 212; Morelli, *Pittura It.*, 1897, p. 147; Priuli–Bon, *S.*, 1900, p. 113; Faccio, *G. A. B.*, 1902, p. 191; Hobart–Cust, *S.*, 1906, pp. 115, 351; Segard, *S.*, 1910, p. 462; Gielly, *S.*, 1921, p. 168; Longhi, *Precisioni*, 1928, p. 222; *Mostra d'Arte in Piemonte*, 1938; De Rinaldis, *Itin.*, 1939, p. 47; *Mostra S.*, 1950, n. 42; Della Pergola, *Itin.*, 1951, p. 28.

Fot.: Alinari 27490; Anderson 1212; Brogi 15933; Chauffourier 4101.

ANDREA SOLARIO.

Milano 1460 c. – Milano 1520 c.

150. – CRISTO PORTACROCE (inv. n. 461).
Olio su tavola: 0,58 × 0,67.

Conservazione buona.
Provenienza indeterminata.

Firmato e datato nel retro della tavola: « Andrea de Solario Pinxit 1511 », ma abbiamo forti dubbi sulla autenticità della scritta.

Si trova elencato con sicurezza per la prima volta nel *Fidecommisso* del 1833 come opera d'autore ignoto. Venne attribuito al Solario dal Mündler e, sebbene senza molta persuasione, accettato come tale dal Venturi. Il Morelli pensò all'opera di un fiammingo formatosi in Italia; il Badt, che ritenne apocrifa la scritta, riporta il disegno dell'Albertina di Vienna con la stessa figura del Cristo e dell'aguzzino di destra, ma ritiene la tavola Borghese copia da un originale perduto del Solario. Il Longhi accetta l'autenticità della scritta e del dipinto, e così il Berenson e il De Rinaldis. Mentre siamo assai dubbiosi circa l'iscrizione del *verso* che non ci sembra affatto antica come vuole far credere, pensiamo che la tavola sia opera autentica del Solario ispirata alle sue esperienze dopo il viaggio in Normandia.

Bibl.: *Inv. Fid.*, 1833, p. 19; Crowe–Cavalcaselle, *Painting in Italy*, 1864, VI, p. 160; Mündler, in *Jahrb. f. Kstwiss*, 1869, III, IV; Lübke, *It. Malerei*, 1878, II, p. 449; Piancastelli, *Ms.*, 1891, p. 438; A. Venturi, *Cat.*, 1893, p. 211; Morelli, *Pittura It.*, 1897, p. 168; De Schlegel, *A. S.*, 1913, pp. 86–88, 215; A. Venturi, *Storia*, 1915, VII, 4, p. 973; Longhi, *Precisioni*, 1928, p. 222; Suida, in *Belvedere*, 1931, p. 34; De Rinaldis, *Cat.*, 1948, p. 42; Della Pergola, *Itin.*, 1951, p. 28.

Fot.: Alinari 8028; Anderson 706; Brogi 11966; Chauffourier 4175; Gab. Fot. Naz. D 3221; Arch. Fot. Vat. X–23–1 (già Moscioni 21324).

COPIA DA ANDREA SOLARIO.

151. – TESTA DEL BATTISTA (inv. n. 315).
Olio su tavola: 0,24 × 0,33.

Conservazione mediocre. Il fondo della tavola è apparso, alla pulitura eseguita nel 1953 da Mauro Manca, completamente abraso in larghe zone, ed anche parte delle chiome erano state rifatte in epoca indeterminata. Una pesante vernice gialla aveva rivestito completamente il dipinto, uniformandone il tono. Dopo la pulitura il piatto si è rivelato verde, e non giallo come sembrava.
Provenienza indeterminata.

Nell'*Inventario* del 1700 è attribuito a Tiziano, in quello del 1790 a Raffaello. Il *Fidecommisso* lo elenca come opera di scuola raffaellesca, e così il Piancastelli. Il Venturi lo inserì nella scuola veneziana, mentre il Longhi trovò il giusto clima in quella lombarda. Esistono, di questa raffigurazione, diverse repliche, che forse traggono origine da un modello dello stesso Leonardo, ma che trovano il migliore prototipo nel disegno attribuito ad Andrea Solario e conservato al Louvre. Una replica attribuita al Solario era nella raccolta van Berboch a Parigi; un'altra, già ricordata dal Borghini e a cui il Tasso dedicò i suoi versi, tra il 1585 e il 1596 (De Rinaldis, *Storia dell'Opera Pittorica di Leonardo*, 1922, p. 257) era presso Luigi degli Albizzi a Fiesole, che ne acquistò due altre repliche da un antiquario fiorentino. Una si trovava al Castello della Vincigliata, presso Firenze, ed un'altra ancora presso il sig. Gagnani Scippini a Firenze. Il Beltrami a sua volta (*Bernardino Luini*, 1911, p. 565) pubblica con l'attribuzione al Luini l'« Erodiade » della Galleria Imperiale di Vienna, che rappresenta un sicuro antecedente di questa composizione. Anche recentemente il Longhi (parere orale) pensa di accostarla al Luini. Il primo riferimento all'esemplare del Solario, per la derivazione di tutte queste copie, ci sembra ancora attendibile.

BIBL.: *Inv.*, 1700, St. III, n. 22; *Inv.*, 1790, St. X, n. 60; *Inv. Fid.*, 1833, p. 23; Piancastelli, *Ms.*, 1891, p. 302; A. Venturi, *Cat.*, 1893, p. 159; Longhi, *Precisioni*, 1928, p. 207.

Fot.: Gab. Fot. Naz. E 33309.

PITTORI NAPOLETANI

DOMENICO BRANDI.

Napoli 1683 – Napoli 1736.

152. – PAESAGGIO CON ARMENTI (inv. n. 563).
Olio su tela: 0,35 × 0,47.
Fot.: Gab. Fot. Naz. E 32821.

153. – PAESAGGIO CON ARMENTI (inv. n. 564).
Olio su tela: 0,35 × 0,47.
Fot.: Gab. Fot. Naz. E 32822.

Conservazione buona.

Furono acquistati nel 1922 per L. 300 ciascuno. Sono firmati, nella parte anteriore, in basso: « BRANDI ».

BIBL.: Cantalamessa, in *Boll. Arte*, 1922-23, pp. 188-189; Strinati, in *Emporium*, 1924, pp. 601-612; De Rinaldis, *Itin.*, 1939, p. 30.

SEBASTIANO CONCA.

Gaeta 1680 – Napoli 1764.

154. – LA VERGINE COL BAMBINO E S. GIOVANNI NEPOMUCENO (inv. n. 560).
Olio su tela: 1,03 × 0,69.

Conservazione buona.

Acquistato nel 1921 per L. 5000 (A. G. B.).

Riconosciuto come opera del Conca dal Longhi, che rifiutò la prima attribuzione al Maratta, e fece acquistare per il Gabinetto Nazionale dei Disegni alla Farnesina un disegno per una pala assai prossima a questa, firmato dal Conca. Accettata come opera del Conca dal Voss e dal De Rinaldis.

Esposto nel 1922 alla Mostra del Seicento e del Settecento a Firenze, ancora con la prima attribuzione al Maratta.

BIBL.: Cantalamessa, in *Boll. Arte*, 1921-22, pp. 352-55; *Mostra Seicento*, 1922, p. 125; Strinati, in *Emporium*, 1924, pp. 601-12; Voss, *Malerei*, 1924, p. 622; Longhi, *Precisioni*, 1928, p. 226; De Rinaldis, *Itin.*, 1939, p. 30; Della Pergola, *Itin.*, 1952, p. 34.
Fot.: Alinari 41010; Anderson 24733; Brogi 22954.

DA SEBASTIANO CONCA.

155. – LA MADONNA COL BAMBINO E S. GIOVANNI NEPOMUCENO (inv. n. 535).
Incisione su carta: 1,14 × 0,68.

Conservazione buona.

Acquistata nel 1932 per L. 60 (A. G. B.).

È la rappresentazione del dipinto del Conca n. inv. 560, incisa da Gottlieb Heiss, per il Cardinal Corsini, nipote di Clemente XII, protettore del Collegio Germanico e Ungarico. Nella lunga iscrizione che reca la « Conclusiones Iuris Pontificii » in calce, è la data: « Anno 1735, Mense Octobris, Die 4 horis 22 ».

> BIBL.: *Inv. Gall. Borghese*, 1932 (cfr. 1905).
> *Fot.*: Gab. Fot. Naz. E 33253.

PACECCO DE ROSA (Francesco de Rosa).

Napoli ? 1600 c. – Napoli 1654.

156. – MEZZA FIGURA DI SANTA (inv. n. 566)
Olio su tela: 0,62 × 0,52.

Conservazione buona.
Donato nel 1924 dal sig. Castellano (A. G. B.).
L'attribuzione con cui è giunto nella Galleria trova appoggio nella serie di mezze figure comuni a questo artista. L'opera non si allontana tuttavia da un'esecuzione piuttosto modesta.

> BIBL.: Longhi, *Precisioni*, 1928, p. 226.
> *Fot.*: Gab. Fot. Naz. E 10126.

GIACINTO DIANO.

Pozzuoli 1730 – Napoli 1803.

157. – L'ANNUNCIAZIONE (inv. n. 553).
Olio su tela: 0,64 × 0,36.

Conservazione buona.
Acquistato nel 1915 per L. 300 (A. G. B.).
Entrato nella Galleria come opera del Giaquinto e come tale pubblicato dal Cantalamessa, venne accostato dal Longhi al Diano e al Porretta d'Arpino. Il primo nome ci sembra più accettabile per questa piccola opera manierata.

> BIBL.: Cantalamessa, in *Boll. Arte*, 1915, p. 345; Longhi, *Precisioni*, 1928, pp. 226, 239.
> *Fot.*: Anderson 25152; Gab. Fot. Naz. E 15714

CESARE FRACANZANO.

Monopoli di Bari 1612 – Napoli ? 1656.

158. – MARTIRIO DI S. IGNAZIO (inv. n. 350).
Olio su tela: 0,99 × 1,21.

Conservazione buona.
Acquistato a Roma presso Ignazio Grossi nel 1818, con altri tre dipinti, per il prezzo complessivo di 3000 scudi (A. G. B.).
Al momento dell'acquisto recava il nome dello Spagnoletto, che si trasmette al *Fidecommisso*, mentre nelle note del Piancastelli si trova elencato come opera di Luca Giordano. Il Venturi mantenne quest'ultima attribuzione, il Longhi lo accostò ad Agostino Beltrano

e a Cesare Fracanzano. Il De Rinaldis accoglieva questo secondo nome, che sembra anche a noi convincente.

BIBL.: *Inv. Fid.*, 1833, p. 14; Piancastelli, *Ms.*, 1891, p. 375; A. Venturi, *Cat.*, 1893, p. 171; Lafenestre, *Rome*, 1905, p. 31; Longhi, *Precisioni*, 1928, p. 211; De Rinaldis, *Itin.*, 1939, p. 37; Della Pergola, *Itin.*, 1951, p. 40.

FOT.: Anderson 903; Brogi 15895; Gab. Fot. Naz. E 13049; Arch. Fot. Vat. XXX–53–4 (già Moscioni 21285).

SALVATOR ROSA.

Arenella 1615 – Roma 1673.

159. – BATTAGLIA (inv. n. 353).
Olio su tela: 0,73 × 1,33.

Conservazione buona.

Entrato nella raccolta nel 1787 in seguito al vitalizio effettuato con Bartolomeo Cavaceppi (A. S. B. V., busta 37, anno 1787. Cfr. Bibl. gen., Documenti, nn. 24, 27).

Elencato per la prima volta nell'*Inventario* del 1790 come opera del Borgognone, e con questo nome annotato anche nell'elenco delle opere cedute dal Cavaceppi, mantenne tale attribuzione fino al Piancastelli. Del Borgognone si hanno documenti relativi alla sua attività al servizio dei Borghese (A. S. B. V., busta 458, anno 1666) ma nulla prova per questa tela tale provenienza, e le qualità del dipinto rendono più accettabili il riconoscimento del Venturi, che vi vede elementi vicini all'arte di Salvator Rosa.

BIBL. *Inv.*, 1790, St. II, n. 39; *Inv. Fid.* 1833, p. 7; Piancastelli, Ms., 1891, p. 416; A. Venturi, *Cat.*, 1893, p. 172; Longhi, *Precisioni*, 1928, p. 211; De Rinaldis, *Itin.*, 1939, p. 42; Della Pergola, *Itin.*, 1951, p. 44.

FOT.: Gab. Fot. Naz. E 33251.

PITTORI UMBRI

MAESTRO UMBRO.

Inizio del sec. XVI.

160. MADONNA COL BAMBINO (inv. n. 583).
Olio su tavola: 0,80 × 0,59.

Conservazione mediocre.
Provenienza indeterminata.

Questa tavola non era mai stata inventariata e non è stato quindi possibile risalire al momento del suo ingresso nella Galleria; ma è da pensare, proprio per questa ragione, che non appartenga al gruppo fidecommissario. Il cartello in basso reca un'iscrizione frammentaria in cui è possibile leggere: « OPUS ME · ANTONIUS · RIFEX DE VENET · X » iscrizione però che ha tutta l'apparenza di essere falsa. La prima impressione che l'intero dipinto sia una falsificazione, non ha consistenza. Malgrado i molti danni sofferti, alcune durezze d'origine, e l'impossibilità di determinarvi una precisa individualità artistica, pensiamo sia da classificare come prodotto di un pittore umbro dei primi anni del XVI secolo, non esente da influenze toscane.

Non esiste bibliografia, nemmeno inventariale.
Fot.: Gab. Fot. Naz. E 32825.

MAESTRO UMBRO.

Prima metà del sec. XVI.

161. – MADONNA COL BAMBINO (inv. n. 367).
Olio su tavola: 0,48 × 0,35.

Conservazione mediocre. Il colore è in più parti bruciato dalle vernici, in altre parti appare svelato.
Provenienza indeterminata.

Attribuito al Perugino nel *Fidecommisso*, a scuola del Perugino nelle schede del Piancastelli, fu accostato dal Venturi ad un gruppo di repliche probabilmente derivate dal Perugino stesso, che vanno sotto il nome dello Spagna e di Eusebio da S. Giorgio. Il Longhi accenna ad un possibile riferimento al Bertucci del Cavalcaselle, che va invece riportato alla « Madonna » (inv. n. 34) della scuola del Francia. Non ci sembra, per questo dipinto che è certo di un pittore ritardatario nella scia del Perugino, di poter accettare questi riferimenti, nè di fare un nome preciso.

BIBL.: *Inv. Fid.*, 1833, p. 35; Piancastelli, *Ms.*, 1891, p. 288; A. Venturi, *Cat.*, 1893, p. 176; Longhi, *Precisioni*, 1928, p. 213; Canuti, *Perugino*, 1931, II, p. 381.
Fot.: Gab. Fot. Naz. E 32732.

91

MAESTRO UMBRO.

Prima metà del sec. XVI.

162. – MADONNA COL BAMBINO E S. FRANCESCO (inv. n. 484). Fig. 164.
Olio su rame: ellittico: 0,10 × 0,5.

Conservazione discreta. Alcune piccole cadute di colore risultano in parti non figurative.

Provenienza indeterminata.

Era nella raccolta nel 1790 indicato come: « La B. Vergine col Bambino e S. Francesco, Pietro Perugino». La stessa attribuzione troviamo nel *Fidecommisso* e nelle schede del Piancastelli. Il Venturi l'assegna genericamente a scuola umbra, il Longhi lo dice imitazione dell'Ottocento. L'opera, certo di secondaria importanza, ci sembra genuina, ma non sappiamo vedervi alcuna personalità che la faccia uscire dall'anonimato della scuola.

BIBL.: *Inv.*, 1790, St. VII, n. 95; *Inv. Fid.*, 1833, p. 31; Piancastelli, *Ms.*, 1891, p. 284; A. Venturi, *Cat.*, 1893, p. 217; Longhi, *Precisioni*, 1928, p. 223.
Fot.: Gab. Fot. Naz. F 5261; E 32147.

MAESTRO UMBRO.

Prima metà del sec. XVI.

163. – S. SEBASTIANO (inv. n. 394). Fig. 165.
Olio su tavola: 0,44 × 0,33.

Conservazione buona.

Provenienza indeterminata.

Era nella raccolta già nel 1700, e dal Montelatici al Piancastelli, con una costanza insolita e tanto più straordinaria in questo caso, il S. Sebastiano qui raffigurato reca il nome di Andrea Mantegna. Nelle schede fidecommissarie il Santo diventa « Cristo », ma l'attribuzione resta invariata. Il Manilli (*Villa Borghese*, 1650, p. 99) ricorda un « S. Sebastiano nudo, legato a una colonna, è di Marco da Palma, Pittore antico–moderno» ma non abbiamo nessun elemento per identificarlo con questo che il Venturi colloca nella cerchia peruginesca e il Longhi vede come opera di un pittore bolognese, sotto l'influenza umbra. Da notare il paesaggio nel fondo, e specie la veduta fiammingheggiante di un porto a destra che fa pensare alla maniera di Francesco Melonzio da Montefalco.

BIBL.: Montelatici, *Villa Borghese*, 1700, p. 237; *Inv.*, 1790, St. VIII, n. 34; *Inv. Fid.*, 1833, p. 35; Piancastelli, *Ms.*, 1891, p. 6; A. Venturi, *Cat.*, 1893, p. 190; Longhi, *Precisioni*, 1928, p. 215.
Fot.: Gab. Fot. Naz. E. 28408; Arch. Fot. Vat. XXX–57–11 (già Moscioni 21297).

PERUGINO (Pietro Vannucci).

Città della Pieve 1446 – Città della Pieve 1527.

164. – MADONNA COL BAMBINO (inv. n. 401). Fig. 162.
Olio su tavola 0,45 × 0,37.

Conservazione buona.

Provenienza indeterminata.

Tra le molte opere attribuite al Perugino negli inventari del Seicento e del Settecento della raccolta Borghese, ve ne sono alcune che appartengono al Francia, altre ad Innocenzo da Imola. Questa tavola è identificabile con sicurezza solo nel *Fidecommisso*, dove reca il nome del maestro, ma il Cavalcaselle pensò al Bertucci e il Venturi dubitò dell'attribuzione al Perugino, e nella *Storia* l'accostò in qualche modo a Marco Meloni. Al Longhi parve convincente la restituzione al Perugino fatta dal Cantalamessa, ed anche il De Rinaldis la confermò successivamente. Il Williamson, accettandone l'autografo, lo pose in gruppo con una « Madonna » simile della Galleria Staedel di Francoforte, una di Monaco di Baviera ed una terza del Louvre, originali tutte, ma tarde. Anche lo Gnoli fece riferimento alla « Madonna » di Francoforte per confermare l'autenticità di questa Borghese. Malgrado certa palese debolezza, ci sembra non vi sia fondamentale motivo per togliere al Perugino questa composizione, dal delicato brano paesistico.

BIBL.: *Inv. Fid.*, 1833, p. 40; Crowe Cavalcaselle, *Painting in North It.*, 1864 (1912), IX, p. 282; Cantalamessa, in *Arte St.*, 1884, II, 191; III, 47, 51; Piancastelli, *Ms.*, 1891, p. 287; A. Venturi, *Cat.*, 1893, p. 193; Williamson, *P.*, 1900, p. 153; Broussolle, *P.*, 1901, p. 115; Bombe, *P.*, 1914, pp. 198, 254; Sillani, *P.*, 1915, pp. 24, 98; Briganti, ecc., *P.*, 1923, p. 21; Gnoli, *P.*, 1923, p. 53; Longhi, *Precisioni*, 1928, p. 216; Canuti, *P.*, 1931, II, pp. 80, 111; Berenson, *Pittura It.*,, 1936, p. 378; Van Marle, 1934, XIV, p. 358; De Rinaldis, *Cat.*, 1948, p. 32; Della Pergola, *Itin.*, 1951, p. 27.

Fot.: Anderson 4237; Alinari 8033; Brogi 11957; Chauffourier 4201; Gab. Fot. Naz. E 13045.

PERUGINO (?)

165. - S. SEBASTIANO (inv. n. 386). Fig. 163.
Olio su tavola: 1,09 × 0,69.

Conservazione discreta. La tavola, spaccata in senso longitudinale, è stata restaurata in epoca indeterminata, ma fissando le sbarre traversali. Un restauro più oculato e la pulitura del dipinto, per opera di Alvaro Esposti, sono in corso di esecuzione (1955).

Provenienza indeterminata. Era nella raccolta nel 1650.

È replica del « S. Sebastiano » già nella Collezione Sciarra ed oggi al Louvre. Il Manilli lo cita come originale del Perugino, e con tale paternità lo troviamo fino al Venturi il quale, notando la grande differenza di qualità con il dipinto del Louvre, lo ritenne opera di derivazione. Il Williamson, il Broussolle, il Bombe e il Canuti lo giudicarono autografo del pittore, mentre il Longhi pensò si trattasse di una copia antica dal Perugino. Il restauro in corso potrà permettere di dire una parola definitiva, per quanto la tesi del Longhi sembri tuttora accettabile. Lo Gnoli ricordava una vecchia copia in casa Gallenga a Perugia.

BIBL.: Manilli, 1650, p. 102; *Inv.*, 1790, St. X, n. 70; *Inv. Fid.*, 1833, p. 39; Piancastelli, *Ms.*, 1891, p. 286; A. Venturi, *Cat.*, 1893, p. 187; Williamson, *P.*, 1900, p. 153; Broussolle, *P.*, 1901, p. 382; Bombe, *P.*, 1909, p. 10; Bombe, *P.*, 1914, pp. 31, 236; Sillani, *P.*, 1915, p. 24; Briganti, ecc., *P.*, 1923, p. 24; Gnoli, *P.*, 1923, p. 58; Longhi, *Precisioni*, 1928, p. 215; Canuti, *P.*, 1931, pp. 1, 78; II, p. 109; Van Marle, 1934, XIV, pp. 353, 396.

Fot.: Alinari 8032; Anderson 4238; Brogi 15908; Gab. Fot. Naz. D 3235, E 35349 (dopo il restauro); Arch. Fot. Vat. XXX-57-19 (già Moscioni 21293).

COPIA DAL PERUGINO.

166. - RITRATTO DETTO DI ALESSANDRO BRACCESI (inv. n. 436).
Olio su tavola: 0,33 × 0,24.

Conservazione buona.

Provenienza indeterminata.

È copia del ritratto della Galleria degli Uffizi, per cui il Morelli dimostrò l'inesattezza del riferimento al personaggio. Nel *Fidecommisso* era attribuito a Tiziano, il Venturi ne parla come di « una torbida copia dal Perugino », il Longhi aderisce anch'egli a questa opinione. Il Riccoboni di recente, senza far cenno a questo Borghese, avanzava per l'originale di Firenze l'attribuzione al Costa (in *Emporium*, 1952, p. 205 ss.), che ci sembra pochissimo convincente.

BIBL.: *Inv. Fid.*, 1833, p. 39; Lermolieff, in *Zeitschr. f. bild Kunst*, 1874, p. 77; Piancastelli, *Ms.*, 1891, p. 22; A. Venturi, *Cat.*, 1893, p. 205; Longhi, *Precisioni*, 1928, p. 221; Canuti, *P.*, 1931, II, p. 352.

Fot.: Gab. Fot. Naz. E 32788.

COPIA DAL PERUGINO.

167. - LA MADDALENA (inv. n. 402).
   Olio su tavola: 0,50 × 0,35.

Conservazione buona.
Provenienza indeterminata.
Era nella raccolta nel 1693, e nell'*Inventario* di quell'anno è descritto precisamente: « un quadro di due palmi e mezzo in circa in tavola un ritratto di un giovane (*sic*) scritto sul petto Sta Maria Madalena del N. ... con Cornice intagliata dorata. Incerto ». Ma nel *Fidecommisso* appare come: « Una Santa, Caravaggio » e così arriva alle note del Piancastelli, il quale aggiunge: « deve essere copia di qualche dipinto del Perugino. Infatti in Firenze, Galleria Pitti, Sala di Apollo, esiste la stessa figura rappresentante S. Maria Maddalena sotto il nome del Perugino ». La copia è certamente antica, e probabilmente uscita dalla bottega del Perugino stesso.

BIBL.: *Inv.*, 1693, St. VIII, n. 15; *Inv. Fid.*, 1833, p. 21; Piancastelli, *Ms.*, 1891, p. 107; A. Venturi, *Cat.*, 1893, p. 194; Sillani, *P.*, 1915, p. 24; Briganti, ecc., *P.*, 1923, p. 21; Gnoli, *P.*, 1923, 51, 66; Longhi, *Precisioni*, 1928, p. 216; Canuti, *P.*, 1931, II, p 352; Van Marle, 1934, XIV, p. 362.

Fot.: Anderson 4235.

PINTORICCHIO (Bernardino di Betto).

Perugia 1454 – Siena 1513.

168. – IL CROCIFISSO TRA I SS. GIROLAMO E CRISTOFORO (inv. n. 377).
   Olio su tavola: 0,50 × 0,40.

Conservazione perfetta.
È uno dei quattro dipinti che non facevano parte del *Fidecommisso*, e che vi sono entrati in cambio del cosidetto Cesare Borgia, attribuito a Raffaello, venduto al Barone Rotschild nel 1891. Nel retro della tavola, che il Venturi pensa fosse un'anconetta portatile, è scritto in caratteri settecenteschi « Originale del Pinturicchio ».
Quando questo quadretto fu studiato dal Morelli, era attribuito a Carlo Crivelli, e il Frizzoni, nelle note al Morelli, ricorda come il Cavalcaselle avesse proposto lo spostamento d'attribuzione a Fiorenzo di Lorenzo, accolto nel *Catalogo* dal Venturi, che nella *Storia* invece l'assegnò a Perugino giovane. Il Morelli fu il primo a pensare al Pintoricchio; il Longhi, il Ricci, il Wingenroth, il Berenson, il De Rinaldis e ultimamente lo Zeri, concordarono su questo nome. È certo opera del momento giovanile del Pintoricchio, e l'ottimo stato di conservazione permette di goderne tutta la freschezza.
Esposto nel 1930 alla Mostra di Londra e nel 1935 alla Mostra d'Arte Italiana a Parigi.

Bibl.: Vermiglioli, P., 1837, p. 109; Crowe Cavalcaselle, *Painting in North It.*, 1871 (1912), II, p. 373; A. Venturi, in *Arch. St. Arte*, 1892, p. 14; La Direzione, in *Arch. St. Arte*, 1892, V, p. 4; A. Venturi, *Cat.*, 1893, p. 183; Morelli, *Pittura It.*, 1897, pp. 107-108; Wingenroth, *Benozzo*, 1897, p. 91; Steimann, P., 1898, p. 11; Broussolle, *Perugino*, 1901, p. 370; Weber, *Fiorenzo di Lorenzo*, 1904, pp. 118, 141; A. Venturi, in *Arte*, 1911, p. 63; Ricci, P., 1912, p. 28; A. Venturi, *Storia*, 1913, VII, 2, p. 466; Schmarsow, *Abhandl. d. Phil. Hist. Geselwiss.*, 1915, XXXI, pp. 62-64; Briganti, ecc., *Perugino*, 1923, p. 21; Longhi, *Precisioni*, 1928, p. 213; Canuti, *Perugino*, 1931, I, p. 47; *Commem. Eschib. in London*, 1931, p. 92; Van Marle, 1934, XIV, pp. 188, 206, 391; *Mostra Arte it. Parigi*, 1935, p. 166; Berenson, *Pitture It.*, 1936, p. 378; Boeck, in *Pantheon*, 1940, XXV, p. 235 ss.; Hartt, in *Art Bull.*, 1940, p. 33; De Rinaldis, *Cat.*, 1948, p. 32; Della Pergola, *Itin.*, 1951, p. 27; Zeri, in *Boll. Arte*, 1953, p. 239.

Fot.: Alinari 8000; Anderson 3704; Brogi 11950; Chauffourier 4130; Moscioni 21290; Gab. Fot. Naz. C 2774.

PITTORI VENETI

ANTONELLO DA MESSINA

Messina 1430 c. – Venezia 1479.

169. – RITRATTO D'UOMO (inv. n. 396).

Olio su tavola: 0,30 × 0,24.

Conservazione abbastanza buona. Alcune fenditure orizzontali e una leggera curvatura della tavola rendono però il dipinto soggetto a particolari attenzioni. Una saldatura di parti di colore sollevate è stata eseguita dall'Istituto Centrale del Restauro nel 1953.

Proviene dalla raccolta del Cardinale Ippolito Aldobrandini dove era nel 1611, e da questa è giunta ai Borghese attraverso il matrimonio di Olimpia Aldobrandini.

Nell'*Inventario* dei beni di Olimpia Aldobrandini, del 1682, si trova citato: « Un quadro in tavola con un ritratto di un giovane con capigliara, che dice sotto Antonello Massaneus, alto pmi uno e mezzo, con cornice dorata di buona mano come al d° Inventario a fogli N° 366 et a quello del S. Cardinale Carta 142 ». Le parole « con capigliara » pensiamo si debbano riferire al tipo di berretto, perchè nello stesso *Inventario* si distinguono « con zazzera » i ritratti a capo scoperto. Corrispondono le misure e la materia « in tavola », il soggetto e il nome dell'autore, sebbene sia poco chiaro il fatto che al nome citato segua quel « di buona mano » che farebbe pensare a un ignoto. Una notizia erronea, data dal Cavalcaselle, e dopo di lui ripetuta senza controllo da tutti gli storiografi della raccolta Borghese, identifica questo ritratto con quello descritto e inciso dal Rosini e da questi veduto nella Collezione Rinuccini di Firenze. Era invece, quello, il ritratto Trivulzio, oggi nel Museo Civico di Torino, come si può vedere dall'incisione riportata dal Rosini, e che non dà possibilità di equivoco. Nell'*Inventario Borghese* del 1790, dove per la prima volta sono annotati i dipinti provenienti dalla divisione della eredità Aldobrandini, questo ritratto si trova come opera di Giovanni Bellini, nome con cui giunge fino al Morelli. Questi lo identificò con il ritratto di Michele Vianello, che il Michiel ricorda in casa di Antonio Pasqualino a Venezia. Ma la supposizione del Cavalcaselle, che la tavoletta sia stata tagliata alla base, dove era il cartello con la firma e la data 1475, è anch'essa errata, perchè la superfice dipinta termina tutto intorno a mezzo centimetro più su della tavola, la quale si presenta nei quattro lati assolutamente omogenea e non ha certo subìto tagli posteriori alla sua origine. Il riferimento alle carte del Cardinale Aldobrandini permette di risalire al 1611, epoca dell'Istituzione Fidecommissaria Aldobrandini, ed è una data assai più vicina ad un ricordo d'acquisto. Il nome del pittore citato in quella forma non insolita: « che dice sotto Antonello Massaneus » potrebbe far pensare ad un cartello con la firma, ma pensiamo vada riferito piuttosto ad un cartello esplicativo, proprio perchè la tavoletta non risulta in alcun modo decurtata. La data di esecuzione, per gli evidenti rapporti con il ritratto Trivulzio, va posta intorno al 1474-75. Dopo la restituzione ad Antonello del Mündler e del Cavalcaselle l'accettazione di questa paternità è stata unanime.

Esposto nel 1930 alla Mostra di Londra, nel 1935 alla Mostra d'Arte Italiana di Parigi, nel 1953 alla Mostra di Antonello a Messina.

BIBL.: *Inv. Olimpia Aldobrandini*, 1682; *Inv.*, 1790, St. III, n. 19; *Inv. Fid.*, 1833, p. 23; Platner, *Beschreib. Rom*, 1842, p. 290; Mündler, in *Jahrb. f. Kstwiss.*, 1869, II, IV; Crowe Cavalcaselle, *Painting in North It.*, 1871 (1912), II, p. 423; Piancastelli, *Ms.*, 1891, p. 3; A. Venturi, *Cat.*, 1893, p. 191; Morelli, *Pittura It.*, 1897, p. 249; Crowe Cavalcaselle, *Pitt. Fiamminga*, 1899, I, p. 236; La Corte Cailler, *A.*, 1903, p. 57; A. Venturi, *Grandi Art. It.*, s. d., p. 6 ss.; Perkins, in *Rass. Arte*, 1905, p. 130; L. Venturi, *Origini*, 1907, p. 226; Longhi, in *Arte*, 1914, p. 217; Scalia *A.*, 1914, p. 29; A. Venturi, *Storia*, 1915, VII, 4, pp. 26-27; Berenson, in *Dedalo*, 1926, pp. 642, 644; *Comm. Eschib. in London*, 1930,; Van Marle, 1934, XV, pp. 501-5; Bottari, *A.*, 1939, pp. 76-77, 82, 136-37; Lauts, in *Pantheon*, 1939, p. 189; Lauts, *A.*, 1940, pp. 28, 38; De Rinaldis, *Cat.*, 1948, p. 44; Della Pergola, *Gall. Borgh.*, 1950, p. 5; *Mostra A.*, 1953, p. 25; Bottari, *A.*, 1953, pp. 108-9.

FOT.: Alinari 7972; Anderson 3114; Brogi 11931; Chauffourier 4096; Moscioni 21298; Gab. Fot. Naz. E 12453, C 2765, D 3243.

MARCO BASAITI.

Venezia 1470 – ancora attivo nel 1530.

170. – ADAMO (inv. n. 129).
Olio su tavola: 1,52 × 0,85.
Fot.: Gab. Fot. Naz. E. 33286.

171. – EVA (inv. n. 131).
Olio su tavola: 1,52 × 0,85.
Fot.: Gab. Fot. Naz. A 3255, E 19391.

Nel cartello posato sul tronco era una scritta oggi illeggibile, ma che il Piancastelli vide ancora frammentaria e copiò nelle lettere superstiti: « z ( ) n ( ) b ( ) ll. f. » e tentò di interpretare: « Zambellin ».

Provenienza indeterminata.

Erano nella raccolta nel 1650, descritti dal Manilli: « gli altri due quadri di Adamo ed Eva, ignudi, sono di Giovanni Bellini ». L'appartenenza a scuola veneta si mantiene fin verso il 1925, quando, nel riordinamento del Cantalamessa viene proposto il nome, in seguito accolto da tutta la critica, di Marco Basaiti. Il Venturi aveva pensato ad una probabile derivazione dall'« Adamo ed Eva » del Dürer, e, come quelli, sportelli di una grande ancona, dipinti intorno al 1507 e ispirati alle due statue della Gradinata dei Giganti, nel Palazzo dei Dogi a Venezia

BIBL.: Manilli, 1650, p. 85; *Inv.*, 1693, St. VI, nn. 4, 14; *Inv.* 1790, St. VI, nn. 2 e 3; *Inv. Fid.*, 1833, p. 24; Piancastelli, *Ms.*, 1891, pp. 442, 445; A. Venturi, *Cat.*, 1893, p. 96; Longhi, *Precisioni*, 1928, p. 189; De Rinaldis, *Cat.*, 1948, p. 85; Della Pergola, *Itin.*, 1951, p. 52.

FRANCESCO BASSANO.

Bassano 1549 – Venezia 1592.

172. – ADORAZIONE DEI MAGI (inv. n. 150).
Olio su tela: 1,25 × 1,40.

Conservazione buona.

Provenienza indeterminata. Era nella raccolta nel 1650.

Il Manilli ricorda due dipinti di questo soggetto, uno di Jacopo Bassano, che possiamo identificare con il n. inv. 234, e l'altro che cita, senza precisare meglio: « è dei

Bassano ». Ancora due compaiono nell'*Inventario* del 1790, sempre con queste indicazioni, e crediamo che la seconda tela possa identificarsi con questa, che riecheggia ai motivi di mercato cari a Francesco Bassano. Il Venturi credette di vedervi qualità più alte, tanto da riferirla a Jacopo, mentre il Longhi vi ha individuata l'ampia collaborazione di Francesco. E a quest'ultimo l'assegna l'Arslan, seguito dal De Rinaldis. La Froelich-Bum torna tuttavia a vedervi un'opera di collaborazione di Jacopo con altri, considerando questo esemplare tra i più riusciti, e Vera Shilenko-Andreyeff lo ritiene la prima versione originale da cui deriverebbe quella di Leningrado. Una variante si trova nella Galleria Capitolina a Roma e un'altra, senza la parte di sinistra, che sembra derivare da un originale di Iacopo, è nella Galleria Statale di Stoccarda.

BIBL.: Manilli, 1650, pp. 88, 113; *Inv.*, 1790, St. I, n. 15; *Inv. Fid.*, 1833, p. 16; Piancastelli, *Ms.*, 1891, p. 45; A. Venturi, *Cat.*, 1893, p. 105; A. Venturi, *Arch. St. Arte*, 1899, p. 450; Von Hadeln, in *Note al Ridolfi*, 1914, p. 394; Longhi, *Precisioni*, 1928, pp. 75, 192; Froelich-Bum, in *Jahrb. d. Ksthist. Smlgn in Wien*, 1930, pp. 233-34; Arslan: *I B.*, 1931, pp. 205, 231; Shilenko-Andreyeff, in *Art in America*, 1933, XXI, p. 128; De Rinaldis, *Cat.*, 1948, p. 82; Della Pergola, *Itin.*, 1951, p. 53.
Fot.: Alinari 27508; Anderson 3266; Arch. Fot. Vat. XXXI-43-10 (già Moscioni 21204).

JACOPO BASSANO (Jacopo Da Ponte).

Bassano 1516 – Bassano 1592.

173. - PECORA E AGNELLO (inv. n. 120).
Olio su tela: 0,30 × 0,51.

Conservazione buona. Alcuni vecchi restauri, cresciuti di tono, sono stati eliminati nel 1953 da Alvaro Esposti.

Provenienza indeterminata. Era nella raccolta nel 1650.

La prima attribuzione a Tiziano si trova nel Manilli, ma nell'*Inventario* del 1700 appare con il nome di Bassano. Tanto più strano quindi il riferimento a Paolo Veronese che ne fa il Ramdhor nel 1787. Stabilita tra i Bassano la paternità dell'opera, che pur avendo la compiutezza di un brano a sè deve ritenersi un frammento, la critica moderna ha oscillato tra i nomi di Jacopo (Venturi e De Rinaldis), Francesco (Longhi 1928) e bottega di Jacopo (Arslan), per tornare a Jacopo con gli ultimi studi del Longhi (1945) che lo data intorno al 1560. Che sia opera di Jacopo lo afferma il potere di protagonista che in lui assume ogni particolare, e il tocco libero e caldo che è proprio della sua arte.

BIBL.: Manilli, 1650, p. 85; *Inv.*, 1693, St. III, n. 28; *Inv.*, 1700, St. III, n. 14; Ramdhor, *Malerei in Rom*, 1787, I, p. 291; *Inv. Fid.*, 1833, p. 26; Piancastelli, *Ms.*, 1891, p. 40; A. Venturi, *Cat.*, 1893, p. 92; Longhi, *Precisioni*, 1928, p. 189; Arslan, *I B.*, 1931, p. 349; Longhi, *Viatico*, 1946, p. 66; De Rinaldis, *Cat.*, 1948, p. 72; Della Pergola, *Itin.*, 1951, p. 46.
Fot.: Anderson 41211; Gab. Fot. Naz. E 2702, 18838.

174. - ULTIMA CENA (inv. n. 144). Fig. 177.
Olio su tela: 1,68 × 2,70.

Conservazione buona.

Provenienza indeterminata.

Si trova elencata per la prima volta nell'*Inventario* del 1700, come opera di Tiziano. Anche il Rossini ricorda il dipinto nel Palazzo di Campo Marzio, e così due anni più tardi il Raguenet, e in seguito gli *Inventari* del 1725, 1765 e 1790. Nel 1787 il Ramdhor l'attribuisce allo Schiavone, e con tale paternità è ricordata dal Platner e giunge fino al

Fidecommisso e al Piancastelli. Il quale però, nelle note aggiunte nel 1891, registra il nome di Jacopo Bassano, forse suggerito dal Venturi, che lo scrive per primo nel suo *Catalogo*. Il Longhi fece la rivalutazione critica di quest'opera, ed anche l'Arslan ne riconobbe l'altezza d'arte. Il Pallucchini pensa sia di qualche anno posteriore alla « Cena » di S. Marcuola del Tintoretto (1547) e le giudica entrambe « creazioni nuovissime nella storia della pittura Veneziana ». Al Gabinetto Nazionale delle Stampe, a Roma, si trova un disegno, segnalato dal dott. Zeri, che sembra eseguito dal dipinto, ma è molto interessante per la personalità, affatto secondaria, che ha ritratto l'insieme della « Cena ».

BIBL.: *Inv.*, 1700, St. III, n. 16; Rossini, *Mercurio*, 1725, p. 38; Ramdhor, *Malherei in Rom*, 1787, I, p. 290; *Inv.*, 1790, St. III, n. 13; *Inv. Fid.*, 1833, p. 18; Piancastelli, *Ms.*, 1891, p. 50; A. Venturi, *Cat.*, 1893, p. 102; Berenson, *Venetian Painters*, 1906, p. 85; Zottmann, B., 1908, pp. 35-36; Lorenzetti, in *Arte*, 1911, p. 256; Von Hadeln, in *Jahrb. d. preuss. Kstsmlgn*, 1913, XXXIV, p. 59; Willumsen, *Greco*, 1927, pp. 107, 123; Delogu, *G. B. Castiglione*, 1928, p. 25; Longhi, *Precisioni*, 1928, pp. 76, 192; Arslan, in *Pinacotheca*, I, 1929, p. 193; A. Venturi, *Storia*, 1929, IX, 4, pp. 1157, 1253; Arslan, B., 1931, pp. 91-92, 194; De Rinaldis, *Itin.*, 1939, p. 50; Longhi, *Viatico*, 1946, p. 26; Longhi, in *Arte Ven.*, 1948, II, pp. 50-52; Pallucchini, *Tintoretto*, 1950, p. 53; Della Pergola, *Itin.*, 1951, p. 46.

Fot.: Anderson 3267.

175. – ADORAZIONE DEI PASTORI (inv. n. 26). Fig. 174.
Olio su tela: 0,76 × 0,94.

Conservazione buona.
Provenienza indeterminata.

Appare citato dal Manilli, nel 1650 « Si vedono in questa camera sette quadri dei Bassani, vecchio e giovane; due de' quali, cioè la Natività e i Magi, sono del Vecchio ». Nell'*Inventario* del 1693 è pure un « Presepe di Giacomo Bassano ». Tale paternità, messa in dubbio dal Piancastelli, dal Venturi, che preferì riferire il dipinto alla scuola di Jacopo, e dall'Arslan, che vi vide « una copia di certo secentesca di un altro originale scomparso di Jacopo da Ponte », venne invece riaffermata dal Longhi e dal De Rinaldis. Non vi è dubbio che l'eccezionale spontaneità del ritmo compositivo, la particolare intensità poetica e la luminosità dei bianchi e il freddo degli azzurri indichino un'opera originale ed escludano ogni interpretazione di copia.

BIBL.: Manilli, 1650, p. 88; *Inv.*, 1693, St. II, n. 3; *Inv.*, 1790, St. II, n. 23; *Inv. Fid.*, 1833, p. 32; Piancastelli, *Ms.*, 1891, p. 47; A. Venturi, *Cat.*, 1893, p. 41; Mayer, in *Monatsch. f. Kstwiss.*, VII, 1914, p. 211; Von Hadeln, in *Kunstchronik*, 1914, XXV, p. 552; Longhi, *Precisioni*, 1928, pp. 76, 178; A. Venturi, *Storia*, 1929, IX, 4, p. 1153; Arslan, B. 1931, pp. 113, 133, 194, 349; De Rinaldis, *Cat.*, 1948, p. 70; Longhi, in *Arte Ven.*, 1948, II, p. 52; Della Pergola, *Gall. Borgh.*, 1950, p. 15.

Fot.: Gab. Fot. Naz. E 19323, E 18837, E 20911, E 10667; Arch. Fot. Vat. XXIII-22-30 (già Moscioni 21150).

176. – ADORAZIONE DEI MAGI (inv. n. 565). Fig. 175.
Olio su tela: 0,58 × 0,49.

È stato acquistato nel 1923 per L. 4000 dalla Ditta Tartaglia presso l'Ufficio di Esportazione di Roma, in seguito a diritto di prelazione.
Conservazione buona.

Fu pubblicato per la prima volta come opera del Greco dal Bertini Calosso, mentre il Porcella lo ritenne originale di Jacopo Bassano, e così il Longhi. Più tardi l'Arslan volle vedervi una derivazione da un originale di Jacopo perduto, di cui l'incisione del Sadeler, e lo stesso n. inv. 234 della Galleria Borghese perpetuerebbe il ricordo variato. Il Venturi e il De Rinaldis tornarono a vedervi un originale di Jacopo, il Mayer invece (1939) lo riferisce nuovamente al Greco. Questa attribuzione è stata discussa, e rifiutata, dal Pallucchini, il quale concorda con l'Arslan nel riconoscervi una derivazione dal Bassano, che non potrebbe avere dipinto il prototipo prima del 1562. Il giudizio del Longhi ci sembra tuttora il più valido.

BIBL.: Bertini Calosso, in *Boll. Arte*, 1924, pp. 486–90; Porcella, in *Idea Naz.*, 15, VI, 1925; Porcella, in *Emporium*, 1925, p. 197; Longhi, *Precisioni*, 1928, p. 226; Arslan, B. 1931, pp. 112–13; Mayer, in *Burl. Mag.*, 1939, p. 28; De Rinaldis, *Itin.*, 1939, p. 51; Pallucchini, in *Burl. Mag.*, 1948, p. 134; Aznar, *Greco*, 1950, p. 80; Della Pergola, *Itin.*, 1951, p. 46.

Fot.: Alinari 41011; Anderson 25159; Gab. Fot. Naz. E 21182, F 8134.

COPIA DA JACOPO BASSANO.

177. – ADORAZIONE DEI MAGI (inv. n. 234). Fig. 176.
Olio su tavola: 0,50 × 0,47.

Conservazione generalmente buona. Una fenditura verticale era stata causa di un primo parchettaggio rudimentale, in epoca imprecisata. È stata fatta una nuova parchettatura nel 1953 da Augusto Cecconi Principe.

Fu acquistato nel 1787 presso Bartolomeo Cavaceppi, come opera di Filippo Lauri. (Cfr. Bibl. gen., Documenti, n. 27).

Elencato per la prima volta nell'*Inventario* del 1790 come « Sacra Famiglia di Filippo Lauri » mantenne tale attribuzione fino al Piancastelli. Il Venturi fece il nome di Giacinto da Gemignano, e lo considerò « uno schizzo fatto alla brava »; il Cantalamessa, e più tardi il Bertini Calosso, l'assegnarono al Greco, il Porcella, senza alcuna approssimazione, allo Scarsellino; il Fiocco a Pietro de' Marescalchi e l'Arslan ad un maestro prossimo al Marescalchi. Ma il Longhi vi vedeva un'opera sicura di Jacopo Bassano, tra il 1550 e il 1560, e questa tesi veniva accolta dal Berenson e dal De Rinaldis. Più di recente il Pallucchini lo ritenne derivazione da un originale perduto di Jacopo, mentre il Mayer ritornò a pensare al Greco. Un'incisione del Sadeler, pubblicata dall'Arslan, si riferirebbe all'originale perduto. Una replica, più grande, in tela, si trova presso la Collezione Sabin, a Londra un'altra, assai mediocre, è nella sacrestia del Duomo di Castelfranco Veneto.

BIBL.: *Inv.*, 1790, St. VIII, n. 38; *Inv. Fid.*, 1833, p. 33; Piancastelli, *Ms.*, 1891, p. 349; A. Venturi, *Cat.*, 1893, p. 132; Zottmann, B., 1908, p. 41; Von Hadeln, *Note al Ridolfi*, 1914, p. 394; Cantalamessa, in *Boll. Arte*, 1916, pp. 266–271; Bertini Calosso, in *Boll. Arte*, 1924, p. 481 ss.; Porcella, in *Idea Naz.*, 15 giugno 1925; Porcella, in *Emporium*, 1925, p. 197 ss.; Longhi, *Precisioni*, 1928, p. 198; Fiocco, in *Belvedere*, 1929, VII, pp. 213–214; Froelich-Bum, in *Jahrb. d. Ksthist. Smlgn in Wien*, 1930, p. 231–232; Arslan, B., 1931, pp. 349–350; Berenson, *Pitture It.*, 1936, p. 50; De Rinaldis, *Itin.*, 1939, p. 51; Pallucchini, in *Burl. Mag.*, 1948, p. 134; Longhi, in *Arte Ven.*, 1948, II, p. 54; Aznar, *Greco*, 1950, p. 80; *Mostra Greco*, 1953, p. 64.

Fot.: Anderson 24257; Gab. Fot. Naz. E 21181, 21182, 15989.

SEGUACE DI JACOPO BASSANO.

178. – UNA STAGIONE: LA PRIMAVERA (inv. n. 3).
Olio su tela: 1,41 × 1,86.

Conservazione buona. Sono solo scuriti i colori, per l'ossidazione delle vernici.

Fot.: Alinari 41008; Gab. Fot. Naz. E 32739.

179. – UNA STAGIONE: L'ESTATE (inv. n. 11).

Olio su tela: 1,39 × 1,88.

Conservazione buona, benchè offuscata, come la precedente.

Fot.: Alinari 41007; Gab. Fot. Naz. E 33248.

180. – UNA STAGIONE: L'AUTUNNO (inv. n. 5).

Olio su tela: 1,33 × 1,85.

Conservazione buona, come la precedente.

Fot.: Alinari 41006; Gab. Fot. Naz. E 34013.

181. – UNA STAGIONE: L' INVERNO (inv. n. 9).

Olio su tela: 1,42 × 1,85.

Conservazione buona, come la precedente.

Fot.: Alinari 41005; Gab. Fot. Naz. E 34014.

Già citati dal Manilli nel 1650, erano compresi tra le tredici opere che questi riferisce ai Bassano, e precisamente, per le « Stagioni », al « giovane Bassano », a cui li riporta anche il Longhi. Il Ridolfi invece rammenta la rappresentazione delle « Quattro Stagioni » eseguite da Jacopo il Vecchio e posseduta da Nicolò Ranieri a Venezia, che furono forse i prototipi per una serie di derivazioni, di cui queste Borghese non sono tra le più belle. Il Venturi li assegna alla Bottega di Jacopo, così l'Arslan per i nn. 3 e 9, mentre dà a un seguace di Francesco i nn. 5 e 11. Tale distinzione ci sembra un po' sottile, perchè il lavoro di bottega doveva avvenire in una collaborazione, che riesce arduo differenziare anche per le opere originali e di qualità assai più alta.

BIBL.: Manilli, 1650, p. 88; *Inv.*, 1790, St. III, nn. 10, 11, 36, 37; *Inv. Fid.*, 1833, pp. 19, 20, 33, 40; Piancastelli, *Ms.*, 1891, pp. 38, 39, 41, 44; A. Venturi, *Cat.*, 1893, p. 22; Longhi, *Precisioni*, 1928, pp. 74, 176; Arslan, *B.*, 1931, p. 349; De Rinaldis, *Itin.*, 1939, pp. 9, 17; Della Pergola, *Itin.*, 1951, p. 24

182. – NOÈ USCITO DALL'ARCA (inv. n. 105). (Cfr. Avvertenza n. 10).

Olio su tela: 1,35 × 1,91.

Conservazione mediocre. La tela, aridissima, ha bisogno di pulitura e restauro.

Proviene dall'eredità di Olimpia Aldobrandini, a cui era giunto dal Cardinale Aldobrandini nel 1611 circa.

Nell'inventario di Olimpia Aldobrandini, è così citato: « Un quadro dell'Arca di Noè del Bassano con cornice nera alto pmi quattro come a d° Inventario a Carte 229 N° 345 et a quello del Sig. Cardinale Carta 132 ». Nello stesso inventario tra le opere oggi non più esistenti nella Galleria, è citata la Partenza di Abramo, che l'Arslan dà come smarrita nell'originale. Il Venturi attribuì l'Arca di Noè alla Scuola di Jacopo, il Longhi a quella di Francesco, l'Arslan, con maggiore sottigliezza, volle vedervi un'opera della scuola di Jacopo in prossimità di Leandro. Non crediamo di dover portare molto lontano da Jacopo questo dipinto, sopra tutto per la vibrazione luministica del colore e l'accentuata drammaticità delle figure. Tuttavia non è stato possibile studiarlo a fondo, nè si può darne una fotografia, perchè si trova dal 1942 in deposito nella Ambasciata presso la S. Sede, malgrado le Leggi Fidecommissarie e le Leggi di tutela rinnovate nel

1902, che impongono la inamovibilità delle opere d'arte dalla Palazzina Borghese. Tutti i passi fatti fino ad oggi per riavere questo e i tre altri dipinti della Galleria Borghese che si trovano in quella residenza, non hanno avuto ancora esito positivo.

Bibl.: *Inv. Olimpia Aldobrandini*, 1682, *Inv.* 1790, St. I, n. 19, *Inv. Fid.* 1833, p. 16. Piancastelli: *Ms.* 1891, p. 37; Venturi: *Cat.*, 1893, p. 86, Longhi: *Prec.*, 1928, p. 187; Arslan: *Bassano*, 1931, p. 349.

Fot.: non eseguita.

COPIA DA JACOPO BASSANO.

183. – SCENA CAMPESTRE (inv. n. 29).
   Olio su tela: 1,30 × 1,84.

Conservazione buona.

Provenienza indeterminata.

Si trova elencato nell'*Inventario* del 1790 con le stesse parole che tornano nel *Fidecommisso*: « Veduta villereccia, Bassano ». Il Venturi l'accostò a Giacomo, a cui fa riferimento anche l'Arslan. Il Longhi invece lo ritiene opera della bottega di Leandro. Anche per questa composizione, che deriva certamente da un originale di Jacopo, ci sembra difficile una distinzione che l'allontani dalla bottega del maestro maggiore.

Bibl.: *Inv.*, 1790, St. I, n. 38; *Inv. Fid.*, 1833, p. 39; Piancastelli, *Ms.*, 1891, p. 43; A. Venturi, *Cat.*, 1893, p. 46; Longhi, *Precisioni*, 1928, p. 178; Arslan, *B.*, 1931, p. 349.

Fot.: Gab. Fot. Naz. E. 32737.

SEGUACE DI JACOPO BASSANO.

184. – L'ADDOLORATA (inv. n. 63). Fig. 186.
   Olio su tela: 0,90 × 0,70.

Conservazione buona. È stato pulito nel 1952 da Augusto Cecconi Principe, che ha tolto la pesante vernice gialla ottocentesca che offuscava il colore, e ha fissato il colore stesso, sollevato in più parti.

Provenienza indeterminata.

Nell'*Inventario* « delle Robbe di Francesco Borghese », del 1610, è elencata « Una Madonna con manto nero e velo bianco e mani giunte palma a palma ». Questa opera, con poche altre, ma tutte di altissimo pregio (tra altre la « Madonna dei Candelabri » di Raffaello oggi a Baltimora), passò nel 1615 in proprietà di Scipione Borghese, in seguito ad una convenzione avvenuta tra questi e gli zii Francesco e Antonio, e il cugino Marc'Antonio, poi primo erede del *Fidecommisso*. Questa « Madonna » che il Manilli ricorda come opera di Tiziano, è da identificare con la « Madonna » già nella raccolta P. Jackson Higgs, pubblicata dal von Hadeln (in *Burlington Magazine*, 1924, p. 179) e poi dal Washburn Freund (*Cicerone*, 1928, p. 257) e dal Suida (*Tizian*, 1933, pp. 127, 175, 188) come proveniente, appunto, da casa Borghese. Nel 1700 l'*Inventario* di quell'anno circa non la elenca più, mentre vi appare la tela attuale, che riproduce l'identico soggetto e che viene attribuita, in quello e nei successivi *Inventari*, a Marcello Provenzale. Tale attribuzione, che non ha alcun fondamento, si può spiegare con la confusione avvenuta tra i mosaici di questo artista, e il mosaico riproducente l'« Addolorata » di Tiziano, di Alvise Gaietani, che, pur essendo firmato, portò il nome del Provenzale fino al 1891 (inv. n. 502). Non è questo il primo caso in cui si è potuto notare come i Borghese, alienando dal *Fidecommisso* un'opera di grande importanza, cercassero di colmare il vuoto con una copia più o meno vicina all'originale perduto. Della tela così pervenuta il Venturi, tratto in inganno dal nome del Provenzale, pensò « ad uno studio da antica pittura che il mosaicista Marcello Provenzale eseguì per tradurla poi in mosaico ». Che derivi dall' « Addolorata » di Tiziano e da quella Higgs e non dalle due del Prado, sembra certo; ma il riferimento immediato alla stessa immagine trasportata nella « Crocifissione » di S. Teonisto a Treviso, di Jacopo Bassano, come la ripetizione che ne viene fatta dai due bassaneschi autori della « Deposizione dalla Croce » del Louvre e della Borghese (inv. n. 467) ci sembra determinante per stabilire come tale motivo fosse entrato nel patrimonio iconografico di Jacopo Bassano e della sua scuola. A cui conduce anche il colore, roseo crudo nelle maniche, così da consentire di porre questa copia nella sfera delle opere create intorno a Jacopo. Il Bettini pubblica (*L'Arte di Jacopo Bassano*, 1933, p. 91) una replica simile in una collezione privata di Parigi, che attribuisce, ma ci sembra senza ragione, almeno dalla fotografia, a Jacopo stesso, mentre il Mayer ne riproduce un'altra del Museo Cevallo di Madrid, che mette in rapporto con l'originale Borghese, poi Higgs, ed oggi in collezione privata americana.

BIBL.: *Inv. Francesco Borghese*, 1610; *Inv.*, 1615, n. 632; Manilli, 1650, p. 302; *Inv.*, 1700, St. III, n. 84; *Inv.*, 1790, St. IV, n. 33; *Inv. Fid.*, 1833, p. 15; Piancastelli, *Ms.*, 1891, p. 214; A. Venturi, *Cat.*, 1893, p. 67; Longhi, *Precisioni*, 1928, p. 182; Mayer, in *Arte*, 1935, pp. 374-75.

Fot.: Anderson 24732 (prima della pulitura); Gab. Fot. Naz. E 32758 (dopo la pulitura).

COPIA CON VARIANTI DA JACOPO BASSANO.

185. – DEPOSIZIONE DALLA CROCE (inv. n. 467). Fig. 184.
Olio su tela: 0,45 × 0,60.

Conservazione buona.
Provenienza indeterminata.

Si trova citato per la prima volta nell'*Inventario* del 1790 come opera « dei Bassano ». Il Piancastelli lo riporta alla maniera di Giacomo, e così il Venturi, che però sembra riferirsi piuttosto a Jacopo il Vecchio. Il Longhi la dice opera di derivazione; l'Arslan (*I Bassano*, 1931) non la prende in esame, mentre si sofferma sul « Cristo disceso dalla Croce » del Louvre, con cui la piccola tela Borghese ha indubbi rapporti. L'attribuzione, sia pure interrogativa a Luca Martinelli, collaboratore di Giovanni Battista Bassano, della copia del Louvre, non ci sembra però possa aderire alla variante Borghese. Diverse altre varianti dello stesso soggetto sono (n. 96) agli Uffizi di Firenze, (n. 747) alla Pinacoteca di Parma, altra alla Galleria Doria di Roma, mentre quella del Louvre appare come la versione migliore. Nemmeno questa però ci sembra di qualità così alta da poter essere interpretata come originale di Jacopo, da cui certo tutte derivano.

BIBL.: *Inv.*, 1790, St. VIII, n. 32; *Inv. Fid.*, 1833, p. 40; Piancastelli, *Ms.*, 1891, p. 46; A. Venturi, *Cat.*, 1893, p. 214; Longhi, *Precisioni*, 1928, p. 222.

Fot.: Gab. Fot. Naz. E 33291.

LEANDRO BASSANO (Leandro Da Ponte).

Bassano 1577 – Venezia 1622.

186. – LA TRINITÀ (inv. n. 127). Fig. 185.
Olio su rame: 0,52 × 0,43.

Conservazione buona. Pulito nel 1936 da Carlo Matteucci (direttore Aldo De Rinaldis) ha rivelato la firma: « Leand. Bass. us F. » che conferma l'attribuzione dell'*Inventario* del 1790 e che era stata letta esattamente dal Venturi, correggendo l'incredibile attribuzione a Leonardo (pensiamo dovuta ad un errore meccanico di lettura) degli *Inventari* del 1833.

Provenienza indeterminata. Come avviene per i dipinti dei Dosso, anche per questi dei Bassano tutti gli *Inventari* e molte guide li citano globalmente, rendendone ardua la determinazione.

È identificabile per la prima volta nell'*Inventario* del 1693: « Un quadro di grandezza simile (due palmi circa) in rame con il Prē Eterno, e Giesù Cristo in croce del N° 27 con cornice dorata del Bassano ». Deriva dalla pala del Pordenone nella Sacrestia del Duomo di S. Daniele, da cui Jacopo Bassano aveva a sua volta tratto ispirazione per la grande composizione di Angarano; ma lo stesso Leandro, in una tavola con la « Trinità, la Vergine, gli Apostoli e S. Domenico », che si trova nella prima cappella a sinistra della Chiesa dei SS. Giovanni e Paolo a Venezia, firmata, aveva rappresentato in alto la Trinità nell'identico aspetto del quadro Borghese. Il Giglioli pubblica (*Bollettino d'Arte*, 1927, p. 460) un disegno che attribuisce al Cigoli, in cui si può vedere una composizione assai simile, la cui idea originale appartiene tuttora al Pordenone. La lettura incompleta della firma, nel quadro Borghese, aveva fatto pensare al Morelli e allo Zottmann che si trattasse di un'opera di Francesco Bassano, mentre l'Arslan l'assegnava a Giacomo e il Berenson a Jacopo il Vecchio.

BIBL.: *Inv.*, 1693, St. I, n. 12; *Inv.*, 1790, St. I, n. 10; Vasi, *Itineraire*, 1792, p. 358; *Inv. Fid.*, 1833, p. 15; Piancastelli, *Ms.*, 1891, pp. 60, 81; A. Venturi, *Cat.*, 1893., p. 96; Berenson, *Venetian Painters*, 1906, p. 85; Zottmann, 1908, p. 53; Longhi, *Precisioni*, 1928, p. 189; Arslan, B., 1931, p. 305; De Rinaldis, *Cat.*, 1948, p. 72; Della Pergola, *Gall. Borgh.*, 1950, p. 16.
Fot.: Anderson 3264; Arch. Fot. Vat. XXXI–521–14 (già Moscioni 21194).

MARCANTONIO BASSETTI.

Verona 1586 – Verona 1630.

187. - CRISTO DEPOSTO (inv. n. 431).
Olio su tela: 0,48 × 0,39.

Conservazione buona.
Provenienza indeterminata.

Era nella raccolta alla fine del 1600, e nell'*Inventario* del 1693 si trova citato come opera del Martiniani, in quello del 1700 c. come opera del Guercino, nome che torna nell'*Inventario* del 1790, per passare a « maniera del Guercino », nel *Fidecommisso* del 1833. Il Venturi l'attribuì al Tiarini, ritenendolo « un abbozzo trascurato assai nella forma ». Fu il Longhi a riconoscervi un'opera del Bassetti e a notarvi la sicura educazione veneta e un punto d'arrivo caravaggesco, per cui dovrebbe essere datato intorno al 1616, ed eseguito a Roma.

BIBL.: *Inv.*, 1693, St. XI, n. 96; *Inv.*, 1700, St. V, n. 189; *Inv.*, 1790, St. V, n. 18; *Inv. Fid.*, 1833, p. 40; Piancastelli, *Ms.*, 1891, p. 203; A. Venturi, *Cat.*, 1893, p. 202; Longhi, *Precisioni*, 1928, pp. 60–64, 218; De Rinaldis, *Cat.*, 1948, p. 57; De Rinaldis, *L'arte in Roma*, 1948, p. 221; Della Pergola, *Itin.*, 1951, p. 35.
Fot.: Gab. Fot. Naz. E 8379, D 549.

GIOVANNI BELLINI.

Venezia 1430 c. – Venezia 1516.

188. - MADONNA COL BAMBINO (inv. n. 176).
Olio su tela: 0,50 × 0,41.

Conservazione in complesso buona. Un restauro eseguito in epoca indeterminata ha lasciato una leggera macchia depressiva alla radice del naso della Vergine.

Appare nella raccolta attraverso l'*Inventario* del 1833 e la sua appartenenza ai Borghese non deve essere di molto anteriore a questa data.

Firmato: « Joannes bellinus – faciebat ».

Malgrado la firma, per cui pensiamo non vi sia ragione di dubbio sull'autenticità, il Morelli attribuì questa tavola al Bissolo, il Venturi, nel *Catalogo*, alla bottega di Giambellino, e nella *Storia* ad un anonimo belliniano vicino a Rocco Marconi, il Bernardini al Catena, il Gronau al Pseudo–Basaiti. Difese strenuamente l'originalità dell'opera (già sostenuta dal Cavalcaselle) il Cantalamessa, e più tardi lo stesso Gronau, il Longhi, il Berenson, il Pallucchini, la ritennero opera della tarda maturità, vicino al 1510, per le affinità con la « Madonna » di Brera. Vicina appare anche alla « Madonna con Santi e committente » della Collezione Watney di Londra, e alla « Madonna » già della Collezione Ralph di Detroit, ed oggi alla National Gallery di Washington, in una rappresentazione più intima e umana del tema.

Fu esposta nel 1911 in Castel S. Angelo a Roma, e nel 1949 alla Mostra di Giovanni Bellini a Venezia.

BIBL.: *Inv. Fid.*, 1833, p. 10; Crowe Cavalcaselle, *Painting in North It.*, 1871 (1912), p. 191; Rosini, *Storia*, 1843, IV, p. 161; Piancastelli, *Ms.*, 1891, p. 1; A. Venturi, *Cat.*, 1893, p. 112; Morelli, *Pittura It.*, 1897, p. 242; Fry, *G. B.*, 1899, p. 156; Bernardini, in *Rass. Arte*, 1910, p. 142; Gronau, in *Rass. Arte*, 1911, pp. 95–98; Cantalamessa, in *Boll. Arte*, 1914, p. 105; A. Venturi, *Storia*, 1915, VII, pp. 588–89; Longhi, *Precisioni*, 1928, p. 195; Gronau, *G. B.*, 1928, pp. 14, 20, 30, 39; Gronau, in *Pinacotheca*, 1928, p. 68; Gronau, *G. B.*, 1930, p. 215; Dussler, *G. B.*, 1935, p. 151; Sandberg–Vavalà, in *Art Bull.*, 1935, p. 237; Van Marle, 1935, XVII, pp. 326–27 (cfr. 1934); Berenson, *Pitture It.*, 1936, p. 63; Gamba, *G. B.*, 1937, p. 160; Hendy e Goldscheider, *G. B.*, 1945, pp. 35, 102; De Rinaldis, *Cat.*, 1948, pp. 45–46.; Dussler, *G. B.*, 1949, pp. 75, 101; *Mostra G. B.*, 1949, p. 200; Della Pergola, *Gall. Borgh.*, 1950, p. 4.

Fot.: Alinari 7975; Anderson 3269; Brogi 11941; Chauffourier4099; Gab. Fot. Naz. E 13043; Arch. Fot. Vat. XXX–57–29 (già Moscioni 21214).

COPIA DA GIOVANNI BELLINI.

189. – TESTA FEMMINILE (inv. n. 117).

Olio su tavola: 0,30 × 0,20.

Conservazione discreta. Pulita nel 1936 da Carlo Matteucci (direttore Aldo De Rinaldis).

Provenienza indeterminata.

È citata per la prima volta nell'*Inventario* del 1790 come opera di Giovanni Bellini. Gli *Elenchi Fidecommissari* l'annotano sotto il nome del Pordenone, che nelle schede del Piancastelli è precisato: « Bernardino Licinio detto il Pordenone ». Il Venturi la riferì al Catena, mentre il Longhi vi intravide giustamente « un modulo molto bellinesco ». Il De Rinaldis, dopo il restauro, la giudicava « falsificazione antica d'un ritratto tipo bellinesco ». Deriva infatti dalla mirabile figura in secondo piano nella tavola a chiaroscuro della Galleria degli Uffizi (n. 943) rappresentante il « Compianto di Cristo », mentre un prototipo stilisticamente più diretto si può vedere nella « Presentazione al Tempio » del Museo Correr a Venezia, firmata da Vincenzo dalle Destre. Quello che però è da notare, è che l'*Inventario* di Olimpia Aldobrandini, nel 1682, elencava « un Christo Morto di Giovanni Bellini in Chiaroscuro, in Tavola, alto pmi 3 » che ha tutta l'aria di essere proprio la tavola degli Uffizi. E nella raccolta Borghese sono rimasti, purtroppo in opere sempre secondarie, molti altri esempi di ricordi di capolavori emigrati in altre raccolte. Così si può spiegare anche la presenza attuale di questa testa.

BIBL.: *Inv.*, 1790, St. III, n. 44; *Inv. Fid.*, 1833, p. 23; Piancastelli, *Ms.*, 1891, p. 31; A. Venturi, *Cat.*, 1893, p. 92; Longhi, *Precisioni*, 1928, p. 189; De Rinaldis, in *Archivi*, 1937, p. 223.

Fot.: Gab. Fot. Naz. E 27673.

BONIFAZIO DE' PITATI.

Verona 1487 – Venezia 1553.

190. – GESÙ NELLA FAMIGLIA DEGLI ZEBEDEI (inv. n. 156). Fig. 192.
Olio su tela: 1,37 × 2,04.

Conservazione buona.

Provenienza indeterminata.

Nell'*Inventario* del 1693 è così citato: « un quadro grande con Nro Sigre a sedere con il libro in mano con gli Apostoli intorno con una Donna avanti in Ginocchioni del N. 344 di Titiano cornice dorata ». Il *Fidecommisso* del 1833 reca la giusta attribuzione a Bonifazio de' Pitati. Conservata tale attribuzione fino al *Catalogo* del Venturi e gli Elenchi del Berenson, ribadita dal Longhi nelle *Precisioni*, ebbe tuttavia una breve eclissi nella *Storia dell'Arte* del Venturi, che preferì in un secondo tempo l'assegnazione ad Antonio Palma. Il Morelli aveva fatto il nome di Bonifazio Veronese Senior, e così il De Rinaldis, mentre la Wesphal, nella monografia sull'artista, lo cataloga tra le opere « erroneamente attribuite » al pittore. I caratteri di questo dipinto, molto limpidi nello stile e nel colore, non creano in realtà dubbi sulla paternità già affermata nel *Fidecommisso*.

BIBL.: *Inv.*, 1693, St. V, n. 14; *Inv. Fid.*, 1833, p. 8; Piancastelli, *Ms.*, 1891, p. 35; A. Venturi, *Cat.*, 1893, p. 89; Morelli, *Pittura It.*, 1897, p. 243; Ludwig, in *Jahrb. d. preuss. Kstsmlgn.*, 1901, XXII, pp. 61, 180; 1902, XXIII, p. 36; Phillipps, *Ven. School*, 1912, p. 211; Longhi, *Precisioni*, 1928, p. 193; A. Venturi, *Storia*, 1928, IX, 3, p. 1054; Wesphal, B., 1931, pp. 49, 107, 155; Berenson, *Pitture It.*, 1936, p. 82; De Rinaldis, *Cat.*, 1948, p. 88; Della Pergola, *Itin.*, 1951, p. 56.

Fot.: Alinari 7980; Anderson 3254; Brogi 11978.

SEGUACE DI BONIFACIO DE' PITATI

191. – L'ADULTERA (inv. n. 149).
Olio su tela: 1,57 × 2,70.

Conservazione buona. L'ampliamento ai lati, denunciato dal Venturi nel 1893, non appare in alcun modo.

Provenienza indeterminata.

Era nella raccolta nel 1613, e in quell'anno Annibale Durante eseguiva una « cornice (con il battente dorato fatta nera) per il quadro dell'Adultera alto pmi 7 largo 10 », che date le misure, possiamo riferire senza tema di errore a questo dipinto. Nel 1693, l'*Inventario* così l'annota: « Un quadro grande con dentro Nro Sigre che scrive in terra alla Donna Adultera con cornice dorata del N° di Titiano ». Ancora nell'*Inventario* del 1700: « Il grande in mezzo che rappresenta la Donna Adultera del Titiano ». Nella descrizione del Rossini e negli *Inventari* successivi è sempre citato come opera di Tiziano, mentre il *Fidecommisso*, più prudentemente, lo annota sotto: « scuola veneziana ». Il Morelli pensò a Bonifazio, nome rifiutato dal Venturi e dal Longhi, che vi vide però « l'opera di un debole imitatore sotto l'influsso della grafia nordica ». Il Venturi aveva già notato come la figura del S. Giorgio derivasse dalla pala di Castelfranco di Giorgione.

Bibl.: *Fondo Borgh.* (Busta 4170), 1613; *Inv.*, 1693, St. III, n. 4; *Inv.*, 1700, St. III, n. 38; Rossini, *Mercurio*, 1750, I, p. 62 (cfr. 1693); *Inv. Fid.*, 1790, St. III, n. 38; *Inv. Fid.*, 1833, p. 23; Piancastelli, *Ms.*, 1891, p. 65; A. Venturi, *Cat.*, 1893, p. 105; Morelli, *Pittura It.*, 1897, p. 243; Longhi, *Precisioni*, 1928, p. 192.
Fot.: Alinari 7979; Gab. Fot. Naz. E 33246.

DERIVAZIONE DA FRANCESCO BONSIGNORE.

Verona *1455* c. – Caldiero (Verona) *1519*.

192. – RITRATTO DEL PETRARCA (inv. n. 426). Fig. 190.
Olio su tela: 0,33 × 0,22.

Conservazione buona.
Provenienza indeterminata.

Era nella raccolta nel 1693, ed elencato nell'*Inventario* di quell'anno: « Un quadro di un palmo e mezzo in circa d'altezza con un ritratto di un Homo vestito con il Cappuccio in testa con lettere sotto che dicono franciscus Petrarcha in tavola del N° 522. Segnato dietro con cornice dorata. Incerto ». Nell'*Inventario* del 1790 si ritrova con l'attribuzione all'Holbein, che mantiene fino al *Fidecommisso* e forse al Piancastelli, sebbene il dipinto non corrisponda al numero citato del *Fidecommisso* e non sia incluso nelle schede manoscritte del 1891. Il Venturi lo assegna a scuola « Bellinesca », il Berenson a Girolamo da Santa-croce, il Longhi riprende l'attribuzione del Venturi. Questo profilo è molto vicino a quello conservato nel Museo di Sarasota, in Florida, ed entrambi sembrano derivare da un prototipo, più che belliniano, di Francesco Bonsignore.

Bibl.: *Inv.*, 1693, St. VI, n. 31; *Inv.*, 1790, St. X, n. 37; A. Venturi, *Cat.*, 1893, p. 201; Longhi, *Precisioni*, 1928, p. 218; Della Pergola, *Itin.*, 1951, p. 32.
Fot.: Alinari 27510; Anderson 2722; Brogi 15879.

PARIS BORDONE.

Treviso *1500* – Venezia *1571*.

193. – VENERE, UN SATIRO E AMORE (inv. n. 119).
Olio su tela: 1,22 × 1,48.

Conservazione buona.
Provenienza indeterminata.

Era nella raccolta nel 1650, citato dal Manilli con la giusta attribuzione: « La Venere colca, che ha in piedi Cupido, e un Satiro, è di Paris Bordone ». Tuttavia il dipinto giunse al *Fidecommisso* come opera di « scuola di Tiziano ». Il Morelli lo confuse con il n. inv. 124 e lo ritenne brutta copia da Paris Bordone. Il Venturi vi vide un'opera originale, sebbene non delle più felici, di questo maestro, e su tale giudizio si può tuttora consentire. Una replica, senza la figura del Satiro, si trova nella Galleria della Ca' d'Oro, a Venezia.

Bibl.: Manilli, 1650, p. 99; *Inv.*, 1693, St. VI, n. 3; *Inv. Fid.*, 1833, p. 25; Piancastelli, *Ms.*, 1891, p. 15; A. Venturi, *Cat.*, 1893, p. 92; Morelli, *Pittura It.*, 1897, p. 243; Ullmann, in *Repert. f. Kstwiss.*, XVII, 1894, p. 163; Ballo e Biscaro, *P. B.*, 1900, pp. XXVII, 150, 212; Longhi, *Precisioni*, 1928, p. 189; Suida, in *Belvedere*, 1934-35, pp. 207-208; Berenson, *Pitture It.*, 1936, p. 371; De Rinaldis, *Itin.*, 1939, p. 52; Scheffler, *Venezian. Malerei*, 1949, p. 265.
Fot.: Anderson 4574; Brogi 6483; Arch. Fot. Vat. XXXI-51-1 (già Moscioni 21190).

CANALETTO (Giovanni Antonio Canal).

Venezia 1697 – Venezia 1768.

194. - IL COLOSSEO (inv. n. 540).
Olio su tela: 0,27 × 0,36.
Fot.: Anderson 3586; Gab. Fot. Naz. E 2708.

195. - LA BASILICA DI MASSENZIO (inv. n. 541).
Olio su tela: 0,27 × 0,36.
Fot.: Anderson 3587; Gab. Fot. Naz. E 2709.

Conservazione buona.

Acquistati nel 1908 su proposta di Ettore Modigliani, presso Walter I. Abraham, a Londra, per il prezzo complessivo di L. 2500.

Pubblicati per la prima volta dal d'Achiardi, furono giudicati piuttosto del Bellotto dall'Ashby, mentre l'Ozzola li assegnava alla giovinezza del Canaletto. Il Longhi sembra propendere per quest'ultimo, trovandovi però elementi da cui deriverà l'arte del Bellotto. L'influenza della pittura romana di rovine è sensibile, ma non sufficiente per alienare queste due piccole tele dall'opera del Canaletto. La veduta del Foro Romano fu incisa dal Brustolon.

BIBL.: *Kunstchronik*, 1909, p. 254; D'Achiardi, in *Boll. Arte*, 1912, pp. 81-82; Ozzola, in *Arte*, 1913, pp. 121, 128; Strinati, in *Emporium*, 1924, pp. 601-12; Ashby, in *Burl. Mag.*, 1925, pp. 207-14; Longhi, *Precisioni*, 1928, p. 225; H. A. Fritzsche, *C.*, 1936, pp. 105, 228; De Rinaldis, *Itin.*, 1939, p. 30; Morassi, in *Arte Veneta*, 1950, (IV) p. 47.

CARIANI (Giovanni Busi).

Bergamo 1480 – Venezia 1547.

196. - MADONNA COL BAMBINO E S. PIETRO (inv. n. 164).
Olio su tela: 0,73 × 0,94.

Conservazione buona.
Provenienza indeterminata.

È sicuramente individuabile nell'*Inventario* del 1693: « Un quadro di tre palmi in tela la Madonna, il Bambino e S. Pietro del N. 98 con cornice dorata del Palma Vecchio ». Si ritrova nel *Fidecommisso* come opera di Giovanni Bellini, e venne restituita al Cariani dal Cavalcaselle e dal Mündler, con la successiva accettazione del Venturi, del Berenson e del Longhi. Questa tela, rappresentativa per l'arte del Cariani, è ritenuta eseguita nella sua prima giovinezza dal Baldass, che l'accosta alla « Madonna col Bambino e S. Sebastiano » del Louvre e alla « Sacra Conversazione » dell'Accademia di Venezia, ci sembra con molta ragione.

BIBL.: *Inv.*, 1693, St. V, n. 29; *Inv. Fid.*, 1833, p. 14; Mündler, in *Jahrb. f. Kstwiss.*, 1869, p. 64; Crowe Cavalcaselle, *Painting in North It.*, 1871 (1912), III, pp. 449, 454; Piancastelli, *Ms.*, 1891, p. 2; A. Venturi, *Cat.*, 1893, p. 108; Morelli, *Pittura It.*, 1897, p. 246; Foratti, in *l'Arte*, 1910, p. 180; Phillipps, *Ven. School*, 1912, p. 143; Longhi, *Precisioni*, 1928, p. 193; A. Venturi, *Storia*, 1928, IX, 3, p. 441; Baldass, in *Jahrb. d. Ksthist. Smlgn in Wien*, 1929, p. 91 ss; De Rinaldis, *Cat.*, 1948, p. 73; Della Pergola, *Itin.*, 1951, p. 33; Gallina, *G. C.*, 1954, p. 114.
Fot.: Alinari 27493; Anderson 3400; Brogi 15886; Arch. Fot. Vat. XXX-60-28 (già Moscioni 21207).

MANIERA DEL CARIANI.

197. – SCENA DI SEDUZIONE (inv. n. 311).
Olio su tela: 0,60 × 0,80.

Conservazione non buona. Il colore è arido e in parte sollevato, ma dubitiamo che la necessaria rintelatura e pulitura a cui si procederà prossimamente potrà mettere in evidenza una migliore qualità del dipinto.
Provenienza indeterminata.
Era nella raccolta nel 1693: « un quadro in tela di tre palmi in circa di altezza con 4 figure, tre homini et una Donna del N° 355 con cornice dorata del Giorgioni ». Nell'*Inventario* del 1790 l'attribuzione passa a Tiziano e come scuola di Tiziano è elencato nel *Fidecommisso* e dal Piancastelli. Il Venturi spostò invece l'autore verso Ferrara, e pensò a Dosso Dossi, il Berenson e il Bernardini al Cariani. Il Longhi lo ritenne una derivazione da un originale di Tiziano, intorno al 1520. La composizione a mezzo busto, di tre e in questo caso quattro figure, rientra nello schema giorgionesco, ma così come appare oggi fa pensare piuttosto ad un pittore della cerchia del Cariani che al Cariani stesso.

BIBL.: *Inv.*, 1693, St. IV, n. 19; *Inv.*, 1790, St. VII, n. 31; *Inv. Fid.*, 1833, p. 35; Piancastelli, *Ms.*, 1891, p. 18; A. Venturi, *Cat.*, 1893, p. 158; Bernardini, in *Rass. Arte*, 1910, p. 144; Jewett Mather, in *Art. Bull.*, 1926, p. 70; Longhi, *Precisioni*, 1928, p. 205; Berenson, *Pitture It.*, 1936, p. 111; Jewett Mather, *Venet. Painters*, 1936, p. 16; Gallina, *G. C.*, 1954, p. 64.
Fot.: Arch. Fot. Vat. XXXI–43–6 (già Moscioni 21261); Gab. Fot. Naz. E 18839; 32701.

VITTORE CARPACCIO.

Venezia 1455 c. – Venezia 1526.

198. – UNA CORTIGIANA (inv. n. 450).
Olio su tavola: 0,30 × 0,24.

Conservazione buona. Nel 1916 (direttore Giulio Cantalamessa) venne eseguita una pulitura radicale che riportò il colore alla stato originale. Infatti, in epoca indeterminata, i capelli della donna erano stati ripassati in nero, e il fondo in marrone. Una seconda pulitura venne eseguita nel 1936 da Carlo Matteucci (direttore Aldo De Rinaldis).
Provenienza indeterminata.
Appare per la prima volta, in modo identificabile, nel *Fidecommisso* del 1833, come « Retratto, d'autore incerto ». Nelle schede del Piancastelli ha la strana indicazione: « Una Santa, di autore incognito», che fa pensare come la ridipintura dovesse aver camuffato tutta la figura. Il Venturi annotava giustamente l'accostamento alla scuola del Carpaccio e i troppi rifacimenti che ne impedivano una esatta valutazione. Il Cantalamessa, pubblicandolo dopo la pulitura, proponeva l'attribuzione allo stesso Carpaccio, confutato tuttavia dal Longhi, dal Borenius, dall'Hausenstein e riaffermata dal De Rinaldis e dal Fiocco. Il Borenius pose il dipinto in relazione con il disegno di un ritratto femminile della raccolta Vendramin, che tuttavia non è possibile identificare con questo dipinto, ma solo accostarlo. Il nome del Carpaccio non ci sembra fuori luogo, malgrado sia stato cancellato alla Mostra di Parigi del 1954.
Esposto nel 1953–54 alle Mostre di Sciaffusa, Amsterdam, Bruxelles, Parigi.

BIBL.: *Inv. Fid.*, 1833, p. 27; Piancastelli, *Ms.*, 1891, p. 450; A. Venturi, *Cat.*, 1893, p. 208; Cantalamessa, in *Boll. Arte*, 1916, p. 269; Borenius, *Gall. Vendramin*, 1923, p. 36; Hausenstein, *V. C.*, 1925, p. 130; Longhi, *Precisioni*, 1928, p. 221; Fiocco, *C.*, 1931, p. 79; Berenson, *It. Pict.*, 1932, p. 134;

De Rinaldis, *Itin.*, 1939, p. 55; De Rinaldis, *Cat.*, 1948, p. 43; Della Pergola, *Gall. Borgh.*, 1950, p. 6; *Mostra Pitt. Veneta a Sciaffusa*, 1953, p. 30; *Mostra Pitt. Veneta ad Amsterdam*, 1953, p. 28; *Mostra Pitt. Veneta a Bruxelles*, 1953, p. 26; *Mostra Pitt. Veneta a Parigi*, 1954, n. 16.

Fot.: Alinari 27512; Anderson 24258; Brogi 15914 (tutte prima del 1936); Gab. Fot. Naz. E 33018.

NICOLÒ FRANGIPANE.

Padova? 1540 c. – Notizie fino al 1597.

199. – DUE UOMINI CON UN CANE (inv. n. 114).
Olio su tela: 0,68 × 0,68.

Conservazione scadente,
Provenienza indeterminata.

Era nella raccolta nel 1693, e l'*Inventario* di quell'anno lo annota con precisione: « un quadro in tela di 3 palmi in quadro con un Homo che tiene un ciufolo in mano et un Cane che gli appoggia le zampe al petto et un'altra figura del N. 550 con cornice dorata di Tiziano ». Non è identificabile invece nel *Fidecommisso* e nel Piancastelli, mentre il Venturi lo pone sotto scuola veneziana; il Longhi lo accosta a Nicolò Frangipane, con cui ha evidenti punti di contatto.

BIBL.: *Inv.* 1693, St. VII, n. 11; A. Venturi, *Cat.*, 1893, p. 90; Longhi, *Precisioni*, 1928, p. 187.
Fot.: Gab. Fot. Naz. E 33296.

ALVISE (o LUIGI) GAIETANI.

Venezia: notizie dal 1595 – Venezia 1631.

200. – L'ADDOLORATA (inv. n. 502).
Mosaico: 0,60 × 0,45.

Conservazione buona.
Acquistato probabilmente dal Cardinale Borghese direttamente dall'artista.
Firmato e datato: « Opus Aloysii Gaietani Veneti 1607 ».

Malgrado la firma dell'autore, nell'*Inventario* del 1700 è confuso con le opere di Marcello Provenzale e attribuito a quest'ultimo, ma la giusta denominazione appare nell'*Inventario* del 1790. È traduzione dal dipinto omonimo di Tiziano, il che fece ritenere al Venturi che derivasse dal dipinto bassanesco della stessa raccolta (inv. n. 63). Nell'*Inventario* del 1693 il nome dell'artista scompare per riferirsi all'originale di Tiziano da cui deriva: « un quadro di due palmi e mezzo in musaico con una Madonna con le mani piegate disegno di Titiano del n. 645 cornice negra ».

BIBL.: *Inv.*, 1693, St. XI, n. 91; St. VIII, n. 242; *Inv.*, 1790, St. VII, n. 122; *Inv. Fid.*, 1833, p. 32; A. Venturi, *Cat.*, 1893, p. 219; Longhi, *Precisioni*, 1928, p. 223.
Fot.: Gab. Fot. Naz. E 32830.

GIORGIONE (Giorgio da Castelfranco).

Castelfranco Veneto 1477 – Venezia 1510.

201-201 *bis* – IL CANTORE APPASSIONATO (inv. n. 132).
Olio su tela: 1,02 × 0,78.

Fot.: Anderson 31248; Gab. Fot. Naz. E 26491 (prima del restauro); Fot. Direz. Galleria Borghese; Gab. Fot. Naz. E 34005, 34006, 34007 (dopo il restauro).

202. – UN CANTORE (inv. n. 130).

Olio su tela: 1,02 × 0,78.

Fot.: Anderson 31249; Gab. Fot. Naz. E 28414 (prima del restauro); Fot. Direz. Galleria Borghese; Gab. Fot. Naz. E 34004 (dopo il restauro).

Queste due tele, che facevano parte di un'unica composizione, ci sono giunte in condizioni molto precarie. Apparentemente meglio conservato il cosidetto « Pastore Appassionato », che, dietro segnalazione del Longhi, venne nel 1945 sommariamente pulito da Carlo Matteucci (direttore Aldo De Rinaldis). Entrambe furono riprese in esame nel 1953 e affidate per il restauro radicale ad Alvaro Esposti. I fondi presentavano un denso strato di sudiciume che si era amalgamato con un antico rifacimento bituminoso, così da fare corpo con esso, come è documentato sia dalle vecchie fotografie Anderson, sia da quelle del Gab. Fot. Naz. che tuttavia indicano un inizio di pulitura. Le parti lacunose erano molte nel dorso del n. inv. 130, mentre il n. 132 presentava delle forti svelature nella camicia bianca così da lasciare intravvedere un rosato sottostante, che poteva sembrare un pentimento o una zona di preparazione. In entrambe erano intatte le parti figurative del volto, come la mano del n. 132, mentre quella del n. 130, tutta in ombra, sembrava incompiuta, o anch'essa priva delle ultime velature. Rimossi i fondi, palesemente falsi, venne recuperato in parte quello atmosferico, che per il n. 132 lasciava scoperta una sorgente di luce alla sommità del berretto, via via digradante verso destra e verso sinistra, ed una testa, abbozzata, ma forte d'intensità espressiva, nella zona tra la falda del berretto e la spalla. Nel n. 130 appariva un berretto rosso gettato alla brava, e terminante in una piuma, e un lungo piffero nella mano, che si era creduto reggesse una spada, e che aveva dato alla figura l'appellativo di « soldato » o « bravo ». Le due tele inoltre, leggerissime, veneziane, apparivano tagliate a identica misura sui telai, ma entrambe con una giunta alla stessa distanza, che faceva supporre fossero in origine unite, e costituissero una sola composizione, che doveva comprendere una terza figura. I dipinti sono condotti con una doppia tecnica, a velature nei fondi, nella mano del n. 130, nella camicia bianca del « Pastore Appassionato» e nei due berretti; a grosso impasto di colore, sensibile anche nella radiografia, nella mano del n. 132, nei volti, nel manto giallo gettato sulla spalla del n. 132. La preparazione è quasi inesistente, forse appena una mano di colla, e il colore è disteso sulla tela direttamente valendosi per alcuni tratti del gioco stesso della trama per effetti di rilievo e di ombre.

Provengono con molta probabilità dalla collezione Vendramin di Venezia, dove nel 1569 era: « Un quadro de man de Zorzon de Castelfranco, con tre testoni che canta », e dovettero essere donati intorno al 1618–19 dal Cardinale Francesco Vendramin a Scipione Borghese (A. S. B. V. 1618–1619, vol. 7992, p. 52, n. 520 e p. 129, n. 393. Cfr. Bibl. gen., Documenti, nn. 17, 19).

Si trovano citati nella raccolta Borghese, per la prima volta, dal Manilli nel 1650 come « i due Buffoni di Giorgione ». L'*Inventario* del 1693 e quelli successivi ripetono sia la denominazione, sia l'appartenenza a Giorgione, che rimane immutata fino al *Fidecommisso* del 1833, dove invece appaiono come opera di Giovanni Bellini. Il Venturi li indicò come « Caricature d'uomo » e fece il nome di Domenico Capriolo, che ebbe un certo successo, tanto che il Fiocco lo ripetè nel 1929 per le due copie provenienti dalla Collezione Donà dalle Rose e apparse sul mercato romano nel 1937. Ma già il Longhi nel 1927 aveva intuito la grande potenza d'arte del n. 132, che assegnò in un primo tempo a Domenico Mancini, e più tardi (1945), oralmente, allo stesso Giorgione. Le copie Donà dalle Rose (segnalateci dal dott. Zeri), probabilmente della fine del Cinquecento o dei primi anni del Seicento, vennero eseguite, secondo la nostra supposizione, al momento in cui il « quadro coi tre testoni che canta » venne smembrato, e ricoperti i fondi originali con i fondi neri che sono giunti, più volte rimaneggiati, fino ai nostri giorni. Esse mostrano infatti ricoperti tutti gli elementi « di disturbo » del n. 132, la sorgente luminosa e la testa abbozzata, mentre, per simmetria, veniva coperto anche il berrettaccio del n. 130, e ripassato tutto il dorso, forse già danneggiato. Molto interessante a questo proposito è la notizia cortesemente fornitaci dal Comm.te Aldo Bechis di Venezia, che ha compiuto ampie e diligenti ricerche intorno ai Vendramin, ed ha potuto consultare l'Archivio della famiglia, in quella parte donata nel 1941 da Maria Zanetti ved. Marigonda, alla Civica Biblioteca del Museo Correr. Secondo tale fonte, nel 1619, e cioè proprio nell'anno in cui intercorrevano i rapporti tra il Card. Vendramin e Scipione Borghese, Andrea Vendramin, uno dei nipoti di Gabriele, e coerede della raccolta artistica di questi, lamentava le molte « espillationi nelle rare et eccellentissime raccolte che al tempo della morte di Gabriele valevano 15.000 ducati et hora sono ridotte al valore di ducali 400 circa » e aggiungeva che « bona parte delle pitture hanno sofferto, et molte cornici sono andate a male per l'umido e per star sempre nel chiuso; e che molti disegni sono ridotti a fradiciume ». (Arch. Vendramin. Bibl. Correr. Venezia A. 1619, 15 maggio).

L'antica indicazione a Giorgione trova conferma in quanto gli storici, dal Vasari a Ludovico Dolce, scrivono sulla ultima maniera del grande pittore veneto. Grandi figure a mezzo busto, vivacemente dipinte, con una tecnica che stupisce e riesce difficile riportare a parole. Nella seconda edizione delle *Vite* (1565) il Vasari, come già notò il Longhi (*Viatico per Cinque Secoli di Pittura Veneziana*, Firenze, 1945, pp. 21–22), scrive, sulla base dell'esperienza del suo viaggio a Venezia, e di una più diretta visione delle opere che si trovano in collezioni private: « Giorgione abbandonata la maniera secca, cruda e stentata dei Bellini » prova a « cacciarsi dinanzi le cose vive e naturali e contraffarle quanto sapeva il meglio con i colori e macchiarle con le tinte crude e dolci secondo che il vivo mostrava, senza far disegno, tenendo per fermo che il dipinger solo con i colori stessi, senz'altro studio di disegnare in carta fosse il vero e miglior modo di fare». I due « Cantori » Borghese sembrano tradurre in immagine le parole vasariane, e sono dunque tra i rarissimi esempi della estrema pittura di Giorgione, veramente « moderna » e destinata ad avere così vasta risonanza per tutto il secolo, e fino al Caravaggio, ed oltre il Caravaggio. La loro datazione dovrà trovare limite nella morte di Giorgione stesso, 1510. Il nome di Giorgione è stato accolto per essi dal Longhi, Grassi, Wittgens, Zeri, Mariani, (oralmente) L. Collobi Ragghianti e da Marco Valsecchi, mentre il Fiocco e il Berenson rimangono tenacemente affezionati alla loro vecchia attribuzione al Capriolo, L. Venturi non si pronuncia per alcun altro pittore e il Gamba pensa a « qualche pittore di provincia influito dal Pordenone ».

Bibl.: Manilli, 1650, p. 68; *Inv.*, 1693, St. III, nn. 30, 38; Roisecco, *Roma ampliata*, (1745) 1750, p. 158); *Inv. Fid.*, 1833, p. 23; Piancastelli, *Ms.*, 1891, pp. 4, 5; A. Venturi, *Cat.*, 1893, p. 97; Berenson, *Venet. Painters*, 1906, p. 98; Longhi, in *Vita Artistica*, 1927, p. 14; Longhi, *Precisioni*, 1928, pp. 87, 91, 190; Fiocco, in *Riv. Arch. e St. Arte*, 1929, I, pp. 124-125; Wilde, in *Jahrb. d. Ksthist. Smlgn. in Wien*, 1933, p. 112; Lorenzetti e Planiscig, *Coll. Donà delle Rose*, 1934, p. 17, nn. 59, 60; Suida, in *Belvedere*, 1934-1935, p. 100; De Rinaldis, *Cat.*, 1948, p. 21; Della Pergola, *Gall. Borghese*, 1950, p. 10; Della Pergola, in *Paragone*, 1954, n. 49, pp. 27-35; Berenson, in *Corriere della Sera*, 15 aprile 1954; Fiocco, Grassi, Wittgens in *Scuola e Vita*, 1954, n. 8, pp. 11-13; Longhi in *Scuola e Vita*, 1954, n. 9, p. 13; Gnudi, Zeri, in *Scuola e Vita*, 1954, n. 10, pp. 6; Collobi-Ragghianti, in *Le vie d'Italia*, 1954, pp. 630-32; Milton Gendel, in *Art News*, 1954, II, p. 48; Gamba, in *Arte Veneta*, VIII, 1954, p. 177; Valsecchi, *Pittura Veneziana*, 1954; *Sele Arte*, III, 15, 1954, pp. 26, 27. Ferrara, in *Nuova Antologia*, 1954, p. 569; Della Pergola, *G.*, 1955, pp. 34, 48; Mostra G., 1955.

COPIA DA GIORGIONE.

203. - RITRATTO D'UOMO (inv. n. 82).

Olio su tela: 0,38 × 0,30.

Conservazione discreta.

Provenienza indeterminata.

È copia del ritratto Terris attribuito a Giorgione dal Richter e dal Morassi (*Giorgione*, 1942, pp. 104-105) ed attualmente nel Museo di S. Diego in California (riferimento del dott. Zeri). La copia Borghese si trova citata, per la prima volta con sicurezza, nell'*Inventario Fidecommissario* del 1833, come opera del Bronzino, e con questo nome ritorna nelle schede del Piancastelli. Il Venturi lo assegna ad Ottavio Leoni trasferendolo in più giusta ambientazione; ma il Longhi scartò questo riferimento, senza proporne altri. Il Leoni veniva pagato il 26 agosto 1619 di « scudi 60 mta per il prezzo di 4 Ritratti di pittura fatti da lui per nostro servitio » (Arch. Seg. Vat., Fondo Borghese, vol. 7992, Registro dei Mandati, p. 123, n. 379) ma non sapremmo assegnargli questo dipinto. Può invece essere interessante notare come si trovi nella raccolta, più di una volta, copia di opere che vi esistevano negli originali, e che sono state vendute in varie epoche. E forse il ritratto Terris ha avuto questa provenienza.

BIBL.: *Inv. Fid.*, 1833, p. 24; Piancastelli, *Ms.*, 1891, p. 255; A. Venturi, *Cat.*, 1893, p. 76; Longhi, *Precisioni*, 1928, p. 185.

Fot.: Gab. Fot. Naz. E 32780.

SEGUACE DI GIORGIONE.

204. - RITRATTO DI DONNA (inv. n. 143).

Olio su tela: 0,97 × 0,75.

Conservazione assai problematica. Il dipinto, che già rivelava alterazioni e ritocchi antichi segnalati dal Venturi, ha subìto un restauro nel 1940 c. per opera di Carlo Matteucci (direttore Aldo De Rinaldis), restauro che pensiamo tuttavia non condotto a fondo, e che ci proponiamo di riprendere prossimamente.

Provenienza indeterminata.

È citato con sicurezza per la prima volta nell'*Inventario* del 1693: « Un ritratto di una Donna che tiene un fazzoletto in mano del N. 60 con cornice dorata liscia intagliata di Tiziano ». Nel *Fidecommisso* appare come opera di scuola di Raffaello, mentre il Piancastelli lo riconduce nella cerchia veneziana. Questo dipinto deve la sua fama al Morelli, che in un dialogo immaginario l'attribuì a Giorgione. Rompicapo per tutti gli studiosi d'arte veneta, fu dal Longhi in un primo tempo (1928) accostato cautamente « in vicinanza del Lotto verso il 1530 » e più tardi (1946) riferito a « un ignoto giorgionesco ». Così il Mayer e il Berenson tentarono un accostamento a Giorgione che lascia molto perplessi. A scuola veneta lo riferì il Monneret de Villard, lo Justi allo stesso Giorgione, ad un anonimo veneto L. Venturi, ancora a Giorgione il Cook, il Gronau e in parte il Dreyfous, mentre il Wickhoff pensò a Bernardino Licinio, seguito dal Fiocco. Ancora ad un seguace di Giorgione lo ascrive il Morassi. Certo notevole affinità sembra presentare con il ritratto di Ottaviano Grimani, del Licinio, conservato nell'Hofmuseum di Vienna, e con quello, di ancor maggiore qualità, firmato, che è tornato in Italia con le opere recuperate dalla raccolta di Goering, e che, nell'impostazione grandiosa e nell'espressione malinconica, sembra rifarsi ad un modello più alto. Tuttavia la prima interpretazione del Longhi, che poneva questo dipinto nell'ambiente veneto di provincia ci sembra più accettabile, per quel tanto di giorgionismo che conserva e che si proietta nel retroterra veneto per tutta la prima metà del secolo.

BIBL.: *Inv.*, 1693, St. V, n. 4; *Inv. Fid.*, 1833, p. 36; Piancastelli, *Ms.*, 1891, p. 310; A. Venturi, *Cat.*, 1893, p. 101; Morelli, *Pittura It.*, 1897, pp. 250-51; Cook, *G.*, 1900, p. 156; Modigliani, in *Connoisseur*, 1902, p. 184; Landau, *G.*, 1903, p 66; Monneret de Villard, *G.*, 1904, pp. 44-45; Berenson, *Venet. Painters*, 1906, p. 106; Gronau, in *Repert. f. Kstwiss.*, 1908, p. 426; Justi, *G.*, 1908, I, p. 137 ss.; L. Venturi, *G.*, 1913, p. 260; Dreyfous, *G.*, 1914, p. 45; Justi, *G.*, 1926, pp. 154, 328-329; Heinemann, *Tizian*, 1928, p. 32; Longhi, *Precisioni*, 1928, p. 190; Mayer, in *Pantheon*, 1932, pp. 375, 378; Berenson, *Pitture It.*, 1936, p. 143; Jewett Mather, in *Art Bull.*, 1937, XIX, p. 600; Phillips-Dwight, *G.*, 1937, pp. 57, 142; Richter, *G. da Castelfranco*, 1937, pp. 204, 237; Fiocco, *G.*, 1941, p. 138; Morassi, *G.*, 1942, p. 185; Longhi, *Viatico*, 1946, pp. 25, 84; Berenson, *Metodo e attribuzioni*, 1947, p. 121.

Fot.: Alinari 8180; Anderson 4898, 830; Brogi 15896; Gab. Fot. Naz. E 21762, E 21187; Arch. Fot. Vat. XXXI-43-11 (già Moscioni 21199) tutte prima del restauro del 1940; Gab. Fot. Naz. E 33263 (dopo il restauro del 1940).

GIROLAMO DA SANTACROCE.

Bergamo?: notizie dal 1503 al 1556.

205. – BUSTO DI DONNA (inv. n. 76).
Olio su tavola: 0,42 × 0,35.

Conservazione buona.

Provenienza indeterminata.

È identificabile solo nel *Fidecommisso* del 1833 dove è attribuito a scuola di Tiziano. Il Venturi l'accosta invece a Jacopo Palma, mentre il Longhi vi suppone « la mano di un qualche diretto bellinesco, forse del Catena ». L'opinione dello Zeri (orale) che possa trattarsi di un'opera di Girolamo da Santacroce ci sembra la più accettabile. Recentemente il Robertson, nella monografia sul Catena, attribuisce a questo maestro un identico ritratto, che si trova nella Galleria Nazionale di Edinburgo (n. 1675), proveniente dalla collezione Bardini di Firenze.

BIBL.: *Inv. Fid.*, 1833, p. 19; Piancastelli, *Ms.*, 1891, p. 12; A. Venturi, *Cat.*, 1893, p. 73; Longhi, *Precisioni*, 1928, p. 183; Robertson, *V. Catena*, 1954, p. 51, n. 23.

Fot.: Gab. Fot. Naz. E 32794.

BERNARDINO INDIA.

Verona 1528 – Verona 1590.

206. – MADONNA COL BAMBINO E S. GIOVANNINO (inv. n. 59).
Olio su tavola: 0,84 × 0,65.

Conservazione buona.

Provenienza indeterminata.

L'identificazione di questo dipinto non va oltre il *Fidecommisso*, dove è segnato come opera di autore incognito. Il Venturi lo attribuì a Cristoforo Roncalli, il Longhi ad un imitatore del Salviati verso la metà del Cinquecento. Mentre non sapremmo vedere caratteri assolutamente toscani o romani in questo dipinto, il trasferimento nella sfera veneta ci sembra spontaneo, e particolarmente nella cerchia di Paolo Veronese. La sua approssimazione con la « Sacra Famiglia » del Museo Civico di Verona opera di Bernardino India, specie per le figure dei due bambini, sembra indirizzare verso questo nome. Il dipinto è condotto nel clima pittorico di Dionigi Battaglia e Stefano dell'Arzere, e vi si può notare l'eco dell'accademismo tosco–romano giunto in un estremo e piuttosto debole riflesso anche nel Veneto. La tavolozza invece si accorda, nei pallidi rosa, nei verdi un po' acerbi, nei gialli, a quella di Paolo Veronese.

BIBL.: *Inv. Fid.*, 1833, p. 38; Piancastelli, *Ms.*, 1891, p. 473; A. Venturi, *Cat.*, 1893, p. 64; Longhi, *Precisioni*, 1928, p. 182.

Fot.: Gab. Foto. Naz. E 32767.

BERNARDINO LICINIO.

Pordenone 1489 – Venezia 1516.

207. – RITRATTO DELLA FAMIGLIA DEL FRATELLO (inv. n. 115).
Olio su tela: 1,18 × 1,65.

Conservazione buona.
Provenienza indeterminata.

È ricordato dal Francucci nella raccolta, fin dal 1613, nel Palazzo di Campo Marzio, ed è tra i primi dipinti entrati a far parte della collezione di Scipione Borghese. Firmato per esteso: « Exprimit hic fratem tota cum gente Lycinus et vitam his forma prorogat arte sibi. B. Lycinii opus ». Il Piancastelli annota una mezza figura esistente al Museo del Prado, assai simile a quella centrale, che raffigura la cognata del pittore, di nome Agnese. Il Venturi cita un altro ritratto della famiglia del pittore, nel Palazzo di Hampton Court, proveniente dalla Galleria di Giacomo II; il Ludwig riconobbe nel padre dell'artista Rigo Licinio. Lo Steinhart, più di recente, vide in questo esemplare di ritrattistica familiare il presupposto per l'impostazione dei ritratti di Jan van Scorel, influenzato dalla pittura veneta del tempo.

BIBL.: Francucci, *Gall. Borghese*, 1613, St. 406–428; *Inv.*, 1693, St. V, n. 37; *Inv. Fid.*, 1833, p. 9; Platner, *Beschreib. Rom*, 1842, IV, p. 281; Kristeller, in *Arch. St. Arte*, 1891, IV, p. 478; Piancastelli, *Ms.*, 1891, p. 28; A. Venturi, *Cat.*, 1893, p. 90; Modigliani, in *L'Arte*, 1903, VI, pp. 304–6; Ludwig, in *Jahrb. d. preuss. Kstsmml.*, 1903, p. 53; Macfall, *Renaiss. in Venice*, 1911, p. 92; Longhi, *Precisioni*, 1928, p. 187; A. Venturi, *Storia*, 1928, IX, 3, p. 179; *Cat. del Prado*, 1933, p. 44, n. 289; Steinhart, in *Pantheon*, 1933, p. 265; Goldscheider, *Selbstporträts*, 1936, p. 117; De Rinaldis, *Cat.*, 1948, p. 46; Della Pergola, *Itin.*, 1951, p. 30; B. N. (icholesn) in *Burl. Mag.*, 1953, p. 226.

Fot.: Alinari 8006; Anderson 4216; Brogi 11959.

208. – SACRA CONVERSAZIONE (inv. n. 171).
Olio su tela: 1,12 × 1,74.

Provenienza indeterminata.

Si trova elencato dettagliatamente nell'*Inventario* del 1693: « un quadro grande, la Madonna, il Bambino, San Giuseppe, San Giovannino, a cavallo su una pecora, tre altre figure, che tengono un libro in mano in tela del N. 318 cornice dorata con riporti intagliati di Paolo Veronese ». Nel *Fidecommisso* l'attribuzione al Veronese era già caduta, e il riferimento viene fatto alla scuola veneziana, senza meglio precisare. Il Venturi fece il nome di Polidoro Lanzani, mentre il Morelli l'accostò a Bernardino Licinio. Il Modigliani, il Longhi, il Berenson e infine anche il Venturi nella *Storia dell'Arte* accettarono questa paternità.

BIBL.: *Inv.*, 1693, St. VII, n. 24; *Inv. Fid.*, 1833, p. 22; Piancastelli, *Ms.*, 1891, p. 72; A. Venturi, *Cat.*, 1893, p. 111; Morelli, *Pittura It.*, 1897, p. 247; Modigliani, in *L'Arte*, 1903, VI, p. 381; Longhi, *Precisioni*, 1928, p. 194; A. Venturi, *Storia*. 1928, IX, 3, p. 482; Berenson, *Pitture It.*, 1936, p. 243.

Fot.: Anderson 4240.

LORENZO LOTTO.

Venezia 1480 c. – Loreto 1556.

209. – SACRA CONVERSAZIONE (inv. n. 193)
Olio su tavola: 0,51 × 0,65.

Conservazione buona.

Provenienza indeterminata.

Firmato e datato: «Laurent. Lotus. M. D. VIIJ ».

Nel 1613 il doratore Annibale Durante eseguiva «una cornice negra col battente dorato per il quadro della Madonna col S. Giovannino alta palmi 3 1/1 e 4 1/1 di Lorenzo Lotto» (Arch. Seg. Vat., Fondo Borghese, busta 4170). Non abbiamo però alcuna certezza si tratti di questa tavola, a cui si riferiscono le misure, ma il cui soggetto appare molto confuso. Invece nell'*Inventario* del 1693 è descritta senza tema di errore, anche se l'interpretazione dell'offerta del Santo Vescovo è molto caratteristica: «un quadro di due palmi e mezzo incirca bislongo con la Madonna, Il Bambino che benedisce una pagnotta a San Nicola e con Sant'Honofrio del N. 193 con lettere Laurentius Lotus con 1508 in tavola con cornice dorata ». Anche il n. 193, tuttora conservato nel dipinto, corrisponde a quello dell'*Inventario*. Il Morelli pensò che questa opera fosse stata eseguita a Roma o nelle Marche, ma il Venturi, riferendosi alla data, la pose nel momento veneziano, sotto l'influenza del Dürer (come già il Thausing) di cui il Lotto dovette vedere il «Cristo tra i dottori». La figura del S. Onofrio, infatti, deriva da quella dello scriba dureriano, ma l'influenza non è solo iconografica, bensì condotta fin nella campitura del colore disteso in nitide zone cromatiche con rossi acerbi, verdi aperti e bianchi freddi che presuppongono la visione della pittura tedesca. Non faceva parte del *Fidecommisso*, ma dell'eredità libera, e venne incluso nella vendita allo Stato, in cambio del cosidetto Cesare Borgia, insieme con la «Madonna» di Lorenzo di Credi, il «S. Stefano» del Francia e il «Crocifisso tra i SS. Cristoforo e Girolamo» del Pintoricchio.

Esposto nel 1930 alla Mostra d'Arte Italiana a Londra e nel 1953 alla Mostra del Lotto a Venezia.

BIBL: *Inv.*, 1693, St. V, n. 48; Mündler-Burckhardt, *Der Cicerone*, 1870, p. 58; Thausing, *Dürer*, 1884, I, pp. 358, 360, 362; Morelli, *Pittura It.*, 1897, p. 238; La Direzione, in *Arch. St. Arte*, 1892, V, p. 4; A. Venturi, *Cat.*, 1893, p. 118; Berenson, *L.*, 1895, p. 10; Frizzoni, in *Arch. St. Arte*, 1896, fasc. 2, p. 71; Biscaro, in *Arte*, 1901, IV, p. 158; Berenson, *Venet. Painters*, 1906, p. 116; Phillipps, *Venet. School*, 1912, p. 197; Crowe Cavalcaselle, *Painting in North It.*, 1912, III, pp. 394-95; A. Venturi, *Storia*, 1915, VII, 4, pp. 764-66; Longhi, *Precisioni*, 1928, p. 196; *It. Art in London*, 1930, p. 32; Berenson, *Pitture It.*, 1936, p. 267; De Rinaldis, *Cat.*, 1948, p. 40; Della Pergola, *Gall. Borgh.*, 1951, p. 20; *Mostra L.*, 1953, p. 44; Banti e Boschetto, *L.*, 1953, p. 68; Coletti, *L.*, 1953, pp. 38-39; Pignatti, *L.*, 1953, p. 43; Nicco Fasola in *Commentari*, 1954, p. 107; Berenson, *L.*, 1955, pp. 24, 25; Bianconi, *L.*, 1955, p. 39.

Fot.: Alinari 8007; Anderson 901; Brogi 15901; Chauffourier 4143; Gab. Fot. Naz. C. 2773.

210. – AUTORITRATTO (inv. n. 185).
Olio su tela: 1,18 × 1,05.

Conservazione buona.

Proviene dall'eredità di Olimpia Aldobrandini, erede a sua volta del Cardinale Ippolito Aldobrandini che lo possedeva nel 1611, epoca dell'istituzione del Fidecommisso Aldobrandini.

Nell'*Inventario* di Olimpia Aldobrandini, compilato nel 1682 per la divisione patrimoniale tra i due figli, G. B. Borghese e G. B. Pamphili, è così elencato: «Un quadro in tela ritratto di Lorenzo Lotti alto palmi quattro incirca di mano del medemo come a detto Inventario N. 246 et a quello del Sig. Cardinale carta 125 ». Malgrado tale precisa annotazione del soggetto e dell'autore, l'*Inventario* del 1790 lo indica come opera del Pordenone. e con tale attribuzione giunge, attraverso il *Fidecommisso*, fino al 1888. Il Mündler, il Morelli, il Cavalcaselle, e poi il Venturi, il Berenson e il Longhi, concordarono sul nome del Lotto. Il Berenson lo data intorno al 1630 e l'accostamento con la pala di S. Nicola ai Carmini rende attendibile tale riferimento cronologico. Il Boschetto ha confutato di recente la supposizione del Mündler, seguita dal Rusconi, che volle identificare l'autoritratto nel ritratto Doria. È da escludere che questo, di cui ignoriamo la provenienza, sia il ritratto citato nell'*Inventario* di Olimpia Aldobrandini, perchè molto più piccolo delle misure ivi indicate, che corrispondono invece a quelle del ritratto Borghese. Nè quell'*Inventario*, molto preciso sempre nei particolari, avrebbe omesso l'indicazione della scritta che è nel quadro Doria. Il riferimento inoltre al triplice ritratto di Vienna conferma si tratti dello stesso personaggio, in questo Borghese notevolmente più anziano, e un altro ritratto, apparso nella vendita Doetsch del 1895 come opera del Savoldo, e pubblicato dal Venturi (*L'Arte*, 1928, p. 198) corrisponde perfettamente nei tratti fisionomici al malinconico personaggio che abbiamo identificato con lo stesso pittore.

Esposto nel 1953 alla Mostra del Lotto a Venezia.

BIBL.: *Inv. Olimpia Aldobrandini*, 1682; *Inv.*, 1693, St. V, n. 34; *Inv. Fid.*, 1833, p. 12; Mündler, in *Jahrb. f. Kstwiss.*, 1869, p. 58; Piancastelli, *Ms.*, 1891, p. 29; A. Venturi, *Cat.*, 1893, p. 116; Michel, in *Gaz. B. Arts*, 1896, p. 39; Frizzoni, in *Arch. St. Arte*, 1896, II/2, p. 13; Morelli, *Pitture It.*, 1897, p. 236; Berenson, *L.*, 1905, pp. 190–258; Berenson, *Venet. Painters*, 1906, p. 116; Longhi, *Precisioni*, 1928, p. 196; A. Venturi, *Storia*, 1929, IX, 4, p. 76 ss.; Düssler, in *Pantheon*, 1941, p. 79; De Rinaldis, *Cat.*, 1948, p. 44; Della Pergola, *Gall. Borghese*, 1950, p. 21; Della Pergola, in *Arte Ven.*, 1952, pp. 187–88; Mostra *L.*, 1953, p. 156; Banti e Boschetto, *L.*, 1953, p. 84; Coletti, *L.*, 1953, p. 46; Pignatti, *L.*, 1953, p. 141; Berenson, *L.*, 1955, pp. 13, 134, 135; Bianconi, *L.*, 1955, p. 61.

Fot.: Alinari 8178; Anderson 3930; Brogi 15899; Gab. Fot. Naz. E 28425; Arch. Fot. Vat. XXX–78–7 (già Moscioni 21217).

MAESTRO VENETO.

Prima metà del sec. XVI.

211. – TESTA DI VEDOVA (inv. n. 190).

Olio su tela: 0,32 × 0,21.

Conservazione mediocre. La pittura appare sgranata e in alcune parti la stessa preparazione è caduta lasciando scoperta la tela.

Provenienza indeterminata.

Si può identificarla nel *Fidecommisso*, dove è elencata come « Maniera di Tiziano ». La stessa indicazione si trova nel Piancastelli, mentre il Venturi la pone genericamente sotto scuola veneziana, e il Longhi ne fa appena cenno, senza determinarla. È una testa non senza vigore e dipinta con molta larghezza, da buon pittore, ancora nei moduli della pittura quattrocentesca.

BIBL.: *Inv. Fid.*, 1833, p. 29; Piancastelli, *Ms.*, 1891, p. 16; A. Venturi, *Cat.*, 1893, p. 118; Longhi, *Precisioni*, 1928, p. 196.

Fot.: Anderson 4388; Gab. Fot. Naz. E 32756.

MAESTRO VENETO.

Prima metà del sec. XVI.

212. – TESTA DI VERGINE (inv. n. 182).
Olio su tela: 0,30 × 0,26.

Conservazione mediocre. Già il Venturi ne denunciava lo stato di logoramento.
Provenienza indeterminata.

È pervenuta al *Fidecommisso* con l'indicazione sbagliata, insieme con il n. inv. 430, di
« due quadretti, Autore incognito, Rame » e non è possibile risalire agli *Inventari* precedenti. Il Venturi l'assegnò alla scuola veneziana, il Longhi vi vide piuttosto origini veronesi. È certo un frammento, tagliato in antico e sembra avere un qualche rapporto con
la « Madonna nella nicchia » dell'Eremitage di Leningrado, già attribuita a Giorgione o
a Tiziano.

BIBL.: *Inv. Fid.*, 1833, p. 28; Piancastelli, *Ms.*, 1891; A. Venturi, *Cat.*, 1893, p. 115; Longhi, *Precisioni*, 1928, p. 195.
Fot.: Anderson 4388; Gab. Fot. Naz. E 10541.

MAESTRO VENETO.

Intorno al 1530.

213. – TESTA D'UOMO (inv. n. 104).
Olio su tavola: 0,28 × 0,26.

Conservazione buona.
Provenienza indeterminata.

È accertata la sua presenza nella Galleria solo attraverso il *Fidecommisso*, dove è annotato come opera del Pordenone. Il Piancastelli però precisa: « Bernardino Licinio detto il
Pordenone », con cui non sapremmo vedere rapporti. Il Venturi l'assegna alla scuola dei
Bellini; il Longhi tentò una maggiore approssimazione accostandola ai modi di Bartolomeo
Veneto, e lo Zeri (riferimento orale) vi riconobbe la mano dello stesso pittore che eseguì
un « Ritratto d'uomo » nel Museo Johnson di Filadelfia, ed una simile testa femminile
conservata presso l'Accademia di S. Luca a Roma, già appartenente al Barone Lazzaroni.

BIBL.: *Inv. Fid.*, 1833, p. 20; Piancastelli, *Ms.*, 1891, p. 30; A. Venturi, *Cat.*, 1893, p. 85; Longhi,
Precisioni, 1928, p. 187.
Fot.: Gab. Fot. Naz. E 27672.

MAESTRO VENETO.

Sec. XVII.

214. – RITRATTO DI MARCELLO MALPIGHI (inv. n. 84).
Olio su tela: 0,85 × 0,72.

Conservazione buona.
Provenienza indeterminata.

Si trova elencato per la prima volta nel *Fidecommisso* del 1833 come « ritratto incognito d'autore incognito », e così è ripetuto nelle schede del Piancastelli. Il Venturi
l'attribuì a Paolo Piazza detto fra' Cosimo, da Castelfranco Veneto, nome che venne però

rifiutato dal Longhi, il quale vi riconobbe i caratteri di un tardo epigono tintorettesco. Poichè il Malpighi muore nel 1694 e il ritratto lo rappresenta già anziano, pensiamo possa essere datato intorno al 1690. L'identificazione del personaggio avvenne nel 1928 per opera del prof. Capparoni.

Esposto come ritratto di Marcello Malpighi nel 1929 alla Mostra di Storia della Scienza a Firenze.

BIBL.: *Inv. Fid.*, 1833, p. 34; Piancastelli, *Ms.*, 1891, p. 463; A. Venturi, *Cat.*, 1893, p. 76; Longhi, *Precisioni*, 1928, p. 185; Capparoni, in *Boll. Ist. St. Arte Sanitaria*, 1928, luglio; Capparoni, in *Enc. It.*, 1934, XXII, p. 32; P. Davide da Portogruaro, *Paolo Piazza*, 1936; P. Davide da Portogruaro, in *Atti e Memorie dell'Accademia Arte Sanit.* 1937, II, III, p. 153/156.

Fot.: Anderson 31268; Gab. Fot. Naz. E 8377, E 13924.

GIOVANNI MANSUETI.

Venezia 1485 c. – Venezia 1527.

215. – RITRATTO D'UOMO (inv. n. 446).
Olio su tavola: 0,25 × 0,19.

Conservazione buona.
Provenienza indeterminata.

Si trova nel *Fidecommisso* abbinato al n. inv. 447 ed entrambi attribuiti a Paolo Veronese. Negli *Inventari* precedenti non è individuabile tra i molti ritratti per lo più anonimi, e non è quindi possibile stabilirne con esattezza l'ingresso nella collezione. Il Piancastelli lo annota ancora sotto il nome del Veronese, mentre il Venturi lo attribuisce genericamente a scuola veneziana del sec. XV. Fu il Cantalamessa a riferirlo al Mansueti, nome rifiutato dal Longhi che vi vide una qualità più alta, e non accolto nemmeno dal De Rinaldis, che l'accostò ad « un pittore veneto di terraferma, prossimo al Marescalco ». I motivi espressi dal Cantalamessa ci sembrano tuttora validi per sostenere l'attribuzione al Mansueti, di fronte agli altri giudizi, tutti rimasti nell'incertezza di un nome.

BIBL.: *Inv. Fid.*, 1833, p. 30; Piancastelli, *Ms.*, 1891, p. 55; A. Venturi, *Cat.*, 1893, p. 208; Cantalamessa, in *Boll. Arte*, 1916, p. 267; Longhi, *Precisioni*, 1928, p. 221; Berenson, *Pitture It.*, 1936, p. 289; De Rinaldis, *Itin.*, 1939, p. 56.

Fot.: Anderson 24256; Gab. Fot. Naz. E 15987.

BARTOLOMEO MONTAGNA.

Orzinuovi 1450 c. – Vicenza 1523.

216. – CRISTO GIOVINETTO (inv. n. 430).
Olio su tavola: 0,24 × 0,20.

Conservazione buona.
Proviene dall'eredità di Olimpia Aldobrandini.

Nell'*Inventario* dei beni di Olimpia Aldobrandini (1682) è notato: « Un quadro in tavola con una testa di Nro Sig.re Giovane alto pmi uno et un quarto di mano del Moro coma a d.to Inventario N. 66 et a quello del Sig.r Cardinale a carte 106 ». Pensiamo sia da identificare con la tavoletta Borghese, che negli *Inventari* successivi diventa « di autore ignoto ». Il Venturi lo trovò assegnato a Timoteo Viti e pur escludendo questo nome lo catalogò sotto « scuola fiorentina ». Il Longhi, che vide l'attribuzione corretta, probabilmente dal Cantalamessa, in quella più appropriata di « scuola di Bartolomeo Montagna », vi riconobbe un'opera genuina del Montagna stesso, verso il 1500. Anche il Berenson concordò su questo nome che è ormai largamente accettato.

Bibl.: *Inv. Olimpia Aldobrandini*, 1682; *Inv. Fid.*, 1833, p. 28; Piancastelli, *Ms.*, 1891, p. 456; A. Venturi, *Cat.*, 1893, p. 202; Longhi, *Precisioni*, 1928, p. 218; Berenson, *Pitture It.*, 1936, p. 316; Zocca, in *Arte*, 1937, p. 190.
Fot.: Gab. Fot. Naz. E 10668.

ORBETTO (Alessandro Turchi, detto anche Alessandro Veronese).

Verona 1578 c. – Roma 1649 c.

217. – CRISTO MORTO CON LA MADDALENA E ANGELI (inv. n. 499).
Olio su lavagna: 0,42 × 0,53.

Conservazione discreta. Alcune mancanze di colore investono parti non figurative. È stato acquistato direttamente dall'artista nel 1617.

Il 29 aprile 1617 si trova il seguente pagamento (A. S. B. V., *Riscontro di Banco*, 1617, vol. 31): « Sc. 45 moneta ad Alessandro Veronese pittore, disse per un quadro fatto da lui ». Un altro pagamento pure di scudi 45 avveniva il 19 maggio 1617 (*id.*, Busta 1010 e busta 23, n. 31), mentre il 7 agosto 1619 veniva saldato « ad Alessandro Turchi Veronese pittore scudi sessanta mta per un quadro di pittura fatto da lui per la Cappella della nuova fabbrica di Mondragone » (*id.*, vol. 7992, a. 1619, p. 118, n. 349. Cfr. Bibl. gen., Documenti, nn. 14, 18). Questi documenti provano i rapporti che in quegli anni l'Orbetto aveva con Scipione Borghese, mentre il Manilli ricorda tre suoi dipinti, che dice « piccoli »: « S. Pietro e l'Ancilla Ostiaria », non più esistente nella Galleria, e « Lazzaro resuscitato » e un « Cristo morto in pietra », che è certo questo. L'*Inventario* del 1693 è anche più preciso: « un quadro in lavagna con Nro Sigre morto con Angeli attorno alto due palmi in circa del N. 439 cornice d'ebbano di Alessandro Veronese». Tuttavia l'*Inventario* del 1700 lo elenca come opera di Annibale Carracci e questa attribuzione rimase fino al Venturi, che di nuovo lo riferì al Turchi. Il Longhi ne pose la datazione « verso il 1615 » anticipando appena di poco quella data che risulta dal pagamento.

Bibl.: Manilli, 1650, p. 107; *Inv.*, 1693, St. XI, n. 76; *Inv.*, 1700, St. VIII, n. 9; *Inv. Fid.*, 1833, p. 37; Piancastelli, *Ms.*, 1891, p. 192; A. Venturi, *Cat.*, 1893, p. 219; Longhi, *Precisioni*, 1928, p. 223; De Rinaldis, *Itin.*, 1939, p. 25.
Fot.: Anderson 740.

218. – RESURREZIONE DI LAZZARO (inv. n. 506).
Olio su lavagna: 0,36 × 0,27.

Conservazione discreta. Alcune cadute di colore furono ripristinate in epoca imprecisata. Acquistato da Scipione Borghese nel 1617.

Si può riferire a questo dipinto, che il Manilli cita « Il quadretto di Lazzaro resuscitato, dipinto in Paragone, è d'Alessandro Veronese», uno dei pagamenti di cui alla scheda precedente. Nel 1790 anche questo venne attribuito ai Carracci, e precisamente a Ludovico, mentre nel *Fidecommisso* del 1833 venne assegnato ad Agostino. Il Venturi lo riportava all'Orbetto e le *Precisioni* del Longhi, nel 1928, lo inquadravano nel suo tempo « intorno al 1615 ».

Bibl.: Manilli, 1650, p. 106; *Inv*, 1790, St. IV, n. 44; *Inv. Fid.*, 1833, p. 23; Piancastelli, *Ms.*, 1891, p. 181; A. Venturi, *Cat.*, 1893, p. 220; Longhi, *Precisioni*, 1928, pp. 67-70, 224; De Rinaldis, *Itin.*, 1939, p. 25.
Fot.: Gab. Fot. Naz. E 10665.

219. – CRISTO NEL SEPOLCRO (inv. n. 307).
Olio su lavagna: 0,28 × 0,22.

Conservazione assai scadente. I guasti e le cadute di colore sono numerosi, e l'anneri-
mento su di una materia in sè difficile rende quasi illeggibile il dipinto.

È entrato nella raccolta, con ogni probabilità, nello stesso tempo dei precedenti,
tra il 1617 e il 1619.

Rientra nella stessa sfera dei precedenti dipinti, e si può considerare una variante
del n. inv. 499. Nel 1790 veniva anche questo attribuito ai Carracci. Il Venturi ne lamentava
i danni già nel 1891, mentre il Longhi ne lasciava sospeso ogni giudizio per la illeggibilità
del testo. Nell'*Inventario* del 1693 è indicato con precisione: « un quadro di due palmi
incirca in pietra con Christo morto e due angeli che l'adorano con una Torcia in mano
accesa et un altro Angelo per aria del N. 653 cornice d'ebbano negra. Incerto ».

BIBL.: *Inv.*, 1693, St. XI, n. 41; *Inv. Fid.*, 1833, p. 27; Piancastelli, *Ms.*, 1891, p. 177; A. Venturi,
Cat., 1893, p. 156; Longhi, *Precisioni*, 1928, p. 205.

Fot.: Gab. Fot. Naz. E 32726.

220. – GIUDITTA IN PREGHIERA (inv. n. 261).
Olio su lavagna: 0,33 × 0,28.

Conservazione scadente. Numerose le cadute di colore.
Provenienza indeterminata.

Era nella raccolta nel 1650, citato dal Manilli: « Il quadretto di paragone con Giuditta
Orante, et Holoferne che dorme, è maniera Fiamminga ». L'*Inventario* invece del 1693 lo
elenca come opera dell'Orbetto: « un quadro di palmi uno e mezzo in circa con Giuditta
in ginocchioni con tre angeli che tengono una spada dipinta sopra lavagna cornice negra
profilata di bianco del Num.o... di Alessandro Veronese ». Nel 1790 è attribuito ad Elisabetta Sirani e questo nome si ripete fino al Piancastelli, finchè il Venturi, che trovò un'attribuzione a Jan Miel, senza accettarla, scrisse: « ricorda in qualche modo la maniera del-
l'Orbetto ». Il Longhi pensò fosse anteriore sia al Miel che all'Orbetto cui, secondo il
suo giudizio, sembra preludere, e lo collocò « nel gusto del manierismo veronese sui primi
del 600 ». Infine il Puyvelde ripropose il nome del Miel, a cui non ci sembra di poter
assegnare questa composizione che rientra tanto bene nel gusto veronesiano. Malgrado
la prima assegnazione del Manilli ad un pittore fiammingo, ci sembra possa rientrare tra
le opere dell'Orbetto prima del soggiorno romano.

BIBL.: Manilli, 1650, p. 113; *Inv.*, 1693, St. XI, n. 120; *Inv.*, 1790, St. X, n. 31; *Inv. Fid.*, 1833,
p. 32; Piancastelli, *Ms.*, 1891, p. 213; A. Venturi, *Cat.*, 1893, p. 139; Longhi, *Precisioni*, 1928, p. 200;
Van Puyvelde, *Peint. Flamande*, 1950, p. 136.

Fot.: Alinari 27504; Gab. Fot. Naz. E 32721.

PASQUALE OTTINI.

Verona 1580 – Verona 1630.

221. – RESURREZIONE DI LAZZARO (inv. n. 507).
Olio su lavagna: 0,46 × 0,36.

Conservazione non buona. Parte del colore è caduto, specie nella figura del Cristo.
Restaurato intorno al 1940 (direttore Aldo De Rinaldis).

Provenienza indeterminata. Se si può identificare con il dipinto citato nell'*Inventario* del 1693, fu forse ceduto, o acquistato, dal Martiniani nel 1614 circa.

« Un quadro di due palmi incirca in Lavagna la resurrezione di Lazzaro del N. 652. Cornice di ebbano, del Martiniani». Così troviamo nell'*Inventario* del 1693 e come vi si legge per altre opere, il nome del pittore diventa quello del primo proprietario. Infatti il Martiniani era possessore di un pezzo di terra confinante con la Vigna Vecchia Borghese, terra che cedette al Cardinale Scipione nel 1614. Nell'*Inventario* del 1790 il quadretto appare sotto il nome di Ludovico Carracci; il Piancastelli lo assegna alla scuola dei Carracci, il Venturi lo riferì al Turchi, ma il Longhi precisò la distinzione tra il Turchi e l'Ottini, assegnando a quest'ultimo il dipinto, sulla base del confronto con l'Assunta di S. Maria in Vanzo e le opere della Cappella Pellegrini in S. Bernardino di Verona.

BIBL.: *Inv.*, 1693, St. XI, n. 96; *Inv.*, 1790, St. VI, n. 23; *Inv. Fid.*, 1833, p. 32; Piancastelli, *Ms.*, 1891, p. 191; A. Venturi, *Cat.*, 1893, p. 220; Longhi, *Precisioni*, 1928, pp. 68, 224; De Rinaldis, *Itin.*, 1939, p. 26; Della Pergola, *Itin.*, 1951, p. 34.

Fot.: Gab. Fot. Naz. E 10666.

ANTONIO PALMA (Antonio Negretti).

Serinalta 1510 c. – Notizie fino al 1575.

222. – IL RITORNO DEL FIGLIOL PRODIGO (inv. n. 186).
Olio su tela: 1,10 × 2,02.

Conservazione buona.
Provenienza indeterminata.

Si trova elencato per la prima volta nell'*Inventario* del 1693 con l'attribuzione a Tiziano, ripetuta in quello del 1700 e in quello del 1790. Nel *Fidecommisso*, invece, è elencato come « il Figliol Prodigo, del Bonifazio » e tale attribuzione rimase fino al 1928, quando Adolfo Venturi (*Storia*) fece il nome di Antonio Palma, che parve più accettabile. Solo il Phillips, infatti, si rifece a Bonifacio Veronese, mentre il Longhi, il De Rinaldis e la Westphal accolsero l'attribuzione ad Antonio Palma.

BIBL.: *Inv.*, 1693, St. VIII, n. 60; *Inv.*, 1700, St. IX, n. 36; *Inv.*, 1790, St. X, n. 33; *Inv. Fid.*, 1833, p. 12; Piancastelli, *Ms.*, 1891, p. 36; A. Venturi, *Cat.*, 1893, p. 117; Morelli, *Pittura It.*, 1897, p. 243; Phillips, *Venet. School*, 1912, p. 211; Hadeln, *Ridolfi*, 1914, p. 289; Longhi, *Precisioni*, 1928, p. 196; A. Venturi, *Storia*, 1928, IX, 3, p. 1057; Westphal, *Zeitschr. f. bild. Kst*, 1931-32, p. 16; De Rinaldis, *Cat.*, 1948, p. 83; Della Pergola, *Itin.*, 1951, p. 33.

Fot.: Alinari 8177; Anderson 3257; Brogi 15920; Arch. Fot. Vat. XXX–78-9 (già Moscioni 21218).

JACOPO PALMA il VECCHIO (Jacopo Negretti).

Serinalta 1480 – Venezia 1528.

223. – SACRA CONVERSAZIONE CON LE SS. BARBARA E GIUSTINA E DUE DEVOTI (inv. n. 157).
Olio su tela: 1,35 × 1,91.

Conservazione buona.
Provenienza indeterminata.

È sicuramente rintracciabile solo nel *Fidecommisso* del 1833 dove è elencato: « La Madonna, Bambino e altri Santi, Veneziano, largo pmi 8 1/2, alto pmi 6 ». La ridda delle attribuzioni comincia subito dopo. Il Cavalcaselle lo riferì al Cariani, il Morelli lo disse copia da un originale perduto del Lotto, il Venturi, opera di un seguace del Palma e del Lotto, il Berenson, riprendendo la prima idea del Morelli, la variò in « copia da un Lotto perduto ». Il Longhi lo attribuì a Palma il Vecchio, intorno al 1510. Dello stesso parere furono lo Sphan e il De Rinaldis. Non c'è dubbio che i riferimenti al Lotto siano molti, dal Bambino, sia nel movimento che nel perlaceo delle carni, alle foglie di rosa sparse in terra, ai fiocchi delle vesti femminili e all'albero carico di frutti dietro la Vergine. Ma sono motivi fissati in una rigidità che esclude ogni diretta partecipazione del Lotto, e può solo far pensare ad una ispirazione da quel maestro. Più evidenti e più persuasivi sono invece i ricorsi al Palma, nel paesaggio e nella composizione ieratica, come nella figura del donatore che trova riscontro in quella della « Sacra Conversazione » già Benson–Duveen (A. Venturi, *Storia*, 1928, IX, 3, p. 408) e che ci fanno aderire alla tesi del Longhi. Salvo anticipare di un poco quella data, 1510, che vede il Palma già più libero nella sua espressione. Il Berenson (1955) pubblica un interessante disegno, già reso noto da A. Strong (*Catalogo dei disegni*, Londra, 1900, fig. 11) che faceva parte della collezione di Lord Pembroke a Wilton House, per la stessa rappresentazione.

BIBL.: *Inv. Fid.*, 1833, p. 18; Crowe Cavalcaselle, *Painting in It.*, 1864, VI, p. 614; Piancastelli, *Ms.*, 1891, p. 82; Morelli, *Pittura It.*, 1897, p. 239; A. Venturi, *Cat.*, 1893, p. 89; Phillips, *Venet. School*, 1912, p. 188; Longhi, *Precisioni*, 1928, pp. 48 s., 193; Sphan, P., 1932, p. 188; Berenson, *Pitture It.*, 1936, p. 267; Longhi, *Viatico*, 1946, p. 62; De Rinaldis, *Cat.*, 1948, p. 90; Della Pergola, *Gall. Borgh.*, 1950, p. 13; Berenson, *Lorenzo Lotto*, 1955, pp. 55, 56.

Fot.; Anderson 4381; Brogi 11953; Arch. Fot. Vat. XXX–61–2 (già Moscioni 21205).

224. – SACRA CONVERSAZIONE CON UNA DEVOTA (inv. n. 163). Fig. 226.
Olio su tavola: 0,71 × 1,08.

Conservazione buona.
Provenienza indeterminata.

Anche questa opera è individuabile solo attraverso il *Fidecommisso*, e deve essere entrata tardi nella raccolta. È subito citata con la giusta attribuzione al Palma. Il Morelli la ritenne databile tra il 1514 e il 1518; il Venturi la giudicò tra le meno felici dell'artista. Il Longhi, notando come, dalle figure in secondo piano, sia evidente già l'influenza di Tiziano, vi riconosce tuttavia ancora fedeltà a « tradizioni paesane». La composizione del Museo Condé a Chantilly, se non può darci alcuna indicazione precisa circa la datazione, perchè quella che reca, « MD », sembra sia falsa, mostra però, per il taglio, per la disposizione delle figure, per l'immagine del S. Girolamo e la figuretta di fondo, e perfino per l'identica funzione di quinta del donatore, un termine di confronto da non trascurare. Forse sono entrambi ex–voti: a S. Antonio il quadro Borghese, a S. Pietro quello di Chantilly, e certo eseguiti in uno stesso momento, che non può essere molto lontano da quello indicato dal cartello con la data, che il Morelli giudicò falso.

BIBL.: *Inv. Fid.*, 1833, p. 12; Kugler, *Handbuch*, 1847, II, p. 34; Crowe Cavalcaselle, *Painting in It.*, 1864, VI, p. 532; Morelli, in *Zeitschr. f. bild. Kst.*, 1876, p. 137; A. Venturi, *Cat.*, 1893, p. 107; Frizzoni, in *Zeitschr. f. bild. Kst.*, 1893, p. 61; Ulmann, in *Repert. f. Kstwiss.*, 1894, p. 163; Morelli, *Pittura It,*, 1897, p. 246; Berenson, *Ven. Painters*, 1906, p. 119; Von Hadeln, in *Monatsh. f. Kstwiss.*, 1911, p. 226; Foratti, in *Arte*, 1911, p. 41; Suida, in *Belvedere*, 1926, p. 127; Longhi, *Precisioni*, 1928, pp. 46, 193; Sphan, P., 1932, p. 187; Berenson, *Pitture It.*, 1936, p. 163; De Rinaldis, *Cat.*, 1948, p. 90; Della Pergola, *Gall. Borgh.*, 1950, p. 14.

Fot.: Alinari 27506; Anderson 1007; Brogi 15906; Chauffourier 4152; Gab. Fot. Naz. D. 3229; Arch. Fot. Vat. XXX–61–3 (già Moscioni 21206).

225. – RITRATTO DI GIOVANE (inv. n. 445). Fig. 224.
Olio su tavola: 0,30 × 0,24.

Conservazione buona.
Provenienza indeterminata.

È accertata la sua presenza nella Galleria attraverso l'*Inventario* del 1700 in cui reca l'attribuzione al Pordenone, mentre il *Fidecommisso*, certo per un errore materiale di trascrizione, lo elenca come opera di « Simone da Pesaro ». Il Piancastelli ripetè questo nome, che non ha alcun riferimento reale col dipinto, mentre il Venturi, notandovi gli elementi veneti, lo assegna a scuola di Giovanni Bellini. Il Cavalcaselle pensò a Vittore Belliniano, il Longhi a Palma il Vecchio, il Wilde a Domenico Mancini, e infine lo Sphan è tornato alla vecchia attribuzione a Vittore. Più di ogni altro persuade il riferimento del Longhi a Palma il Vecchio, in un momento non molto lontano alla « S. Conversazione con una devota » della stessa raccolta (inv. n. 163).

BIBL.: *Inv.*, 1700, St. I, n. 14; *Inv.*, 1790, St. V, n. 9; *Inv. Fid.*, 1833, p. 33; Crowe Cavalcaselle, *Painting in It.*, 1864 (1912), I, p. 290; A. Venturi, *Cat.*, 1893, p. 207; Bernardini, in *Rass. Arte*, 1910, pp. 142-43; Longhi, in *Vita Art.*, 1927, p. 218; Longhi, *Precisioni*, 1928, pp. 44-48, 221; Sphan, P., 1932, p. 187; Wilde, in *Jahrb. d. Ksthist. Smlgn in Wien*, 1933, VII, p. 134; Suida, in *Belvedere*, 1934, p. 87; Suida, in *Belvedere*, 1936, p. 97; Gombosi, in *Pantheon*, 1937, p. 102 ss.; De Rinaldis, *Itin.*, 1939, p. 56; De Rinaldis, *Cat.*, 1948, p. 88; Della Pergola, *Itin.*, 1951, p. 57; Berenson, *Rev. d. Arts*, 1951, p. 72-74; Robertson, *V. Catena*, 1954, p. 46, n. 12.

Fot.: Alinari 27511; Anderson 4384; Gab. Fot. Naz. E 28413.

226. – LUCREZIA (inv. n. 106). Fig. 225.
Olio su tavola: 0,78 × 0,56.

Conservazione buona.
Provenienza indeterminata.

Era nella raccolta nel 1650, citata dal Manilli come opera di Tiziano, e come tale riportata dagli *Inventari* successivi fino al Piancastelli, che la catalogò sotto « scuola veneziana ». Il Morelli fece il nome del Palma e datò l'opera tra il 1510 e il 1514. Il Woltmann, il Frizzoni, il Venturi, il Berenson, il Longhi furono concordi nell'attribuirla al Palma, nel periodo giovanile, tranne il Berenson, che pensa ad un momento più maturo. Delle numerose repliche di questo soggetto, a Vienna, a Debrecen, a Monaco, agli Uffizi, questa non è tra le migliori. È da escludere, comunque, che possa essere stata eseguita dopo il 1515.

BIBL.: Manilli, 1650, p. 109; *Inv. Fid.*, 1833, p. 19; Burckhardt, *Cicerone*, 1869, III, p. 925; Woltmann-Woermann, *Geschichte*, 1882, p. 734; Locatelli, P., 1890, p. 64; Piancastelli, *Ms.*, 1891, p. 63; A. Venturi, *Cat.*, 1893, p. 87; Frizzoni, in *Zeitschr. f. bild. Kst.*, 1893, IV, p. 61; Morelli, *Pittura It.*, 1897, p. 243; Modigliani, in *Connoisseur*, 1902, II, p. 175; Berenson, *Ven. Painters*, 1906, p. 119; Phillips, *Venet. School*, 1912, p. 196; Longhi, in *Vita Art.*, 1927, p. 218; Suida, in *Vita Art.*, 1927, p. 209; Longhi, *Precisioni*, 1928, p. 187; Sphan, P., 1932, pp. 39, 43, 48, 123.

Fot.: Alinari 27507; Anderson 4221; Brogi 15905; Arch. Fot. Vat. XXX–71–19 (già Moscioni 21186).

JACOPO PALMA il GIOVANE (Jacopo Negretti).

Venezia 1544 - Venezia 1628.

227. – LA CADUTA DI LUCIFERO (inv. n. 175).
Olio su tela: 0,74 × 1,27.

Conservazione buona.
Provenienza indeterminata.

È ricordato per la prima volta nell'*Inventario* del 1790 come opera del Tintoretto, e così ancora nel *Fidecommisso*. Il Piancastelli, su giudizio orale del Morelli, reca nelle sue schede il nome di Jacopo Palma il Giovane che fu accolto dal Venturi. Anche il Longhi e più di recente lo Scheffler accettarono questa paternità, in tutto persuasiva.

BIBL.: *Inv.*, 1790, St. III, n. 24; *Inv. Fid.*, 1823, p. 16; Piancastelli, *Ms.*, 1891, p. 49; A. Venturi, *Cat.*, 1893, p. 112; Longhi, *Precisioni*, 1928, p. 194; De Rinaldis, *Itin.*, 1939, p. 52; Scheffler, *Venezian. Malerei*, 1949, p. 271; Della Pergola, *Itin.*, 1951, p. 45.

Fot.: Gab. Fot. Naz. E 33304.

PORDENONE (Giovan Antonio Sacchi).

Pordenone 1484 – Ferrara 1539.

228. – GIUDITTA (inv. n. 91).
Olio su tela: 0,95 × 0,78.

Conservazione buona. È stato rintelato nel 1950 da Decio Podio per ovviare al rigonfiamento provocato dal cartello fidecommissario incollato sulla tela. Il colore è alquanto oscurito e cresciuto di tono.

Proviene dall'eredità di Olimpia Aldobrandini.

Nell'*Inventario* del 1682 è citato come « Il Ritratto della Donna de sud°. » (Tiziano), e nell'*Elenco Fidecommissario* è ancora indicato «La Giuditta rappresentante la Moglie di Tiziano, del Tiziano». Anche il Ramdohr ripeteva l'antica ascrizione. Il Berenson pensò a Polidoro Lanzani, il Bernardini al Savoldo, il Venturi alla scuola di Giorgione (1893) e, nella *Storia*, al Pordenone. Lo stesso pubblicava nel 1928 (*L'Arte*) una Giuditta apparsa sul mercato parigino, che era in stretta relazione con questa Borghese, ma senza la figura dell'ancella. Il Longhi fu il primo a proporre il nome del Pordenone, non accolto dal Fiocco, ma ammesso dalla critica successiva. Il Longhi data il dipinto intorno al 1516, certo non dopo il 1520, per i raffronti con la pala del Duomo di Pordenone, che risale appunto a quegli anni. Malgrado l'oscurirsi del colore originale, l'ampio respiro del dipinto e l'acutezza psicologica delle immagini (si comprende il riferimento ad un ritratto per la personalissima figura di Giuditta) conducono al nome del Pordenone, che ha qui bene appresa la lezione giorgionesca.

Esposto nel 1932 alla Mostra del Pordenone ad Udine.

BIBL.: *Inv. Olimpia Aldobrandini*, 1682; Ramdohr, *Malherei in Rom*, 1787, p. 277; *Inv. Fid.*, 1833, p. 38; Piancastelli, *Ms.*, 1891, p. 25; A. Venturi, *Cat.*, 1893, p. 79; Berenson, *Ven. Painters*, 1894 (1925), p. 123; Bernardini, in *Rass. Arte*, 1910, pp. 143–44; Longhi, *Precisioni*, 1928, pp. 80–86, 185; A. Venturi, in *Arte*, 1928, pp. 199–200; A. Venturi, *Storia*, 1928, IX, 3, p. 662; Sphan, *Palma*, 1932, p. 132; Schwarzweller, *P.*, 1935, p. 157; Berenson, *Pitture It.*, 1936, p. 398; Fiocco, *P.*, 1939, p. 143; *Mostra P.*, 1939, p. 112; De Rinaldis, *Cat.*, 1948, p. 83; Della Pergola, *Itin.*, 1951, p. 54.

Fot.: Alinari 8179; Anderson 2717; Gab. Fot. Naz. E 28409; Arch. Fot. Vat. XXV–10–40 (già Moscioni 21179).

GIROLAMO SAVOLDO.

Brescia 1480 c. – Venezia 1548 c.

229. – VENERE DORMIENTE (inv. n. 30).
Olio su tela: 1,30 × 2,12.

Conservazione mediocre. Il dipinto ha sofferto per una rintelatura a cera eseguita nel 1936, che filtrando attraverso la superficie pittorica ha provocato un aumento di tono in tutto il fondo del paesaggio. Rifoderato nel 1950 da Decio Podio, che ha eliminato le stratificazioni di cera del restauro precedente.

Provenienza indeterminata.

Il De Rinaldis l'identificò con il quadro della « Venere che dorme di Tiziano » elencato nell'*Inventario* del 1790, ma era già nella raccolta nel 1693 citato come: « un quadro grande con una Donna Nuda che dorme sopra un panno bianco con Paese con cornice dorata del Bordonone del N. 613 ». Negli *Elenchi Fidecommissari* appare sotto il nome dello Scarsellino. Il Venturi l'accostò al Savoldo, e al Savoldo l'attribuì il Longhi, documentandolo con la citazione di un passo del Michiel (*Notizia* ecc., 1800, p. 62) « La Nuda grande destesa da drietto al letto fu de man de Jeronimo Savoldo Bressano » che era nel 1521 in Casa Odoni. Malgrado la convinzione della precisione del Longhi accolta anche dal Berenson, lo studio del Coletti che attribuiva questo dipinto a Gerolamo da Treviso, per l'interpretazione del cartello con le lettere intrecciate HIERT, che lesse Hieronimus Tarvisio, e per l'accostamento alla Nuda di Vienna, ebbe ulteriori consensi. Il De Rinaldis e noi stessi, in un primo tempo, accettammo il nome di Girolamo da Treviso, ma una più lunga consuetudine e meditazione sul dipinto ci hanno convinto sia da identificare con la « Venere » di Casa Odoni, che nel 1521 recava già il nome di Savoldo. Il paesaggio estremamente sobrio e il silenzio intorno alla figura non sono diversi da quelli che, certo più tardi, il Savoldo creerà nel « Tobiolo e l'Angelo » della stessa raccolta Borghese. Circa la datazione di questa tela, la critica è più concorde nel porla intorno al 1510.

BIBL.: *Inv.*, 1693, St. V, n. 1; *Inv.*, 1790, St. VI, n. 36; *Inv. Fid.*, 1833, p. 25; Piancastelli, *Ms.*, 1891, p. 164; A. Venturi, *Cat.*, 1893, p. 46; Berenson, *Venet. Painters*, 1894 (1905), p. 100; Cantalamessa, *Boll. d'Arte*, 1914, p. 91; Longhi, *Precisioni*, 1928, p. 179; A. Venturi, *Storia*, 1928, IX, 3, p. 752; Coletti, in *Crit. Arte*, 1936, p. 63; Liphart-Rathshaff, *Zeitschr. f. Kstgesch.*, 1936, pp. 240–45; Berenson, *Pitture It.*, 1936, p. 442; Longhi, *Viatico*, 1946, p. 63; De Rinaldis, *Cat.*, 1948, p. 20; Fiocco, in *Arte Veneta*, 1949, III, p. 161; Della Pergola, *Gall. Borgh.*, 1950, p. 17; Della Pergola, *Itin.*, 1951, p. 46.

Fot.: Anderson 1276; Arch. Fot. Vat. XXIII–22–26 (già Moscioni 21152).

230. – FIGURA DI GIOVANE (inv. n. 139). Fig. 231.

Olio su tela: 0,60 × 0,40.

Conservazione buona.

Provenienza indeterminata.

Si trova citato per la prima volta, con sicurezza, nell'*Inventario* del 1790 come: « Una testa di pastore, di Tiziano ». Negli *Elenchi Fidecommissari* è invece attribuito al Mola, nome che rimane fino al Piancastelli. Ma il Morelli vi aveva individuata un'opera del Savoldo, cancellando un'assurda attribuzione al Moroni, che appariva nel cartellino della Galleria. Il D'Achiardi lo ritenne uno studio dal vero e, riferendosi a quanto aveva già espresso il Venturi, pensò si trattasse di uno studio preliminare per il S. Giovanni nel quadro della « Deposizione dalla Croce » del Museo di Berlino. Ma l'affinità fisionomica fa pensare piuttosto ad uno stesso modello. L'ombra di malinconia sul bel volto lo rende fratello del « Contadino » della Collezione Contini–Bonacossi di Firenze.

Esposto nel 1939 alla Mostra di Pittura Bresciana a Brescia, e nel 1953 alle Mostre di Pittura Veneta a Sciaffusa, Amsterdam e Bruxelles, trasferita nel 1954 a Parigi.

BIBL.: *Inv.*, 1790, St. X, n. 64; *Inv. Fid.*, 1833, p. 20; Frizzoni, *Arch. St. Arte*, 1889, II, p. 32; Piancastelli, *Ms.*, 1891, p. 117; A. Venturi, *Cat.*, 1893, p. 99; Morelli, *Pittura it.*, 1897, p. 250; Longhi, *Precisioni*, 1928, p. 190; A. Venturi, *Storia*, 1928, IX, 3, p. 766; Berenson, *Pitture It.*, 1936, p. 139; *Mostra*

Pittura Bresciana, 1939, p. 172; De Rinaldis, *Cat.*, 1948, p. 48; Della Pergola, *Gall. Borgh.*, 1950, p. 19; *Mostra Pitt. Veneta a Sciaffusa*, 1953, p. 33; *Mostra Pitt. Veneta ad Amsterdam*, 1953, p. 48; *Mostra Pitt. Veneta a Bruxelles*, 1953, p. 47; *Mostra Arte It. Parigi*, 1954, n. 36.

Fot.: Alinari 8025; Anderson 4550; Brogi 15912.

231. – TOBIOLO E L'ANGELO (inv. n. 547). Fig. 230.
Olio su tela: 0,96 × 1,26.

Conservazione buona. Rifoderato e pulito nel 1911 da Tito Venturini Papari (direttore Giulio Cantalamessa).

Fu acquistato nel 1911 per diecimila lire dal Sig. Riccardo Pompili, di Tivoli, dopo molte controversie superate dalla tenacia del Cantalamessa. Proviene dal Palazzo Alfani di Perugia, dove recava l'attribuzione a Tiziano.

Il Cantalamessa sostenne, oltre la necessità dell'acquisto, la validità dell'attribuzione al Savoldo, che dopo di lui nessuno ha più posto in dubbio. Rappresenta uno dei momenti più suggestivi dell'arte del pittore bresciano, vicino al « S. Matteo » del Metropolitan Museum di New York e databile intorno al 1540. Venne pubblicato per la prima volta dal D'Achiardi nel 1912, e lo stesso Venturi, che all'atto dell'acquisto parve dubitare della sua autenticità, lo riprodusse nella *Storia dell'Arte* (1928), accettandone la piena validità.

Fu esposto nel 1930 alla Mostra della Pittura Italiana a Londra, nel 1935 alla Mostra d'Arte Italiana a Parigi, nel 1939 alla Mostra della Pittura Bresciana tenutasi a Brescia e nel 1955 alla Mostra del Giorgione a Venezia.

BIBL.: D'Achiardi, in *Boll. Arte*, 1912, pp. 92–3; L. Venturi, *Giorgione*, 1913, pp. 220–21; *Cronache: Boll. Arte*, 1914, p. 91; Biancale, in *Arte*, 1914, p. 298; Von Hadeln, in *Art in America*, 1925, p. 78; Longhi, in *Vita Artistica*, 1927, p. 72; A. Venturi, *Storia*, 1928, IX, 3, pp. 771–73; Longhi, *Precisioni*, 1928, p. 225; Longhi, in *Pinacotheca*, 1928–29, pp. 291, 296; *It. Art. in London*, 1930, p. 123; Wilde, *Jahrb. d. Ksthist. Smlgn. in Wien*, 1933, pp. 129–30; *Mostra Arte It. Parigi*, 1935, p. 188; Berenson, *Pitture It.*, 1936, p. 139; Suida, in *Pantheon*, 1937, pp. 50, 52; *Mostra Pittura Bresciana*, 1939, p. 171; Nicco Fasola, in *Arte*, 1940, pp. 61–67; De Rinaldis, *Cat.*, 1948, p. 48; Della Pergola, *Gall. Borgh.*, 1950, p. 18; Della Pergola, *Itin.*, 1954, p. 32, *Mostra Giorgione*, 1955.

Fot.: Alinari 32743; Anderson 17449; Gab. Fot. Naz. E 15506.

MARIETTA TINTORETTO (Marietta Robusti).

Venezia 1550 c. – Venezia? 1590 c.

232. – AUTORITRATTO (inv. n. 93).
Olio su tela: 1,01 × 0,78.

Conservazione abbastanza buona.
Provenienza indeterminata.

È replica del ritratto di Marietta Tintoretto conservato al Museo del Louvre, che però è di esecuzione più fine di questo Borghese. Compare negli *Inventari* della raccolta nel 1790, ed è rielencato nel *Fidecommisso* del 1833 come opera di Gherardo delle Notti. Il Piancastelli lo iscrisse sotto scuola di Paolo Veronese; il Longhi vi riconobbe « una delle tante derivazioni del celebre ritratto perduto di Tiziano, raffigurante Elisabetta Querini » e così il Gronau. Il Wilde vi vide una delle tante repliche del « Ritratto » di Jacopo Tintoretto, conservato nel Museo Storico Artistico di Vienna; ma ci sembra che il confronto con il ritratto del Louvre sia più persuasivo, e non siamo alieni dall'assegnarne l'esecuzione alla stessa Marietta.

BIBL.: *Inv.*, 1790, St. X, n. 25; *Inv. Fid.*, 1833, p. 39; Piancastelli, *Ms.*, 1891, p. 406; A. Venturi, *Cat.*, 1893, p. 80; Longhi, *Precisioni*, 1928, p. 186; Wilde, in *Jahrb. f. Ksthist. Smlgn in Wien*, 1930, p. 256; Berenson, in *Arte Veneta*, 1947, I, p. 36.

Fot.: Anderson 26361; Arch. Fot. Vat. XXIII-23-11 (già Moscioni 21181).

TIZIANO VECELLIO.

Pieve di Cadore 1477 – Venezia 1576.

233. – AMOR SACRO E PROFANO (inv. n. 147).
Olio su tela: 1,18 × 2,79.

Conservazione generalmente buona. La superficie pittorica presenta una *craquelure* piuttosto rilevante. Il dipinto è stato rintelato in epoca imprecisata, e pensiamo non sia originale la riquadratura nera che forma una specie di passe-partout, forse in funzione di una cornice più grande.

Proviene con ogni probabilità dall'acquisto che Scipione Borghese fece, nel 1608, presso il Cardinale Sfondrato, tramite il suo tesoriere Cardinale Pallavicini, di 71 dipinti, di cui non è ancora apparso l'elenco, ma solo la stipulazione del contratto. La somma pagata, di 4000 scudi, attesta l'importanza che dovevano avere quelle opere, anche se Scipione Borghese se ne rivalse sulle rendite del vescovato di Cremona, che lo Sfondrato gli doveva (Orbaan e A. S. B. V., *Riscontro di Banco*, 1607-1613, Busta 23, n. 12, 20 agosto 1608) Cfr. Bibl. gen., Documenti n. 7. Che d'altra parte Paolo Emilio Sfondrato, Cardinale di S. Cecilia e nipote di Gregorio XIV, fosse un raccoglitore d'arte avveduto e raffinato, è attestato dalla vendita che effettuò nel 1595, registrata nella storia delle collezioni di Rodolfo II (Urlich, *Beiträge zur Geschichte der Kunstbestrebungen um Sammlungen Kaiser Rudolf's II*, in *Zeitschrift für bildende Kunst*, 1870, p. 47 ss.).

Nel 1613 il Francucci ricorda per primo questo dipinto nella raccolta che Scipione Borghese veniva formando, confondendone la descrizione con quella della « Venere che benda Amore », e lo chiama: « Beltà disornata e Beltà ornata ». Passato poi attraverso l'indicazione dei « Tre Amori » datagli dal Manilli, di « due figure di donne sedenti, una in candida veste, con un amorino dopo, e l'altra ignuda » del Montelatici, di « Amor Profano e Amore Divino » dell'*Inventario* del 1693, che per primo si accosta a quella che ebbe maggior fortuna, fu indicato dal Rossini nella stessa maniera nell'*Inventario* del 1700 come « la Donna divina e Profana » e finalmente « Amor Sacro e Profano » nel Vasi e poi fino al *Fidecommisso*. Il soggetto, la cui interpretazione diede luogo ad una vera e propria letteratura, venne giustamente indicato fin dal 1918 dal Clerici, come derivato dal *Sogno di Polifilo* di Francesco Colonna e i più recenti articoli del Friedlaender (1938) e della Wischnitzer-Berstein (1943) non fanno che ampliare quella prima interpretazione. Il Wickhoff aveva pensato (1895) derivasse dall'*Argonautica* di Valerio Flacco, e raffigurasse Venere in atto di persuadere Medea; la Gerstfeldt (1910) vi aveva veduto il ritratto di Violante, figlia del Palma e presunta amante di Tiziano, nel duplice aspetto di Violante e di Venere; l'Hourticq (1917), derivandolo anch'egli dall'*Hypnerotomachia di Polifilo*, riconosceva nelle due donne Polia e Venere; il Panofsky arrivò per suo conto ad una simile interpretazione (1930); il Friedlaender, come si è detto, ampliò tale soggetto con quello della Tintura delle Rose, dando un particolare significato ai rilievi del Sarcofago, che certamente realizzano quel racconto. Il Mayer (1939), accettando la tesi del Friedlaender, ritenne che il soggetto sia stato suggerito a Tiziano dal Bembo. Lo Gnoli (1902) aveva riconosciuto nello stemma del sarcofago l'emblema della Famiglia Aurelio di Venezia, e il Mayer (1939) lo identificò con quello di Nicolò Aurelio, facendo così cadere definitivamente l'ipotesi del Venturi,

9

che il dipinto fosse stato eseguito per Alfonso d'Este e provenisse da Ferrara. L'ipotesi, che ormai dovrebbe essere accettata senza più dubbi, della derivazione dalla *Hypnerotomachia di Polifilo* non esclude, anzi, rafforza l'opinione che sia sempre una persuasione d'amore ed un'allegoria della fecondità e della primavera. Rimane inesplicabile come un'opera, che ebbe subito così larga risonanza, non sia rintracciabile fin dalle origini, nè se ne trovi notizia nei primi biografi di Tiziano. Condotta con mirabile accordo cromatico sul paesaggio e nelle immagini, è tra le più equilibrate rappresentazioni di quel periodo dell'arte di Tiziano in cui, staccatosi dallo schema belliniano, si afferma nella propria distinta personalità. Se nelle figure delle due donne la preoccupazione tonale e la visione classica della forma sembrano raffreddare le immagini, il mirabile paesaggio è già libero da ogni schema, come da ogni preconcetto riferimento. L'opera non può essere datata oltre il 1515.

Non è mai uscita dalla Galleria Borghese per alcuna Mostra, e al momento dell'acquisto da parte dello Stato, il Principe Borghese offrì tutta la villa, la Palazzina e la collezione completa, se gli fosse stato permesso di esportare questo solo dipinto.

BIBL.: Francucci, *La Gall. Borghese*, 1613, Canto VI, St. 362 ss.; Ridolfi, *Maraviglie*, 1648 (1914), pp. 197, 257; Mani¹li, 1650, p. 82; *Inv.*, 1693, St. V, n. 2; *Inv.*, 1700, St. V, n. 2; Montelatici, *Villa Borghese*, 1700, p. 288; Vasi, *Itinéraire*, 1792, p. 366; *Inv. Fid.*, 1833, p. 12; Firmin–Didot, *Alde Manuce*, 1875; Crowe Cavalcaselle, 1877, I, p. 51; Lübke, *It. Malerei*, 1878, II, p. 530; Thausing, *Wiener Kstbriefe*, 1884, p. 325 ss.; Lafenestre, *T.*, 1886, p. 27; Piancastelli, *Ms.*, 1891, p. 10; A. Venturi, *Cat.*, 1893, p. 103; Müntz, *Renaissance*, 1895, V, pp. 126, 628; Wickhoff, in *Jahrb. d. preuss. Kstsmlgn.*, 1895, p. 34; De Fabriczy, in *Arch. St. Arte*, 1896, II, p. 471; Morelli, *Pittura It.*, 1897, pp. 240–41; Knockfuss, in *Velhagen' schen Monatsh*,, 1897, VII, pp. 8–9; Riegel, *Beiträge z. Kstgeschichte Italiens*, 1898, pp. 183–200; Phillipps, *T.*, 1898, pp. 8, 29, 92; Gronau, *T.*, 1900, p. 37; Palmarini, in *Nuova Antologia*, 1902, p. 410 ss.; Cust, *Sketch Book by van Dyck*, 1902, p. 26; Gnoli, in *Rass. Arte*, 1902, pp. 177–181; Borromeo, in in *Rass. Arte*, 1903, p. 43; Gronau, *Repert. f. Kstwiss.*, 1903, pp. 177–79; Palmarini, in *Rass. Arte*, 1903, pp. 40–43; Modigliani, *L'Arte*, 1903, VI, pp. 85, 189; Fischel, *T.*, 1904, p. 21; Förster in *Jahrb. d. preuss. Kstsmlgn*, 1904, pp. 19–21; Gronau, *T.*, 1904, p. 37; Steinmann, *Mecklenb. Nachrichten*, 1904, pp. 1–11; Riese e Schumann, *Tizian's Überredund* in *Frankfurter Zeitung*, 1905, p. 599; Ozzola, in *Arte*, 1906, pp. 298–302; Petersen, *Zeitschr. f. bild. Kst.*, 1906, pp. 182–187; Petersen, *T., Amor S. e. P.*, s. d. (1906?), pp. 97–104; Phillipps, *T.*, 1906, pp. 7, 20, 26, 27, 33, 35–40, 47, 48, 52, 69; Lafenestre, *T.*, 1909, p. 24; Gerstfeldt, *Monatsh. f. Kstwiss.*, 1910, pp. 365–376; Ricketts, *T.*, 1910, pp. 43, 181; Battelli, in *Vita d'Arte*, 1912, pp. 1–2; Poppelreuter, *Repert. f. Kstwiss.*, 1913, pp. 41–56; L. Venturi, *Giorgione*, 1913, p. 146; Hourticq, in *Gaz. B. Arts*, 1917, pp. 288–298; Clerici, in *Bibliofilia*, 1918–19, pp. 183–203, 240–48; Basch, *T.*, 1818, pp. 70, 73, 149, 169, 190; Hourticq, *T.*, 1919, pp. 18, 21, 31, 78, 88, 126, 127, 163, 217, 231, 274, 280; Hetzer, *T.*, 1920, pp. 45–48; Jahnig, *T.*, 1921, p. 19; Zaff, *T.*, 1922, p. 32; Waldmann, *T.*, 1923, pp. 45–46, 48, 149, 215; Ricci, *Villa Borgh.*, 1924, pp. 150–152; Fischel, *T.*, 1925, p. 21; Cantalamessa, *Conferenze*, 1926, p. 176; Heinemann, *T.*, 1928, p. 55; A. Venturi, *Storia*, 1928, IX, 3, p. 220 ss.; Hourticq, *Giorgione*, 1930, pp. 184, 189, 191; Panofsky, *Hercules am Scheidwege*, 1930, p. 173 ss.; Suida, in *Dedalo*, 1931, p. 896; Suida, *T.*, 1932, pp. 28–29; Spahn, *Palma*, 1932, pp. 16, 18, 40, 41, 44, 45, 46, 125, 153; Suida, *T.*, 1933, pp. 28, 29, 154; Delogu, *T.*, 1934, pp. 12, 13, 16, 17, 22; Kislinger, in *Belvedere*, 1934–37, p. 172; Hetzer, *T.*, 1935, pp. 27, 73, 75, 83, 88, 90–92, 102, 164, 170; Tietze, *T.*, 1936, pp. 23, 26, 28, 32; Friedländer, in *Art. Bull.*, 1938, pp. 320–24; Mayer, in *Art Bull.*, 1939, p. 89; Panofsky, *Iconology*, 1939, p. 160 ss.; De Minerbi, *Amor S. e P.*, 1939, pp. 161–265; Malcolm–Bell, *T.*, 1940, p. 41; Fiocco, *Giorgione*, 1941, p. 137; Wischnitzer–Berstein, *Gaz. B. Arts*, 1943, pp. 89–98; Oettinger, in *Jahrb. d. Ksthist. Smlgn. in Wien*, 1944, p. 138; Pallucchini, *Pitt. Veneziana*, 1944, I, p. XVIII; Grassi, *T.*, 1946, pp. 9–10; Brendel, in *Art Bull.*, 1946, pp. 69–73; Delogu, *Amor S. e P.*, 1947; Middeldorf, in *Art Bull.*, 1947, p. 66; De Rinaldis, *Cat.*, 1948, p. 86; Tietze, in *Arte Veneta*, 1948, II, p. 65; Scheffler, *Venezian. Malerei*, 1949, p. 276; Argan, *Amor S. e P.*, 1950; Delogu, *T.*, 1950, p. 17; Tietze, *T.*, 1950, pp. 14, 15, 17, 394; Della Pergola, *Gall. Borg.*, 1950, p. 7; Morassi, in *Burl. Mag.*, 1951, p. 216; Nordenfolk, in *Gaz. B. Arts*, XL, 1952, p. 103 ss; Montenovesi, in *Capitolium*, 1954, p. 81; Zeri, *Gall. Spada*, 1954, p. 144; Della Pergola, *Giorgione*, 1955, pp. 40, 62; Dell'Acqua, *T.*, 1955.

Fot.: Alinari 8035; Anderson 1223; Brogi 6488; Chauffourier 4191; Gab. Fot. Naz. 2719; Arch. Fot. Vat. VI–5–9 (già Moscioni 21203).

234. – S. DOMENICO (inv. n. 188).
Olio su tela: 0,92 × 0,78.

Firmato, Ticianus.

Conservazione buona. Nel 1951 è stato pulito a cura dell'Istituto Centrale del Restauro per togliere l'annebbiamento provocato dall'ossidazione delle vernici. In tale occasione si è potuto stabilire l'autenticità della firma.

Provenienza indeterminata. Pensiamo facesse anche questo parte del gruppo di opere acquistate dal Cardinale Sfondrato nel 1608.

È indicato nell'*Inventario* del 1693 e in quello del 1700 come « ritratto di un Domenicano del Tiziano » malgrado l'aureola che orienta verso l'identificazione di un Santo. Il Fogolari lo datava intorno al 1565, seguendo l'opinione del Tietze, condivisa anche dal De Rinaldis. Il Fogolari e il De Rinaldis pensarono anche di identificare la figura rappresentata con quella di S. Vincenzo Ferreri, ma ci sembra preferibile la versione del Cavalcaselle, che conduce verso lo stesso S. Domenico, qui assurto a simbolo di un'idea. Per lo stesso motivo non ci sentiamo di accogliere l'accenno del Morelli al passo del Ridolfi (*Meraviglie*, 1648): « Fece il Ritratto del suo confessore, dell'Ordine dei Predicatori ».

Fu esposto nel 1935 alla Mostra di Tiziano a Venezia.

BIBL.: *Inv.*, 1693, St, V, n. 35; *Inv.*, 1700, St. V, n. 32; *Inv. Fid.*, 1833, p. 22; Crowe Cavalcaselle, *T.*, 1878, II, p. 420; Piancastelli, *Ms.*, 1891, p. 14; A. Venturi, *Cat.*, 1893, p. 196; Morelli, *Pittura It.*, 1897, p. 240; Gronau, *T.*, 1900, p. 193; Berenson, *Venet. Painters*, 1906, p. 144; Lafenestre, *T.*, 1909, p. 278; Ricketts, *T.*, 1910, pp. 146, 181; Phillipps, *Venet. School*, 1912, p. 183; Longhi, *Precisioni*, 1928, p. 54; A. Venturi, *Storia*, 1928, IX, 3, pp. 366–367; Suida, *T.*, 1932, p. 130; Suida, *T.*, 1933, p. 133; *Mostra T.*, 1935, p. 189; Tietze, *T.*, 1936, pp. 247, 248, 307; Valeri, *T.*, 1939, p. 73; De Rinaldis, *Itin.*, 1939, p. 54; De Rinaldis, *Cat.*, 1948, p. 87; Tietze, *T.*, 1950, p. 394; Della Pergola, *Gall. Borgh*, 1950, p. 8; *Boll. Ist. Restauro*, 1950, p. 98.

Fot.: Alinari 8041; Anderson 4581; Brogi 11969; Arch. Fot. Vat. XXX–78-8 (già Moscioni 21219).

235. – VENERE CHE BENDA AMORE (inv. n. 170).
Olio su tela: 1,18 × 1,85.

Conservazione buona.

Proviene anche questo, con molta probabilità, dall'acquisto dal Cardinale Sfondrato nel 1608. (Cfr, Bibl. gen., Documenti, n. 7).

Nel 1613 il doratore Annibale Durante ne eseguiva la cornice. Pur non essendo citato con precisione, si può dedurre dalle misure che si tratti proprio di questo dipinto, che nello stesso anno viene citato per la prima volta dal Francucci, insieme con l'« Amor Sacro e Profano ». Il conto di Annibale Durante reca: « Una cornice indorata con li fogliami di rilievo intagliati data di vernice e sui filetti dorati serve per il quadro di Tiziano in Sala longa 8 alta 6. Scudi 10 ». (A.S.B.V., 1613, Conti Artigiani, Busta 4170). Il Francucci lo chiama « le Tre Grazie » e tale nome rimane nel Manilli, nel Montelatici e in tutti gli *Inventari* del Settecento. Solo il Cavalcaselle rifiutò questa indicazione, e propose quella, ancora rimasta, di « Venere che benda Amore ». « L'educazione di Cupido » (a cui riporta l'affinità con l'affresco pompeiano del Museo Nazionale di Napoli), è versione recente, proposta dal Valentiner, che pose il dipinto a raffronto con l'« Allegoria » Wemyss, poi Wildenstein ed ora nell'Art Institut di Chicago, che egli assegna pure a Tiziano. Tanto l'attribuzione di questa opera, come la sua denominazione, vennero accolte da L. Venturi, il quale vide nel soggetto una trasposizione dall'*Asino d'oro* di Apuleio. La Conrad–Tietze rifiutò invece decisamente il riferimento

a Tiziano della variante Wemyss, e, per quanto è possibile giudicare da una riproduzione, ci sembra a ragione. Il Panofsky intepretò il soggetto del quadro Borghese
come un dipinto nuziale. La data proposta da Adolfo Venturi, 1565, ci sembra da accettare,
e certo Tiziano lo eseguì nel periodo della più libera e felice espressione della sua arte,
quando matura in lui la visione del secondo momento giorgionesco. La scioltezza della
pennellata e i rapidi tocchi impressionistici nelle vesti, nelle figure e nel fondo sintetico
del paesaggio dolomitico, colpirono il Cavalcaselle e il Morelli, che notava stranamente
dei rifacimenti inesistenti. Il dipinto è invece mirabilmente intatto. Durante il suo viaggio
in Italia tra il 1621 e il 1627 il van Dyck lo disegnò nel taccuino oggi a Chatsworth. Recentemente il Suida ha pubblicato una replica parziale comprendente la sola figura di
Venere col Cupido, ritrattata come una gentildonna. Questo dipinto, che è entrato a far
parte con la coll. Kress della Gall. Naz. di Washington, è ritenuto dal Suida originale
di quello Borghese, ma l'inverso ci sembra più probabile, anche ammesso che il quadro
Kress sia proprio di mano di Tiziano. Il Morelli aveva a suo tempo ricordato varie copie
e derivazioni di questa opera, di cui una a Genova, in casa Balbi. Appare riprodotto nel
dipinto di W. van Haecht del Mauritshuis dell'Aja, raffigurante la Galleria van der Geest,
che probabilmente ne possedeva una copia. Stranamente però nessuno ha posto in relazione l'allegoria Wemyss con l'altro dipinto posseduto dalla Galleria Borghese (cfr. n.
inv. 124) e che pensiamo sia invece derivato da un'opera del Veronese. La contaminazione
dei due soggetti in un'unica composizione fa ritenere la tela Wemyss uno studio, forse di
mano straniera, un'esercitazione simile a quella già tentata dal van Dyck nel suo taccuino.

Fu esposto nel 1935 alla Mostra di Tiziano a Venezia.

BIBL.: Francucci, *Gall. Borghese*, 1613, St. 362-371; Van Dyck, *Taccuino dei disegni*, 1621-27 (ed.
Cust 1902, Adriani 1940); Ridolfi, *Meraviglie*, 1648 (1914), I, p. 257; *Inv.*, 1700, St. V, n. 43; Crowe
Cavalcaselle, *T.*, 1877-78, II, p. 486; Piancastelli, *Ms.*, 1891, p. 9; A. Venturi, *Cat.*, 1893, p. 110; Morelli,
Pittura It., 1897, p. 240; Phillipps, *T.*, 1898, p. 89; Gronau, *T.*, 1900, p. 190; Lafenestre, *T.*, 1909, p. 278;
Ricketts, *T.*, 1910, pp. 147, 181; Graves, *A Century of Loan Exibitions*, 1914, pp. 13, 18-19; Basch, *T.*, 1918,
pp. 214, 216, 218; A. Venturi, *Storia*, 1928 (cfr. 1911), IX, 3, p. 365; Valentiner, *Masterpieces*, 1930, I, 25;
Suida, *T.*, 1932, p. 119; A. Venturi, in *Arte*, 1932, p. 484; Suida, *T.*, 1932, pp. 121, 122, 171; L. Venturi,
Paint. in America, 1933, III, p. 525; Delogu, *T.*, 1934, p. 31; Hetzer, *T.*, 1935, pp. 146, 170, 171; *Mo-
stra T.*, 1935, p. 171; Tietze, *T.*, 1936, I, p. 241; II, p. 308; Panofsky, *Iconology*, 1939, p. 160 ss.; Horst,
in *Art Bull.*, 1940, p. 174; Sweet, in *Bull. of Art Inst. Chicago*, 1943, pp. 66-68; Tietze-Conrat, in *Art
Bull.*, 1945, p. 270; Grassi, *T.*, 1946, p. 24; Grose, in *Art Bull.*, 1947, p. 125; De Rinaldis, *Cat.*,
1948, p. 88; Tietze-Conrat, in *Crit. Arte*, 1950, p. 394; Delogu, *T.*, 1950, pp. 37, 53; Della Pergola, *Gall.
Borgh.*, 1950, p. 9; Suida, *Cat. Coll. Kress*, 1951, p. 48; Suida, in *Arte Veneta*, 1952, VI, pp. 36-38;
Dell'Acqua, *T.*, 1955.

FOT.: Alinari 8042; Anderson 1232; Brogi 7435; Chauffourier 4195; Gab. Fot. Naz. D 3131; Arch.
Fot. Vat. XXX-55-44 (già Moscioni 21211).

236. - CRISTO FLAGELLATO (inv. n. 194).
Olio su tela: 0,86 × 0,58.

Conservazione buona.

Proviene dall'eredità di Lucrezia d'Este passata agli Aldobrandini, e con il matrimonio
di Olimpia Aldobrandini, in parte, ai Borghese.

Nell'*Inventario* di Lucrezia d'Este, del 1592, è così citato: « Uno di N. S. batuto alla
Colona di mano di Titiano », e in quello di Olimpia Aldobrandini (1682): « Un quadro
in tela di Christo mezza figura alla Colonna alto palmi tre in circa con cornice nera et
oro di Titiano come a d° Inv. ° a fogli 208 n. 165 et a quello del Sig. Cardinale Carta
117 ». A sua volta il Manilli ripete: « Il Christo legato alla colonna è di Tiziano ». Il Venturi

accettò l'attribuzione tradizionale e datò il dipinto intorno al 1560, così il Longhi e il Berenson; ma questo quadro venne trascurato dai più recenti biografi del Vecellio. Il Valcanover (riferimento orale) pensa sia opera dei Vecellio con ampia partecipazione dello stesso Tiziano, ma non assolutamente genuina. Non troviamo motivo per togliere al maestro questa tela, ma la data ci sembra debba essere spostata ancora verso la sua estrema attività.

BIBL.: *Inv. Lucrezia d'Este*, 1592, p. 11; *Inv. Olimpia Aldobrandini*, 1682; Manilli, 1650, p. 79; *Inv.*, 1693, St. IV, n. 5; *Inv. Fid.*, 1833, p. 37; Piancastelli, *Ms.*, 1891, p. 470; A. Venturi, *Cat.*, 1893, p. 117; Bernardini, in *Rass. Arte*, 1910, p. 143; Longhi, *Precisioni*, 1928, p. 196; Berenson, *Pitture It.*, 1936, p. 494; De Rinaldis, *Cat.*, 1948, p. 90; Della Pergola, *Itin.*, 1951, p. 58.

Fot.: Alinari 27518; Anderson 24630.

COPIA DA TIZIANO (Giovan Battista Salvi detto il Sassoferrato).

Sassoferrato 1605 – Roma 1685.

237. – LE TRE ETÀ DELL'UOMO (inv. n. 346).
Olio su tela: 0,94 × 1,53.

Conservazione buona. È stato trasportato su tela nel 1870.

Provenienza indeterminata. Forse eseguito su ordinazione dei Borghese nel 1682 circa.

Nell'*Inventario* di Olimpia Aldobrandini (1682) è elencato: « Un quadro in tela con un Pastore et una Donna che sona il flauto con tre Amorini et un Vecchio a giacere alto palmi quattro Cornice dorata di Tiziano come a dᵒ Inventario a fogli 218 N. 24 et a quello del Sig.r Cardinale a Carte 125 ». Il riferimento agli elenchi del Cardinale Aldobrandini esclude si possa trattare della copia pervenuta, poichè permette di risalire all'anno 1611, epoca della istituzione del Fidecommisso Aldobrandini, quando il Sassoferrato, cui certo questa copia appartiene, non poteva in alcun modo averla eseguita. È da pensare piuttosto che l'originale di Tiziano, oggi a Bridgewater House, si trovasse nella raccolta Aldobrandini e pervenisse ad Olimpia con l'eredità dello zio, e poichè il Piancastelli già annotava nel 1891 una replica di questo dipinto anche presso il Principe Doria Pamphili, a cui col secondo matrimonio di Olimpia pervenne una parte della quadreria, si rende credibile l'ipotesi che nel 1682, al momento di effettuare la divisione cui si riferisce l'*Inventario* citato, l'originale venisse venduto, e i due eredi si accontentassero delle due copie forse fatte fare appositamente. Certo il *Fidecommisso* che nel 1833 elenca: « Il Passaggio della Vita dell'Uomo, Sasso–Ferrato » si riferisce ad una attribuzione che doveva essere sicura e ben nota, altrimenti avrebbe ripetuto, come in simili casi, il nome di Tiziano. Lo stesso Montelatici, più vicino alla data di esecuzione, lo dice « copia da Tiziano ».

BIBL.: *Inv. Olimpia Aldobrandini*, 1682; Montelatici, *Villa Borghese*, 1700, p. 297; *Inv. Fid.*, 1833, p. 11; Platner, *Beschreib. Rom.* 1842, III, p. 290; Lübke, *It. Malerei*, 1878, II, p. 531; Piancastelli, *Ms.*, 1891, p. 346; A. Venturi, *Cat.*, 1893, p. 168; Longhi, *Precisioni*, 1928, p. 209; De Rinaldis, *Cat.*, 1948, p. 30; Della Pergola, *Itin.*, 1951, p. 23.

Fot.: Alinari 8023; Anderson 4473; Brogi 11963; Chauffourier 4180; Moscioni 21279; Gab. Fot. Naz. D 3236.

COPIA DA TIZIANO.

238. – RITRATTO DETTO DI LAURA DIANTI (inv. n. 154).
Olio su tela: 0,34 × 0,25.

Conservazione alquanto scadente.

Entrato nella raccolta forse all'epoca del *Fidecommisso*, in sostituzione del dipinto che proveniva dal sequestro del Cavalier d'Arpino, nel 1607.

« Un quadro di Rosa Solemana con le cornici di noce » si trova tra le opere sequestrate al Cavalier d'Arpino dal fiscale di Paolo V, e il Manilli precisa: « Il Ritratto della Sultana Rosa, moglie di Solimano, è copiato dall'originale di Tiziano da Bartolomeo Spranga ». La stessa indicazione si trova nel Montelatici, mentre l'*Inventario* del 1725 è più preciso: « Un quadro rappresentante una Sultana con Iscrizione sopra Rosa Solimani Imperatoris Turcorum Uxor. » le cui misure: palmi 4,1/2 per 3,3/3 escludono possa trattarsi della mediocre tela pervenuta. Il mutamento deve essere avvenuto all'epoca del *Fidecommisso*, in cui il dipinto è descritto: « Ritratto, autore incognito », senza nemmeno più un'eco dell'importanza d'origine. È copia, assai misera e parziale, mentre quella dello Spranger doveva essere per intero, del quadro di Tiziano conosciuto come ritratto di Laura Dianti (secondo il Vasari) o Lucrezia Borgia (secondo il Cavalcaselle) eseguito da Tiziano intorno al 1523, inciso dal Sadeler e copiato nel 1599 circa da Ludovico Carracci nell'esemplare oggi a Modena. Il ritratto, che era anche detto: « la Schiavona » o « la Turca », venne interpretato nell'esemplare in possesso del Cavalier d'Arpino, come quello della Sultana Rosa. La mediocre copia pervenuta, assolutamente anonima, può essere stata eseguita nei primi anni del Seicento. Altre repliche si trovano nel Museo di Stoccolma, alla Bachovenhaus di Basilea, alla Galleria Estense di Modena, già nella raccolta Sernagiotto a Venezia, in quella Pignatti Morano di Modena, e già nella Raccolta del Conte Kirchberg, venduta a Roma nel 1930. Quella già della Cook a Richmond, passata in Coll. privata a New York, sembra essere di gran lunga superiore ad ogni altra.

BIBL.: *Inv. Cav. d'Arpino*, 1607; Manilli, 1650, p. 114; Montelatici, *Villa Borghese*, 1700, p. 275; *Inv.*, 1725, p. 92; *Inv.*, 1765, p. 92; *Inv. Fid.*, 1833, p. 24; Piancastelli, *Ms.*, 1891, p. 444; A. Venturi, *Cat.*, 1893, p. 106; Cook, in *Burl. Mag.*, 1905, p. 450; Longhi, *Precisioni*, 1928, p. 193; Pallucchini, *Cat. Estense*, 1945, p. 185.

Fot.: Gab. Fot. Naz. E 12454; 32754.

COPIA DA TIZIANO.

239. – AUTORITRATTO (inv. n. 102).
Olio su tela: 0,28 × 0,25.

Conservazione buona.
Provenienza indeterminata.

Si trova citato nell'*Inventario* del 1700 come opera dello stesso Tiziano. Attribuito alla scuola di Tiziano dal *Fidecommisso* del 1833, dal Piancastelli e dal Venturi, venne riconosciuto dal Platner come copia di un autoritratto e deriva senza dubbio dal ritratto degli Uffizi. Un'altra copia, in tutto simile a questa, si trova all'Ambrosiana e tutte presentano molta affinità con la figura del doppio ritratto del Castello Reale di Windsor da cui deriva anche l'incisione per le *Meraviglie* del Ridolfi.

BIBL.: *Inv.*, 1700, St. IV, n. 13; *Inv. Fid.*, 1833, p. 20; Platner, *Beschreib. Rom*, 1842, III, p. 287; Piancastelli, *Ms.*, 1891, p. 13; A. Venturi, *Cat.*, 1893, p. 85; Longhi, *Precisioni*, 1928, p. 186.

Fot.: Gab. Fot. Naz. E 33285.

COPIA VARIATA DA TIZIANO.

240. – IL TRIBUTO (inv. n. 112).
Olio su tela: 0,82 × 0,60.

Conservazione buona.
Provenienza indeterminata.

Si trova elencato per la prima volta nell'*Inventario* del 1693 attribuito a Giorgione e poi in quello del 1790 come opera di Tiziano. Gli *Elenchi Fidecommissari* lo iscrivono

« maniera di Tiziano » e il Piancastelli e il Venturi vi riconobbero una copia parziale, e in nulla interessante, del « Tributo » di Dresda. Può essere che, una volta pulito della spessa vernice gialla che ha camuffato tanti dipinti nel famoso « color di museo», riveli uno studio meno spregevole di qualche pittore romano degli inizi del Seicento.

BIBL.: *Inv.*, 1693, St. VIII, n. 61; *Inv.*, 1700, St. IX, n. 45; *Inv. Fid.*, 1833, p 37; Piancastelli, *Ms.* 1891, p 20; A. Venturi, *Cat.*, 1893, p. 90; Longhi, *Precisioni*, 1928, p. 187.

Fot.: Gab. Fot. Naz. E 33265.

ORAZIO VECELLIO.

Venezia 1525 c. – Venezia 1576 c.

241. – LA VERGINE COL BAMBINO, S. GIOVANNINO E UN ANGELO (inv. n. 146).
Olio su tela: 0,76 × 0,73.

Conservazione buona.
Provenienza indeterminata.

È indicato nell'*Inventario* del 1693 e poi nel *Fidecommisso* del 1833. La prima attribuzione a Tiziano con cui compare in quegli elenchi venne messa in dubbio dal Cavalcaselle il quale ricordando una simile composizione nel Castello di Alnwick in Scozia, attribuito ad Orazio Vecellio, pensò che questa potesse essere opera di un maestro tedesco o fiammingo della scuola dei Vecellio. Il Venturi l'attribuì ad un tardo seguace dei Vecellio, il Longhi alla scuola di Tiziano. Il Berenson, che da prima (1894) fece il nome di Polidoro Lanzani, non l'incluse negli elenchi dell'edizione 1936. Le affinità che il dipinto presenta con la « Madonna e Bambino che riceve l'offerta dei Re Magi » nella tela della Parrocchiale di Calalzo, opera documentata di Orazio, che la eseguì nel 1566, consente all'attribuzione a questo pittore. Altre repliche, probabilmente derivate da un prototipo maggiore di Tiziano, sono a Firenze (Pitti n. 483) e a Bologna (seconda cappella a sinistra di S. Petronio).

BIBL.: *Inv.*, 1693, St. II, n. 31; *Inv. Fid.*, 1833, p. 16; Crowe Cavalcaselle, *Tiziano*, 1877, I, p. 743; Piancastelli, *Ms.*, 1891, p. 11; A. Venturi, *Cat.*, 1893, p. 102; Berenson, *Venet. Painters*, 1894, p. 123; Longhi, *Precisioni*, 1928, p. 192.

Fot.: Anderson 4385; Brogi 15915; Arch. Fot. Vat. XXX–60-14 (già Moscioni 21201).

VERONESE (Paolo Caliari).

Verona 1528 – Venezia 1588.

242. – LA PREDICA DEL BATTISTA (inv. n. 137).
Olio su tela: 2,08 × 1,40.

Conservazione buona. Nel 1951 è stato rintelato da Decio Podio per ovviare alla grossa ed evidente cordonatura centrale che presentava un vecchio supporto.

Fu inviato dal Patriarca di Aquileia nel 1607 a Scipione Borghese (A. G. B. Cfr. Bibl. gen., Documenti, n. 1).

Il Ridolfi descrive questo dipinto nella casa del Principe Ludovisi, ma deve avere confuso, perchè si trovava già in possesso dei Borghese. Sebbene la lettera del Patriarca d'Aquileia non precisi il soggetto del dipinto inviato, nè il soggetto sia indicato nel conto del falegname doratore Annibale Durante che nel 1612 aveva fornito la cornice, le misure indicate da questi fanno certi si tratti proprio di questo dipinto: « Un'altra (cornice) con i membri d'oro fogliami servita per il quadro di Paolo Veronese pmi 11 (altezza) e 8 1/2 (larghezza) sc. 8 » (A S. B. V., 1612, *Conti Artigiani*, busta 4170). Anche il Francucci, nel

Poemetto scritto nel 1613, ricorda in Palazzo Borghese un quadro di S. Giovanni Battista del Veronese. Più tardi il Manilli e tutti i successivi *Inventari* mantengono inalterata l'attribuzione. Il Morelli e il Richter, seguiti in un primo tempo dal Berenson (1907) lo riferirono invece allo Zelotti, ma il Longhi, il Fiocco e di nuovo il Berenson (1936) e il Venturi lo rivendicarono a Paolo. È certo un'opera giovanile, di una freschezza d'immaginazione e di rappresentazione che non può generare dubbi.

Fu esposto nel 1935 alla Mostra d'Arte Italiana a Parigi e nel 1939 alla Mostra del Veronese a Venezia.

BIBL.: Francucci, *La Gall. Borghese*, 1613, St. 269 ss.; Ridolfi, *Meraviglie*, 1648, I, p. 321 (1914 I p. 336); Manilli, 1650, p. 70; Montelatici, *Villa Borghese*, 1700, p. 288; Dal Pozzo, *Vite*, 1718, p. 104; *Inv. Fid.*, 1833, p. 7; Piancastelli, *Ms.*, 1891, p. 51; A. Venturi, *Cat.*, 1893, p. 137; Morelli, *Pittura It.*, 1897, p. 240; Rusconi, *Gall. Borghese*, 1906, pp. 69-70; Berenson, *North It. Painters*, 1907, p. 300; Richter, *Mond Coll.*, 1910, p. 312; Osmond, *V.*, 1927, pp. 58-59; Longhi, *Precisioni*, 1928, p. 190; Fiocco, *V.*, 1928, p. 193; Fiocco, *V.*, 1934, pp. 34, 135; A. Venturi, *V.*, 1934, pp. 114; *Mostra Arte It. Parigi*, 1935, p. 215; *Mostra V.*, 1939, p. 113; A. Venturi, *Storia*, 1929 (cfr. 1911), IX, 4, p. 940; Pallucchini, *V.*, 1940, pp. 17-18; De Rinaldis, *Cat.*, 1948, p. 89; Della Pergola, *Gall. Borgh.*, 1950, p. 11.

Fot.: Alinari 7986; Anderson 1012; Brogi 11980; Chauffourier 4114; Arch. Fot. Vat. XXXI-51-8 (già Moscioni 21197).

243. - S. ANTONIO CHE PREDICA AI PESCI (inv. n. 101).
Olio su tela: 1,12 × 1,57.

Conservazione buona.

Si deve ritenere anche questo inviato a Scipione Borghese nel 1607 dal Patriarca d'Aquileia. (Cfr. Bibl. gen., Documenti, n. 1).

Descritto dal Francucci, confusamente con il Battista, e ricordato dal Ridolfi, nel 1648: «Il Sig. Principe Borghese ha un quadro mezzano con Sant'Antonio che predica ai pesci sul lito, quali spuntano fuor dell'acqua per udirlo come se havessero lo intendimento». Il Morelli volle vedervi un'opera dello Zelotto, ma il Venturi, il Longhi, il Fiocco, il De Rinaldis e il Pallucchini concordarono nel riconoscervi un originale di Paolo, da porsi nel periodo più maturo della sua attività. Può infatti essere datato intorno al 1580. Anche per questo dipinto esiste un conto del doratore Annibale Durante, che in data 25 luglio 1612 riceve sc. 8 per una « Cornice dorata per quadro di S. Bernardo (corretto sopra: Belardino, pensiamo per Antonino) di Paolo Veronese » (A. S. B. V., busta 4170, a. 1612. Cfr. Bibl. gen. Documenti, n. 10).

BIBL.: Francucci, *Gall. Borghese*, 1613, St. 269 ss.; Ridolfi, *Meraviglie*, 1648, I, p. 320 (1914, I, p. 336); *Inv.*, 1693, St. VIII, n. 51; Rossini, *Mercurio*, 1750 (cfr. 1693), I, p. 64; *Inv. Fid.*, 1833, p. 18; Piancastelli, *Ms.*, 1891, p. 59; A. Venturi, *Cat.*, 1893, p. 85; Berenson, *Venet. Painters*, 1894, p. 128; Morelli, *Pittura It.*, 1897, p. 242; Osmond, *V.*, 1927, pp. 58, 114; Longhi, *Precisioni*, 1928, p. 186; Fiocco, *V.*, 1928, p. 106; A. Venturi, *Storia*, 1929 (cfr. 1911), IX, 4, p. 940; Fiocco, *V.*, 1934, p. 58, 114; *Mostra V.*, 1939, p. 177; Longhi, *Viatico*, 1946, p. 31; De Rinaldis, *Cat.*, 1948, p. 89; Della Pergola, *Gall. Borgh.*, 1950, p. 12.

Fot.: Alinari 7985; Anderson 4229; Brogi 11979.

COPIA DA VERONESE.

244. - VENERE AMORE E UN SATIRO (inv. n. 124).
Olio su tela: 1,15 × 1,10.

Conservazione buona.

Provenienza indeterminata. Fa parte, probabilmente, dell'acquisto effettuato nel 1608 presso il Cardinale Sfondrato.

Era già nella raccolta nel 1621–1624, quando il Van Dyck lo disegnò nel taccuino oggi a Chatsworth, come opera di Tiziano. A Tiziano lo assegna ancora il Manilli, mentre giunge all'*Inventario* del 1693 e al *Fidecommisso* con il nome più vicino al vero di Paolo Veronese. Il Morelli pensò si trattasse di una copia eseguita da Paris Bordone da un originale di Tiziano; il Venturi, che nel *Catalogo*, pur mantenendolo nella cerchia di Tiziano, vi aveva veduto opera di « un seguace di poco talento, come lo dimostra, oltre la pochezza dell'arte, anche la commista riproduzione del Cupido del Parmigianino, ora esistente nel Belvedere di Vienna», più tardi (1921) pensò addirittura al Cambiaso. Il Longhi lo ritenne « imitazione generica dai classici veneziani ad opera di un qualche buongustaio arcaista nel genere del Padovanino». La derivazione da Paolo ci sembra più evidente, per il taglio della composizione, l'impostazione delle figure e i caratteri, e lo stesso colore. Meno facile è giungere alla determinazione del copista, che non ha lasciato traccia della sua personalità, anche se la Tietze–Conrat pensa di riconoscervi la mano di Damiano Mazza. Venne copiato insieme con la Venere che benda Amore nel quadro dell'Art Institut di Chicago (cfr. scheda 235).

BIBL.: A. v. Dyck, *Libro di disegni*, 1621–27, f. 117 (Cust, 1902, Adriani, 1940); Manilli, 1650, p. 99; *Inv.*, 1693, St. V, n. 68; *Inv.*, 1725, p. 67; *Inv. Fid.*, 1833, p. 12; Caliari, *V.*, 1888, pp. 364–65; Piancastelli, *Ms.*, 1891, p. 52; A. Venturi, *Cat.*, 1893, p. 93; Morelli, *Pittura It.*, 1897, p. 243; Bell, *V.*, s. d., (1905). p. XXVIII; Longhi, *Precisioni*, 1928, p. 189; L. Venturi, *It. Paint. in America*, 1933, III, p. 525; Tietze–Conrat, in *Art Bull.*, 1945, p. 270; Zeri, in *Paragone*, 1952, 31, p. 46.

Fot.: Alinari 7984; Anderson 4228.

COPIA DA VERONESE.

245. – CRISTO IN CROCE CON LA VERGINE, S. GIOVANNI E LA MADDALENA (inv. n. 107). Fig. 246.
Olio su tela: 0,76 × 0,56.

Conservazione buona.
Provenienza indeterminata.

Era nella raccolta nel 1693. Tanto nel *Fidecommisso* come nelle schede del Piancastelli è elencato come: «Cristo al Calvario, scuola di Michelangelo ». Il Morelli lo riferì allo Zelotti, nome accolto dal Venturi e rifiutato invece dal Longhi, il quale vi riconobbe una opera assai fine della bottega di Paolo Veronese «su un motivo sicuramente ideato dal maestro». Egli citava inoltre le varianti del Louvre e in S. Sebastiano a Venezia. Il gruppo della Vergine e S. Giovanni trova riferimento con quello dell'Academy of Art di Honolulu, proveniente dalla Coll. Kress, mentre nella Galleria Doria Pamphili si trovano un gruppo assai simile e un « Crocifisso» che sembra derivare da questo. Il successo dell'opera originale ci sembra attestato da queste repliche e varianti parziali, e non dubitiamo fosse dello stesso Veronese. In quanto al dipinto Borghese, che è il più completo di quanti pervenuti, pensiamo come il Longhi sia da assegnare alla bottega di Paolo.

BIBL.: *Inv.*, 1693, St. IX, n. 6; *Inv. Fid.*, 1833, p. 37; Piancastelli, *Ms.*, 1891, p, 231; Morelli, *Giudizi trascritti dal Piancastelli* (A. G. B.); A. Venturi, *Cat.*, 1893, p. 87; Longhi, *Precisioni*, 1928, p. 187.

Fot.: Gab. Fot. Naz. E 32717.

COPIA DA VERONESE.

246. – ANNUNCIAZIONE (inv. n. 319). Fig. 245.
Olio su tela: 0,64 × 0,90.

Conservazione buona.
Provenienza indeterminata.

Si trova elencato per la prima volta nell'*Inventario* del 1693 come opera del Veronese, e così ritorna negli *Inventari* del 1725 e del 1790, mentre il *Fidecommisso* lo riporta sotto il nome del Barocci, per evidente confusione con il n. inv. 380, attribuito al Barocci negli antichi inventari. Il Piancastelli notò nelle sue schede l'errore e riferì questa « Annunciazione » all'esemplare di Palazzo Rosso, a Genova, da cui indubbiamente deriva. Il Venturi a sua volta l'avvicinò all'« Annunciazione » che reca il facile prestanome dello Zelotti, agli Uffizi, e a quella dell'Hofmuseum di Vienna, con cui ha evidenti affinità. Non ci sentiremmo però di fare il nome dello Zelotti per questa tela, che rientra nel gruppo anonimo della bottega di Paolo.

BIBL.: *Inv.*, 1693, St. IV, n. 24; *Inv.*, 1725, p. 182; *Inv.*, 1790, St. VIII, n. 52; Vasi, *Itinerario*, 1794 (1786), p. 394; *Inv. Fid.*, 1833, p. 35; Piancastelli, *Ms.*, 1891, p. 332; A. Venturi, *Cat.*, 1893, p. 159; Lafenestre, *Rome*, 1905, p. 40; Longhi, *Precisioni*, 1928, p. 207; Suida, *Gaz. B. Arts*, 1938, p. 177.

Fot.: Gab. Fot. Naz. E 32704.

BARTOLOMEO VIVARINI.

Venezia 1432 c. – Venezia 1499 c.

247. – MADONNA COL BAMBINO (inv. n. 578).
Tempera su tavola centinata: 0,65 × 0,41.

Conservazione molto mediocre.

Restaurato nel 1910 a Venezia da Giovanni Zennaro (direttore Giulio Cantalamessa), il dipinto si è rivelato profondamente intaccato dai danni, e ridotto una larva. Tanto il Cantalamessa come il Fogolari, che seguì i lavori di pulitura, preferirono lasciare la tavola in tali condizioni, che erano le genuine, piuttosto che creare un falso con i troppi ripristini che sarebbero stati necessari (A. G. B.).

Acquistato nel 1909 per L. 800 presso la Congregazione di Carità di Forlì.

Lo stato di larva in cui appare ora il dipinto può far sembrare audace il nome di Bartolomeo Vivarini, ma non manca una certa grandiosa nobiltà di imposto a far pensare tale attribuzione come possibile.

BIBL.: De Rinaldis, *Itin.*, 1939, p. 56 (cfr. 1935).
Fot.: Gab. Fot. Naz. E 33307.

LAMBERTO ZUSTRIS (o SUSTRIS).

Amsterdam 1515 c. – Ancora attivo nel 1568.

248. – VENERE (inv. n. 50).
Olio su tela: 1,18 × 1,80.

Conservazione buona. È stato pulito nel 1937 da Carlo Matteucci (direttore Aldo De Rinaldis).

Provenienza indeterminata.

Il Manilli ricorda: « due quadri grandi di Venere », e precisa: « Quello dove una giovane sta suonando una Spinetta, è di Tiziano ». Anche nell'*Inventario* del 1693 è assegnato a Tiziano « un quadro bislungo grande una Donna Nuda sopra un letto con fiori sopra il letto con cinque altre figurine una che sona il Cimbalo e l'altra che guarda dentro una Cassa del N. 726 con cornice dorata in tela di Tiziano ». Malgrado le varianti è facile riconoscervi il prototipo nella « Venere » di Urbino, con reminiscenze d'altri dipinti dello stesso Tiziano. L'*Inventario* del 1790 precisa: « replica da Tiziano » e gli *Elenchi Fidecommissari* lo includono genericamente sotto scuola veneta. Il Longhi pensò, dubitativamente, a Marco Liberi, ma nel 1934 il Wilde lo pubblicava come opera del fiammingo venezianeggiante Lamberto Zustris. Una replica molto simile e certo della stessa mano è stata acquistata recentemente dal Rijksmuseum di Amsterdam e il confronto appare probativo anche per il dipinto Borghese. Il Peltzer lo data intorno al 1550.

BIBL.: Manilli, 1650, p. 110; *Inv.*, 1693, St. VI, n. 28; *Inv.*, 1790, St. VI, n. 41; *Inv. Fid.*, 1833, p. 25; Piancastelli, *Ms.*, 1891, p. 66; A. Venturi, *Cat.*, 1893, p. 58; Longhi, *Precisioni*, 1928, p. 181; Baumgart, in *Boll. Arte*, 1931–32, p. 403; Hermanin, *Giorgione*, 1933, pp. 123–24; Wilde, in *Jahrb. d. Kstsmlgn in Wien*, 1934, pp. 170–72; Peltzer, in *Arte Ven.*, 1950, IV, p. 121.

Fot.: Anderson 31270; Arch. Fot. Vat. XXIII, 22, 19 (già Moscioni 21160).

249. – UNA NASCITA (inv. n. 241).
Olio su tela: 0,78 × 1,01.

Conservazione buona.

Provenienza indeterminata. Nell'*Inventario* di Lucrezia d'Este è elencato: « Una Natività quale è copia di quella di Firenze in un quadretto tella », ma non sapremmo riconoscervi esattamente questo, anche se deriva dalla « Nascita » di Federico Zustris, oggi a Pitti.

La prima notizia attendibile è data dagli *Elenchi Fidecommissari* del 1833, in cui viene attribuito a scuola veneziana, rappresentato come « Una famiglia ». Il Piancastelli riporta l'attribuzione del Morelli allo Scarsellino cui era attribuita anche la « Nascita » di Firenze; il Venturi, ritenendo l'una e l'altra di artista diverso dallo Scarsellino, accostava la tela Borghese ai modi del Parmigianino, ma il Peltzer identificava quella fiorentina nell'opera di Federico Zustris, e questa Borghese in quella del figlio Lamberto, che unisce ai modi fiamminghi gli insegnamenti veneziani. Il Cantalamessa aveva proposto il nome del Bertoja rifiutato dal Longhi e dal Baumgart, che concordava con il Peltzer per il nome di Lamberto Zustris. Altre varianti di queste due opere sono al Louvre, al Museo di Lione e al Museo di Amsterdam.

BIBL.: *Inv. Lucrezia d'Este*, 1592, p. 14; *Inv. Fid.*, 1833, p. 21; Piancastelli, *Ms.*, 1891, p. 64; A. Venturi, *Cat.*, 1893, p. 134; Peltzer, in *Jahrb. d. Ksthist. Samlgn. in Wien*, 1913–14, p. 237 ss.; Longhi, *Precisioni*, 1928, p. 198; Baumgart, in *Boll. Arte*, 1931–32, p. 463; De Rinaldis, *Cat.*, 1948, p. 78; Della Pergola, *Itin.*, 1951, p. 50.

Fot.: Gab. Fot. Naz. E 28412.

ANONIMI

IGNOTO SEC. XVII.

250. – RITRATTO FEMMINILE (inv. n. 78).
Olio su tela: 0,58 × 0,42.

Conservazione buona.
Provenienza indeterminata.
È identificabile solo nel *Fidecommisso*, dove è iscritto come: « maniera di Tiziano ». Il Venturi lo attribuì al Bronzino, il Longhi alla scuola del Bronzino. Il dottor Zeri ci segnala un altro esemplare, in tutto identico, ma di assai più nobile fattura, esistente nella Pinacoteca Comunale di Montepulciano, che può portare forse ad una più precisa identificazione del pittore, come del personaggio.

BIBL.: *Inv. Fid.*, 1833, p. 40; Piancastelli, *Ms.*, 1891, p. 24; A. Venturi, *Cat.*, 1893, p. 74; Longhi, *Precisioni*, 1928, p. 183.
Fot.: Gab. Fot. Naz. E 32791.

IGNOTO SEC. XVI.

251. – RITRATTO DI DONNA (inv. n. 95).
Olio su tela: 0,60 × 0,48.

Conservazione buona.
Provenienza indeterminata.
Nel *Fidecommisso*, dove è possibile identificarlo con certezza, è dato a « Maniera di Tiziano». Il Venturi lo accosta a « Bonifacio Veneziano II», il Longhi, che aveva trovato un'attribuzione al Fasolo, pensa invece ad un cremonese sulla metà del Cinquecento. È un'opera di certo carattere, ma non sappiamo vedervi alcuna delle indicazioni accennate, nemmeno come suggerimento.

BIBL.: *Inv. Fid.*, 1833, p. 39; Piancastelli, *Ms.*, 1891, p. 23; A. Venturi, *Cat.*, 1893, p. 81; Longhi, *Precisioni*, 1928, p. 186.
Fot.: Gab. Fot. Naz. E. 32848.

IGNOTO SEC. XVI.

252. – TESTA FEMMINILE (inv. n. 441).
Olio su tavola: 0,35 × 0,25.

Conservazione scadente. In gran parte abraso e lacunoso.
Provenienza indeterminata.
È segnato come opera d'autore incerto nel *Fidecommisso* e nelle schede del Piancastelli, mentre il Venturi l'attribuisce ad Ottavio Leoni. Il Longhi escluse tale nome. Sembra

condotto nei modi di Alessandro Allori, da un pittore che può anche essere un ritardatario, e a Roma come a Firenze. Tra i pittori di ritratti ricordati nell'Archivio Borghese sono: Claudio del Bufalo, che aveva fatto il ritratto di Cristina del Bufalo; Pietro e Sofonisba, marito e moglie entrambi pittori, a cui anche l'*Inventario* del 1700 attribuisce numerose opere di difficile identificazione tra quelle pervenute; Giovenchi, anch'esso autore di ritratti non identificabili con certezza; Marco Magnani, che nel 1685 aveva fatto in due copie il ritratto di D. Anna Camilla Borghese, in occasione del suo matrimonio col duca della Mirandola; oltre ad Ottavio Leoni, i cui disegni e incisioni pongono su di un piano assai più vivo di quanto non appaia dalle molte attribuzioni di ritratti. Per la tavoletta Borghese che sembra essere un frammento, riteniamo non sia possibile a tutt'oggi dare maggiore e più sicura indicazione di quella accennata.

BIBL.: *Inv. Fid.*, 1833, p. 27; Piancastelli, *Ms.*, 1891, p. 451; A. Venturi, *Cat.*, 1893, p. 206; Longhi, *Precisioni*, 1928, p. 221.

Fot.: Gab. Fot. Naz. E 32599.

IGNOTO SEC. XVI.

253. – RITRATTO FEMMINILE (inv. n. 89).
Olio su tavola: 0,44 × 0,30.

Conservazione generalmente buona.
Provenienza indeterminata.
Individuabile nel *Fidecommisso* dove è attribuito a scuola di Tiziano, e così nel Piancastelli. Il Venturi pensò a Sofonisba Anguissola, il Longhi con maggiore approssimazione, alla cerchia di Alessandro Allori. Sebbene meno fine del n. inv. 441, ci sembra presenti molte affinità con quel ritratto, così nell'impostazione della figura come nella stessa fisionomia, che potrebbe far pensare a due sorelle. Come per quel ritratto, però, non ci sentiremmo di fare il nome dell'Allori, nè di porre questo ritratto, in modo sicuro, nella scuola toscana anzichè in quella di un qualunque altro imitatore di quei modi.

BIBL.: *Inv. Fid.*, 1833, p. 33; Piancastelli, *Ms.*, 1891, p. 17; A. Venturi, *Cat.*, 1893, p. 79; Longhi, *Precisioni*, 1928, p. 185.

Fot.: Gab. Fot. Naz. E 33346.

IGNOTO SEC. XVI.

254. – RITRATTO DI PROPERZIA DE' ROSSI (inv. n. 72).
Olio su tavola: 0,56 × 0,45.

Conservazione scadente. La tavola ha una fenditura trasversale e presenta diverse cadute di colore.
Questo dipinto è stato messo al posto di un ritratto assai più pregevole al momento della vendita della Collezione allo Stato, come già ebbe ad indicare il Longhi, sulla scorta della fotografia Moscioni. La figura qui rappresentata è identificabile come quella della pittrice Properzia de' Rossi, attraverso l'incisione di G. B. Cecchi pubblicata dal Vasari e poi nella *Serie degli Uomini Illustri*, 1772, vol. V, p. 181.

BIBL.: A. Venturi, *Cat.*, 1893, p. 71; Longhi, *Precisioni*, 1928, p. 183.
Fot.: Gab. Fot. Naz. E 32746.

IGNOTO SEC. XVII.

255. - RITRATTO DI GIOVANE DONNA IN EFFIGE DI GIUDITTA (inv. n. 121).
Olio su tavola: 0,54 × 0,40.

Conservazione mediocre. Le parti cadute o danneggiate sono però ai margini del dipinto.

Provenienza indeterminata.

Questo dipinto non è segnato nelle note del Piancastelli, e non è identificabile nemmeno nel *Fidecommisso*. Il Venturi lo assegnò a Scuola Fiorentina, il Berenson a Giulio Campi con cui non ha alcun rapporto, il Longhi notò la sua mediocrità, e un'indicazione vagamente palmesca. Ci sembra più tardo di quanto fin qui indicato, ed è certo un ritratto di una fanciulla a nome Giuditta, qui rappresentata con il suo simbolo. Nessuna indicazione d'autore e nemmeno di scuola ci sembra possibile.

BIBL.: A. Venturi, *Cat.*, 1893, p. 92; Berenson, *North It. Painters*, 1907, p. 187; Longhi, *Precisioni*, 1928, p. 189; Berenson, *Pitture It.*, 1936, p. 108.

Fot.: Gab. Fot. Naz. E 32751.

IGNOTO SEC. XVII.

256. - RITRATTO FEMMINILE (inv. n. 537).
Olio su tela: 0,97 × 0,78.

Conservazione buona.

Acquistato nel 1907 per L. 3.500 (A. G. B.).

Reca a sinistra la scritta: M. LUCRETIA · L. MARAINUS.

Il Longhi lo pose nella sfera del Pulzone o di Lavinia Fontana. Ci sembra una lontana derivazione da quei prototipi, e con scarsissimo valore d'arte.

BIBL.: Mariotti, in *Arte*, 1924, pp. 27–28; Longhi, *Precisioni*, 1928 p. 225.

Fot.: Gab. Fot. Naz. E 28413.

IGNOTO SEC. XVIII.

257. - RITRATTO D'UOMO (inv. n. 552).
Olio su tela: 0,56 × 0,47.

Conservazione buona.

Acquistato nel 1914 per L. 2.500 presso Girolamo Palumbo e Pasquale Addeo a Roma.

Venne acquistato come opera del Batoni e ritratto del Metastasio, ma l'una e l'altra identificazione non ressero a lungo. È opera debole e, come già osservava il Longhi, senza nessun riferimento al Batoni. Meraviglia come l'Emmerling, nel 1932, abbia ripreso senza critica quei primi riferimenti.

BIBL.: Cantalamessa, in *Boll. Arte*, 1914, pp. 359–60; *Cronache* in *Boll. Arte*, 1914, p. 91; Longhi, *Precisioni*, 1928, p. 226; Emmerling, *Batoni*, 1932, p. 138.

Fot.: Gab. Fot. Naz. E 15461. F 3743.

IGNOTO SEC. XVII.

258. – RITRATTO DI GIULIO CLOVIO (inv. n. 448).
Olio su tavola: 0,24 × 0,18.

Conservazione discreta.
Provenienza indeterminata.

Di autore ignoto nel *Fidecommisso* e nel Piancastelli, attribuito a scuola fiorentina dal Venturi, ritenuto copia senza pregio dal Longhi. È infatti opera assai mediocre, dello stesso pittore che ha eseguito i ritratti successivi, tutti tratti da esemplari antichi, certo di più illustre mano. Questo raffigura Giulio Clovio, più volte rappresentato dai suoi contemporanei, e quale appare dall'incisione di Benedetto Eredi pubblicata dal Vasari, e nella *Serie degli Uomini Illustri*, Firenze 1772 (vol. V, p. 213).

BIBL.: *Inv. Fid.*, 1833, p. 25; Piancastelli, *Ms.*, 1891, p. 447; A. Venturi, *Cat.*, 1893, p. 208; Longhi, *Precisioni*, 1928, p. 221.

Fot.: Gab. Fot. Naz. E 32800.

259. – RITRATTO DI PIER SODERINI (inv. n. 523).
Olio su tavola: 0,24 × 0,19.

Conservazione discreta.
Provenienza indeterminata.

Appartiene alla stessa mano e alla stessa serie del precedente. Anche questo, giunto al *Fidecommisso* come opera d'autore ignoto, venne dal Venturi elencato sotto scuola fiorentina. Il Longhi lo riconobbe copia tarda del ritratto di Pier Soderini di cui esistono diversi esemplari, tra cui quello del Lotto già nella Coll. Doetsch a Londra.

BIBL.: *Inv. Fid.*, 1833, p. 30; Piancastelli, *Ms.*, 1891, p. 70; A. Venturi, *Cat.*, 1893, p. 222; Longhi, *Precisioni*, 1928, p. 224.

Fot.: Gab. Fot. Naz. E 32702.

260. – RITRATTO DI UN PERSONAGGIO QUATTROCENTESCO (inv. n. 449).
Olio su tavola: 0,27 × 0,19.

Conservazione discreta.
Provenienza indeterminata.

Fa parte della serie precedente. Nè il Venturi nè il Longhi diedero alcuna attribuzione a quest'opera che giudicarono men che mediocre.

BIBL.: *Inv. Fid.*, 1833, p. 25; Piancastelli, *Ms.*, 1891, p. 447; A. Venturi, *Cat.*, 1893, p. 208; Longhi, *Precisioni*, 1928, p. 221.

Fot.: Gab. Fot. Naz. E 32698.

261. – RITRATTO DI PAPA (inv. n. 447).
Olio su tavola: 0,24 × 0,18.

Conservazione discreta.
Provenienza indeterminata.

Anche questo appartiene alla stessa mano dei precedenti. Senza rilievo nel Venturi e nel Longhi. Nemmeno l'identità del papa è identificabile.

BIBL.: *Inv. Fid.*, 1833, p. 25; Piancastelli, *Ms.*, 1891, p. 447; A. Venturi, *Cat.*, 1893, p. 208; Longhi, *Precisioni*, 1928, p. 221.

Fot.: Gab. Fot. Naz. E 32808.

IGNOTO SEC. XVI.

262. – RITRATTO DI CARDINALE (inv. n. 526).
Olio su rame: 0,16 × 0,10.

Conservazione buona.
Provenienza indeterminata.

È identificabile nel *Fidecommisso* dove è elencato come maniera di Scipione Pulzone. Il Longhi sembra pensare al Pulzone stesso, ma concordiamo con lo Zeri (riferimento orale) che ha escluso sia opera di quel maestro.

BIBL.: *Inv. Fid.*, 1833, p. 31; Piancastelli, *Ms.*, 1891, p. 357; A. Venturi, *Cat.*, 1893, p. 222; Longhi, *Precisioni*, 1928, p. 224.
Fot.: Gab. Fot. Naz. F. 5264.

263. – RITRATTO DI CARDINALE (inv. n. 518).
Olio su rame: 0,16 × 0,11.

Conservazione buona.
Provenienza indeterminata.

Appartiene alla stessa mano del precedente, e come quello era attribuito, ma senza preciso fondamento, al Pulzone.

BIBL.: *Inv. Fid.*, 1833, p. 31, Piancastelli, *Ms.*, 1891, p. 358; A. Venturi, *Cat.*, 1893, p. 221; Longhi, *Precisioni*, 1928, p. 224.
Fot.: Gab. Fot. Naz. F 5263.

IGNOTO SEC. XVII.

264. – RITRATTO D'UOMO (inv. n. 71).
Olio su tela: 0,55 × 0,41.

Conservazione buona.
Provenienza indeterminata.

Non è riportato nelle schede del Piancastelli, e perciò non è rintracciabile nel *Fidecommisso*. Il Venturi lo indica come « Ritratto di Cardinale » e lo assegna a scuola veneziana; il Longhi lo dice dipinto « alla veneziana », ma lo ritiene opera di un « Incamminato » bolognese verso il 1590. Ci sembra difficile determinarne l'autore, nè il personaggio è quello di un Cardinale o di un prelato.

BIBL.: A. Venturi, *Cat.*, 1893, p. 71; Longhi, *Precisioni*, 1928, p. 182.
Fot.: Gab. Fot. Naz. E 33437.

IGNOTO SEC. XVII.

265. – UN BEVITORE (inv. n. 103).
Olio su tavola: 0,28 × 0,20.

Conservazione buona.
Provenienza indeterminata.

È identificabile nel *Fidecommisso*, dove risulta d'autore ignoto. Un'attribuzione a Micco Spadaro era preesistente al Venturi, il quale la riporta senza entusiasmo, mentre è rifiutata dal Longhi. La mediocrità dell'opera non consente una più decisa affermazione

145

di personalità, e il nome di Micco Spadaro pensiamo vada lasciato solo come indicazione di questa caricatura che si rifà a modelli nordici lontani anche nel tempo.

BIBL.: *Inv. Fid.*, 1833, p. 25; Piancastelli, *Ms.*, 1891, p. 447; A. Venturi, *Cat.*, 1893, p. 85; Longhi, *Precisioni*, 1928, p. 186.

Fot.: Gab. Fot. Naz. E 33295.

IGNOTO SEC. XVII.

266. - S. PIETRO (inv. n. 524).
Olio su lavagna: 0,15 × 0,12.

È spezzato nell'angolo inferiore sinistro.
Provenienza indeterminata.

Si trova già elencato nell'*Inventario* del 1693, anonimo, e poi in quello del 1790 come opera del Mola, cui sembra difficile mantenerlo. Il Venturi e il Longhi lo assegnano a scuola bolognese. Non sappiamo vedervi nemmeno caratteri che consentano questa determinazione.

BIBL.: *Inv.*, 1693, St. XI, n. 105; *Inv.*, 1790, St. VII, n. 20; *Inv. Fid.*, 1833, p. 31; Piancastelli, *Ms.*, 1891, p. 119; A. Venturi, *Cat.*, 1893, p. 222; Longhi, *Precisioni*, 1928, p. 224.

Fot.: Gab. Fot. Naz. F 5262.

IGNOTO SEC. XVI.

267. - S. PIETRO, S. PAOLO E I PROFETI (inv. n. 486).
Olio su rame: diam. 0,08.

Conservazione scadente. Il colore è arido e caduto in più parti.
Provenienza indeterminata.

È identificabile nell'*Inventario* del 1693, come opera di Scipione Pulzone, e in quello del 1790: «SS. Pietro e Paolo con altri Apostoli, Simone da Pesaro». L'attribuzione al Cantarini rimane fino al Longhi che non l'accoglie, ma pensa ad un romano vicino a Michelangelo Ricciolini. L'opera difficilmente identificabile, ha tuttavia caratteri di tardo manierismo.

BIBL.: *Inv.*, 1693, St. XI, n. 98; *Inv.*, 1790, St. VII, n. 94; *Inv. Fid.*, 1833, p. 31; Piancastelli, *Ms.*, 1891, p. 209; A. Venturi, *Cat.*, 1893, p. 217; Longhi, *Precisioni*, 1928, p. 223.

Fot.: Gab. Fot. Naz. F 5270.

IGNOTO SEC. XVII.

268. - GESÙ BAMBINO (inv. n. 452).
Olio su tavola: 0,21 × 0,17.

In pessime condizioni. La tavola è molto tarlata e presenta numerose abrasioni.
Provenienza indeterminata.

Nell'*Inventario* del 1693 e fino al Piancastelli reca l'assurda attribuzione ad Andrea del Sarto. Il Venturi lo pose sotto scuola fiorentina, il Longhi lo ritenne, giustamente, senza alcun pregio. Non sappiamo vedervi nemmeno per approssimazione un riferimento ad Andrea del Sarto.

BIBL.: *Inv.*, 1693, St. VI, n. 44; *Inv.*, 1790, St. VII, n. 50; *Inv. Fid.*, 1833, p. 30; Piancastelli, *Ms.*, 1891, p. 240; A. Venturi, *Cat.*, 1893, p. 208; Longhi, *Precisioni*, 1928, p. 221.

Fot.: Gab. Fot. Naz. F 5265.

IGNOTO SEC. XVII.

269. - DOPPIO RITRATTO (inv. n. 418).
Olio su tavola: 0,17 × 0,22.

La tavola è molto tarlata ed anche la parte pittorica ha sofferto.
Provenienza indeterminata.

Si trova elencato per la prima volta nell'*Inventario* del 1693: « un quadretto con due teste con cornice dorata del N. 642 di Paolo Veronese». Tale assurda attribuzione si ripete nel cartello Fidecommissario applicato al quadretto, ma gli *Elenchi del Fidecommisso*, lo danno ad autore ignoto. Il Venturi lo classifica sotto « Scuola Fiamminga », mentre il Longhi non lo elenca. È forse copia da un quadro del Veronese, a cui riporta il verde intenso della tenda, ma con cui non ha altri rapporti, mentre sembra in qualche modo riallacciarsi per lo schema al doppio ritratto n. 152 del Museo di Berlino, dal Longhi già riferito a Tiziano (in *Vita Artistica*, 1927, n. 224).

BIBL.: *Inv.*, 1693, St. II, n. 42; *Inv. Fid.*, 1833, p. 28; Piancastelli, *Ms.*, 1891, p. 455; A. Venturi, *Cat.*, 1893, p. 199.
Fot.: Gab. Fot. Naz. E 33489.

IGNOTO SEC. INDETERMINABILE.

270. - GIOVANE CON SIRINGA (inv. n. 87).
Olio su tavola: 0,60 × 0,50.

È completamente dipinto tardi, e in modo assai grossolano, ma dai saggi fatti (1953) si è potuto constatare che al di sotto non c'è nulla di più antico.
Provenienza indeterminata.

Fin dal 1693 si trova indicato nella raccolta un dipinto raffigurante un « giovane con un ciufolo in mano N. 375 Cornice dorata di Tiziano» che è ripetuto in tutti gli *Inventari* successivi e arriva al *Fidecommisso* con la più pudica asserzione: « autore incognito», ed è identificabile con questo. Il Venturi lo riportò alla scuola veneziana; il Longhi notò il completo rifacimento dell'ottocento. È da presumere che, come è avvenuto per altre opere, questa tavola del tutto insignificante abbia preso il posto di un dipinto alienato, di più alto interesse.

BIBL.: *Inv.*, 1693, St. VIII, p. 36; *Inv. Fid.*, 1833, p. 37; Piancastelli, *Ms.*, 1891, p. 478; A. Venturi, *Cat.*, 1893, p. 77; Longhi, *Precisioni*, 1928, p. 185.
Fot.: Gab. Fot. Naz. E 32748.

BIBLIOGRAFIA GENERALE

DOCUMENTI

1. 1607, 5 settembre – Lettera del Patriarca d'Aquileia al Cardinale Scipione, da Udine. In essa si dice tra altro: « *Mi consolo in estremo che l'opera di Paolo Veronese le sia piaciuta. Procurerò senza intermissione alcuna di provedere d'altra cosa alla virtuosa et degna dilettatione di V. S. Ill.ma* ».
Esiste in copia del Piancastelli nell'Archivio della Galleria Borghese, con l'indicazione dell'Arch. Borgh. IV, 226, 14. Non è ancora apparsa nell'Archivio Segreto Vaticano e a questo proposito è necessario avvertire che le antiche collocazioni annotate dal Piancastelli corrispondono all'Archivio quando era ancora in Palazzo Borghese, e non hanno alcuna rispondenza con l'attuale deposito Vaticano.
Da riferire alle schede di Cat. n. 242 e 243.

2. 1607, 15 dicembre – Lettera del Vescovo di Ferrara al Cardinale Scipione, da Ferrara: « *Da Monsig. Vicelegato di questa città ho inteso il desiderio di V. S. Ill.ma di avere un quadro, ch'era in questo hospitale di S. Anna, et come io profitto ch'ella sia prona di quanto può dipendere da me, così son concorso prontamente in questo a far, che resti servita col mandarlo a V. S. Ill.ma come effettuamente si fa. Resta ch'Ella per accrescere le sue gratie verso di me degni di continuarmi in qualsivoglia occ.ne il favore de' suoi comandementi* » (*ecc.*).
In copia del Piancastelli nell'Archivio della Galleria Borghese con l'indicazione: Varia I, 540, 541, 542 cart. 92.
Da riferire alla scheda di Cat. n. 38.

3. 1608, 10 agosto – Pagamento a Giovanni Lanfranco per la copia della Deposizione di Raffaello: « *a M.o Lanfranco Pittore scudi cinquantasette m.ta sono per sua mercede et per sua fattura in far copia del Quadro di Pittura venuto di Perugia con sua ricevuta saranno ben pagati. Di Casa li 10 Agosto 1608. sc. 57* ».
L'identificazione del dipinto è certa, perchè in tutti i documenti coevi viene sempre indicato con i termini *il Quadro venuto di Perugia*. Ci sembra importante per la formazione del Lanfranco sapere che egli ha studiato accuratamente l'opera di Raffaello. Arch. Seg. Vat. Fondo Borghese Vol. 7925 Registro dei Mandati p. 62, n. 345. Ripetuto nel Riscontro di Banco a di 13 Agosto 1608, Busta 23, p. 60, n. 12. Da riferire alla scheda di Cat. n. 88.

4. 1608, 2 gennaio – Lettera di Battista Muzzarelli Giudice de' Savi al Cardinale Scipione da Ferrara: « *Fui ricerco da Monsig. Vicelegato a nome di V. S. Ill.ma di un Quadro dell'Ospedale di Sant'Anna al che io come quello che non desidero altra cosa al mondo che far conoscere a Lei l'Umil.ma mia devotione, concorsi volentieri col mio voto come anche fece Monsig. Vescovo, et mandai detto quadro dove mi fu comandato* » (*ecc.*).
In copia nell'Archivio della Galleria Borghese, con la seguente indicazione: III, 43, cart. 11.
Da riferire alla scheda di Cat. n. 38.

5. 1608, 9 agosto – Lettera del Cardinale Pio di Ferrara al Cardinale Borghese: « *L'altro hieri andai a S. Bartolo (così si chiama in questo paese) et con meco era il Sig. Principe Savello nell'entrare in Chiesa per pigliare il perdono che vi era la festa con tutto ch'io ci vegghi poco viddi però essere in una Cappella un Quadro di buona mano, et avvisatolo al Sud.to Sig.re lo considerammo meglio e conoscessimo chiaramente ch'era del Garofolo et molto buono. È un'Adoratione de' Magi con molte figure et a mio Giuditio non è delle peggiori cose che abbia fatte colui* » (*ecc.*). Altra lettera in data 23 agosto: « *Farò distramente vedere come se trattasi per mio servitio, il quadro di S. Bartolo, et non sendo cosa eccellente non ne farò altro motto credo veramente che sia bello, ma che V. S. Ill.ma per quello che io mi ricordo ne habbia dello stesso Garofolo forse de' migliori.* ».
Entrambe in copia del Piancastelli nell'Archivio della Galleria Borghese con le rispettive indicazioni: I, 835, 145 e I, 835, 270. Il Piancastelli ricorda anche una lettera del Cardinale Scipione al Cardinale Pio in relazione a questo dipinto, che però non è conservata tra le copie.
Da riferire alla scheda di Cat. n. 66.

6. 1608, 15 febbraio – Lettera del Cardinale Scipione al Marchese Enzo Bentivoglio.

5 marzo – Lettera del Duca di Modena Cesare d'Este al Cardinale Borghese.

4 marzo – Lettera del Marchese Ippolito Bentivoglio al Cardinale Borghese.

12 marzo – Lettera di Enzo Bentivoglio al Cardinale Borghese.

29 marzo – Lettera di Innocenzo Massimo al Cardinale Borghese.

10 maggio 1608 – Lettera del Duca Cesare d'Este al Cardinale Borghese. Sono tutte in relazione alla richiesta di Scipione Borghese di avere un gruppo di quadri dei Dosso, esistenti nei Camerini d'Alabastro nel Palazzo di Ferrara. Intorno a questa richiesta accaddero molti fatti strani. Cesare d'Este non aveva alcun desiderio di privarsi di opere che gli erano molto care, e da prima fece finta di accondiscendere, poi giocò sull'equivoco: « *il Masoni mio Comessario invece di quelli ne havea dati per errore dieci altri* », infine disse che nei Camerini d'Alabastro non vi erano quadri dei Dosso, ma solo fregi e tuttavia glieli faceva mandare. A sua volta Innocenzo Massimo precisava: « *La metà di quei Quadri già inviati che poi sono stati trattenuti non essendo quelli che haveva il Duca di Modena ordinato fossero dati, saranno cinque la parte di V. S. Ill.ma; che l'altra metà il Duca li vuol lui; tra questi cinque che lei havrà, ve ne è uno tondo grande cinque palmi con cinque teste, che è cosa bellissima et rara, che questo lo havrà prestissimo avendo il Sig. Enzio ordinato che camini, senza tornare indietro, li altri quattro sono in Mandola grandi tre palmi, per tutti li versi, et sono diverse teste insieme che fanno diversi effetti, e tutti sono bellissimi che come saranno tornati qui si caperanno li più belli, e subito s'invieranno: vi resta hora i quadri del Camerino d'Halabastro che sono quelli che il Duca di Modena in effetto concesse a V. S. Ill.ma et questi sono dieci pezzi che servono per fregio ad un Camerino sono lunghi ogni pezzo una Canna e alto tre palmi rappresentano diverse azzioni d'Enea scritte da Virgilio sono bellissimi, questi il Sig. Enzio pretende che si debbano dar tutti a V. S. Ill.ma et che non si debbano altrimenti spartir per metà e sopra ciò fa ogni opera, ma ancora non è tornata risposta da Modena* » (ecc.). (29 marzo 1608). Le storie di Enea, dette nella lettera di Enzo Bentivoglio le storie di Troia, sono probabilmente quelle riferite ora a Nicolò dell'Abate e conservate alla Galleria Estense di Modena, e la vicenda di questi dipinti non deve essersi fermata al piccolo trucco escogitato da Enzo Bentivoglio per far avere al Cardinale Scipione quanto desiderava, ma deve essere avvenuto un successivo scambio di opere, per cui Scipione restituì i fatti dell'Eneide ed ebbe la Circe, l'Apollo e gli altri quadri dei Dosso tuttora esistenti nella raccolta.

In copia del Piancastelli nell'Archivio della Galleria Borghese con i seguenti riferimenti: II, 393; II, 95, 72; III, 416, 326; III, 416, 283; III, 416, 248, III, 416, 115; III, 416, 5; II, 95, 83.

Da riferire alle schede di Cat. n. 35 e 36.

7. 1608, 20 agosto – Quietanza di sc. 4.000 « *factum ab Ill.mo Card. Sfondrato ad fac. Ill.mi Cardinalis Burghesii: die 20 Augusti 1608* ». Di questo importante acquisto di dipinti presso il Cardinale Paolo Emilio Sfondrato non si è ancora trovato un elenco o indicazione delle opere. Da diverse testimonianze si può presumere vi fossero compresi i Tiziano della raccolta. Esiste in copia nell'Archivio della Galleria Borghese (senza indicazioni). L'originale è nell'Arch. Seg. Vat. Fondo Borghese Busta 346 n. 3, nel Libro dei Mandati Vol. 7925, p. 64, n. 354 e nel Riscontro di Banco Busta 23 « Titoli Diversi » n. 12, p. 60. Altra copia dell'atto originale si trova presso l'Arch. di Stato, rogato dal Belgio Notaro A. Chir. 20 agosto 1608.

Da riferire alle schede di Cat. n. 233 e 235.

8. 1611, 23 maggio – Chirografo di donazione di Paolo V, fatta al Cardinale Scipione di « *un Quadretto dipinto dal celebre Leonardo da Vinci rappresentante il Salvatore che tiene il mondo in mano, quale esisteva nelle Camere del Vaticano* ».

Originale nell'Arch. Seg. Vat. Fondo Borghese Vol. 6095, p. 527, n. 46, e in copia trascritta dal Piancastelli nell'Archivio della Galleria Borghese.

Da riferire alla scheda di Cat. n. 146.

9. 1612, 25 luglio – Conto del falegname doratore Annibale Durante: « *Undici cornici con membri dorati nel fregio de dossi nella Camera de Bronzi computando una cornice da basso nel ritratto d'Orfeo* ». Sono le cornici per i dieci quadri dei Dossi venuti da Ferrara, più l'Apollo, allora e negli inventari successivi chiamato Orfeo.

Arch. Seg. Vat. Fondo Borghese Busta 4170 Conti Artigiani A. 1612.

Da riferire alla scheda di Cat. n. 35.

152

10. 1612, 25 luglio – Conto del falegname doratore Annibale Durante: « *Un'altra con i membri doro fogliami servita per il quadro di Paolo Veronese pmi 11 et 8 1/2* (La predica del Battista): *e Cornice dorata pel quadro di S. Bernardo* (corretto: Belardino) *di Paolo Veronese sc. 8* » Poichè non si trova mai citato, nè negli Inventari nè nelle prime guide un quadro di S. Bernardo o Bernardino, crediamo sia da riferire al S. Antonio che predica ai pesci, che viene sempre chiamato: S. Antonino.

Arch. Seg. Vat. Fondo Borghese Busta 4170 Conti Artigiani A. 1612.

Da riferire alle schede di Cat. n. 242 e 243.

11. 1613, senza mese e giorno – Conto dei lavori di Pittura et d'oro fatti da Annibale Durante in servitio del Cardinale Borghese: « *Cornice per il quadro della Pallade alto pmi 13 largo. 8* ». Lo stesso conto è ripetuto: « *Una cornice fatta nello stesso modo (di negro con la cornicetta dentro d'oro) quale serve per la Pallade della Sig.ra Lavinia Fontana alta pmi 13 e 8 sc. 4* ».

Arch. Seg. Vat. Fondo Borghese Busta 4170 Conti Artigiani A. 1613.

Da riferire alla scheda di Cat. n. 44.

12. 1613, id. – « *Un'altra cornice negra col battente doro per la Madonna di Leonardo da Vinci di palmi 3 1/2, 4 1/2 sc. 1* ». Arch. Seg. Vat. Fondo Borghese Busta 4170 Conti Artigiani A. 1613.

Da riferire alla scheda di Cat. n. 137.

13. 1613, id. – « *Cornice simile con fogliami e filetti per il quadro S. Cosimo Damiano nel Palazzo di Borgo* ».

Arch. Seg. Vat. Fondo Borghese Busta 4170 Conti Artigiani A. 1613.

Da riferire alla scheda di Cat. n. 38.

14. 1617, 19 maggio – « *Ad Alessandro Veronese per un quadro fatto da lui sc. 45* ». Arch. Seg. Vat. Fondo Borghese Riscontro di Banco 1617. Busta 23. Vol. 31. Lo stesso in copia ottocentesca Busta 1010.

29 maggio – « *Sc. 45 moneta ad Alessandro Veronese pittore, disse per un quadro fatto da lui* ».

Arch. Seg. Vat. Fondo Borghese – Busta 23 Titoli diversi – Riscontro di Banco n. 31.

Da riferire alla scheda di Cat. n. 217.

15. 1617, 21 aprile – « *A Domenico Giampieri Pittore per saldo di due quadri fatti da lui sc. 150* ».

Arch. Seg. Vat. Fondo Borghese Busta 1010 – copia ottocentesca di documenti: 21 aprile 1617. Originale Busta 23 n. 31 Riscontro di Banco 1617.

12 dicembre – Conti di Annibale Durante doratore: « *Per una cornice tutta Indorata a oro imbrunito per la Sibilla di Domenichino nel Palazzo della Vigna di SS. Ill.ma nella Camera de Cantoni verso la Vigna sc. 12* ».

Arch. Seg. Vat. Fondo Borghese Busta 4170 Conti Artigiani 1617.

Da riferire alla scheda di Cat. n. 32.

16. 1617, id. – « *Per la cornice grande di Domenichino indorata a oro brunito et granita con fogliami nel fresio di SS. Ill.ma sc. 40* ».

Arch. Seg. Vat. Fondo Borghese Busta 4170 Conti Artigiani 1617.

Da riferire alla scheda di Cat. n. 31.

17. 1618 – « *Lunedì C. 17 di 7mbre Al Card. Francesco Vendramin sc. 250 sopra li frutti della nostra Badia di S. Maria di Chiaravalle* ».

Arch. Seg. Vat. Fondo Borghese Vol. 7992 Registro dei Mandati 1618, p. 52, n. 520.

Da riferire alle schede di Cat. n. 201 e 202.

18. 1619, 7 agosto – « *Sig. Gio Rotoli nostro Depositario ad Alessandro Turchi Veronese pittore sc. sessanta m.ta per un quadro di pittura fatto da lui per la Cappella della nuova fabbrica di Mondragone. Con sua ricevuta, pagherete. Di Monte Cavallo q° di 7 Agosto 1619 sc. 60* ».

Arch. Seg. Vat. Fondo Borghese Vol. 7992 Registro dei Mandati, p. 118, n. 349.

Da riferire alla scheda di Cat. n. 217.

19. 1619, 26 settembre – « *Al Card. Francesco Vendramin sc. 250 m.ta sopra li frutti della nra Badia di S. M. di Chiaravalle* ».

Arch. Seg. Vat. Fondo Borghese Vol. 7992 Registro dei Mandati 1619, p. 129, n. 393.

Da riferire alle schede di Cat. n. 201 e 202.

20. 1620, 3 aprile – Conto del falegname Giovan Battista Soria: « *Per haver fatto una cornice per dorare di albuccio straordinaria per il quadro che ha fatto il Sig.r Domenico bolognese il Trionfo delle Ninfe di pmi 16 e 12 e 2 1/6 scudi 15* ».

Arch. Seg. Vat. Fondo Borghese Vol. 4173 Artisti Anno 1620.

Da riferire alla scheda di Cat. n. 31.

21. 1622, 13 ottobre – Conto di Annibale Durante: « *Per haver indorato una cornice quadra quale è atacc.a per angolo pendente del quadro dei Dossi sc. 8 e Per l'indoratura di tre altre Cornici simile alla retrodetta sc. 24* ». La attaccatura angolare fa pensare a dipinti simili a quello tuttora esistente alla Galleria Estense di Modena, e racchiudenti tre o più mezze figure. Devono essere sempre in rapporto al conteso invio di opere da Ferrara.

Arch. Seg. Vat. Fondo Borghese Busta 4170 Conti Artigiani A. 1622.

Da riferire alla scheda di Cat. n. 35 e 36.

22. 1622, 13 ottobre – Conti di Annibale Durante: « *Per Tre Cornice tonde fatte a festoni intagliati a frutti quali servono alli tre quadri dell'Albano di diametro pmi 9 inc. a M.ta sc. 100.*

Per l'Azzurro oltremare dato per la Pittura del sud.ti quadri pag.ti d'ordine del Sig. Card.le Pignatelli da me in sc. 18.

Per haver indorato le sud.te Tre Cornice intagliate a festoni a oro brunito diametro pmi 9 onc.a in faccia sc. 95 ».

Arch. Seg. Vat. Fondo Borghese Busta 4170 Conti Artigiani A. 1622.

Da riferire alle schede di Cat. n. 1, 2, 3, 4.

23. 1628 – Mese di Novembre. Ruolo della Famiglia. È citato il nome di Marcello Provenzale.

Arch. Seg. Vat. Fondo Borghese Busta 6075 Carta n. 53.

Da riferire alla scheda di Cat. n. 105.

24. 1666 – « *A Guglielmo Cortese Pittore detto il Borgognone per un quadro per un altare in detta Chiesa* (S. Gregorio a Monte Porzio) *come per giustificazione sotto n. 35 del Conto segnato n. 364 in filza del Libro Mro Segnato Littera A sc. 500* ».

Arch. Seg. Vat. Fondo Borghese Busta 458 n. 68 Il Ristretto delle spese di Gio. Battista Borghese dal 30 Gennaro 1658 a tutto il 1700, p. 9. A. 1666.

Da riferire alla scheda di Cat. n. 159.

25. 1678 – « *A Gio. Francesco Grimaldi Pittore per diverse pitture fatte come nel Conto N. 718 posto in Filza del Libro Mastro A sc. 926* ».

Arch. Seg. Vat. Fondo Borghese Busta 23 n. 36 Ristretto del debito del Principe G. B. Borghese da 1658, p. 210 A. 1678 e Busta n. 458, n 68, p. 168.

Da riferire a scheda del Cat. n. 73.

26. 1783 – « *Al Signor Gavino Hamilton Pittore Figurista devono pagarsi sc. 60 $\overline{mta}$ prezzo concordato tra S. E. il Sig.r Principe e detto Pittore, di dui quadri con sue cornici dorate, uno rappresentante una vecchia dell'Autore Giacomo Bassani, e l'altro rappresentante un S. Giovanni dell'Autore Simone da Pesaro, che ambedue detti quadri sono stati situati nella Galleria Terrena del Palazzo di Roma* ».

Arch. Seg. Vat. Fondo Borghese. Filza dei Mandati Vol. 5848 n. 71.

Da riferire alla scheda di Cat. n. 10.

27. 1787 – « *Nota delli Quadri che il Sig. Bartolomeo Cavaceppi diede al Principe Borghese in cambio di un vitalizio:*
Madonna di Baldassar Peruzzi.
Due tele con mezze figure di Perin del Vaga.
S. Mostiola, bozzetto del Cav. Benefiani.
La Pietà di Benvenuto Garofalo.
Il Bacio di Giuda del Vander.
Battaglia di Borgognone.
Sagra Famiglia di Filippo Lauri.
Colla presente io sottoscritto Bartolomeo Cavaceppi vendo, cedo e trasferisco liberamente a favore di S. E. il Principe D. Marc'Antonio Borghese il pieno ed assoluto dominio e proprietà tanto delle soprascritte statue (omissis) *quanto di sopradescritti quadri a me sottoscritto Cavaceppi liberamente appartenenti che perciò attualmente consegno ai ministri del prelodato Sig. Principe. Quale cessione, e traslazione, e vendita si fa perchè il sud⁰ Sig.r Principe in correspettività e per acquistar pienamente le sud.e statue e quadri promette,*

154

e si obbliga di pagare in avvenire nel primo giorno di ciascun mese incominciando dal mese di aprile presente a me sott.° Bartolomeo Cavaceppi scudi cinquanta fintantochè naturalmente vivrò, dimodochè cessi tale pagamento di scudi cinquanta subitochè cesserò di vivere io Bartolomeo Cavaceppi.

Questo di 2 Aprile 1787
Marc'Antonio Borghese
Bartolomeo Cavaceppi
D. e A. Piggiani testimoni ».

Arch. Seg. Vat. Fondo Borghese Busta 37 Atti di Famiglia n. 570. Anno 1787, e Vol. 5851. Filza dei Mandati n. 32.

Il Cavaceppi riceve una pensione annua dall'aprile 1787 al 1793 di sc. 600, per un totale di sc. 5114. Tale pagamento è segnato in un elenco di pagamenti copiato dal Piancastelli, che reca anche vari conti di artisti, ma di cui ancora non è apparso l'originale nell'Archivio Vaticano.

Arch. Gall. Borghese.

Da riferire alle schede di Cat. n. 159 e 176.

II.

INVENTARI

28. 1581 – *Inventario di Guardarobba adi 21 aprile 1581.*

È un breve elenco di dipinti appartenenti al Cardinale Camillo Borghese (poi Paolo V), tra cui non è identificabile con sicurezza alcuno dei dipinti pervenuti.

Arch. Seg. Vat. Fondo Borghese Busta n. 6041.

29. 1592 – *Inventario delle Robbe di S. A. S. la Duchessa d'Urbino.*

Inventario di Lucrezia d'Este Duchessa d'Urbino che lasciò i suoi beni a Pietro Aldobrandini. Attraverso questi pervennero alcuni dipinti ad Olimpia Aldobrandini, che con il suo primo matrimonio con Paolo Borghese, nel 1638, immise numerose opere d'arte nella raccolta borghesiana. Vi si trovano elencati quadri di pittori ferraresi, Mazzolino, Scarsellino, Garofalo, e il Cristo flagellato di Tiziano.

Arch. Seg. Vat. Borghese Busta 7501.

30. 1607 – *Nota delle Opere d'Arte del Cavalier Giuseppe d'Arpino sequestrate dal Fiscale di Paolo V e donate da questi al Card. Scipione.*

Elenco delle opere sequestrate il 4 maggio 1607. Una copia trascritta da Giovanni Piancastelli si trova nell'Archivio della Galleria Borghese e venne pubblicata da Aldo De Rinaldis in *Archivi* 1936 III n. 2. Vi sono riconoscibili i Caravaggio giovanili, e opere dello stesso Cav. d'Arpino.

Arch. Seg. Vat. Borghese Vol. 6095 Carta 568 n. 7, 8, 9. Carta 569.

31. 1610 – *Inventario di Robbe in Roma. Robbe che stanno al servitio dell'Ecc.mo Sig.r Francesco Borghese.*

Breve elenco delle opere d'arte possedute da Francesco Borghese, fratello maggiore di Paolo V. Vi si riconoscono la Madonna Addolorata di sc. bassanesca e i SS. Pietro e Paolo di sc. romana.

Arch. Seg. Vat. Fondo Borghese Busta 7502.

32. 1612 – *Inventario di Guardarobba del Cardinale Salviati.* Nell'ultima pagina è la data 18 ottobre 1612.

Vi si trovano diversi dipinti del Mazzolino e dello Scarsellino passati ai Borghese.

Arch. Seg. Vat. Fondo Borghese Busta 4375 Carta 7/8.

33. 1615 – *Inventario fatto per ordine di Paolo V da Antonio Drago curatore dell'Ill.mo ed Ecc.mo Sig.r Marc'Antonio Borghese Principe di Sulmona.*

Effettuato in occasione della convenzione tra Scipione Borghese e gli zii Antonio e Francesco e il nipote Marc'Antonio per la cessione delle terre contigue alla Vigna Vecchia (Pinciana) in cambio di 6000 scudi. Marc'Antonio diventava poi il primo erede del Fidecommisso. La breve nota dei dipinti è identica a quella precedente.

Arch. Seg. Vat. Fondo Borghese Busta 7504.

34. 1634 – *Inventario della Guardarobba del Cardinale Salviati*. Reca la data: giugno 1634. Alcune opere passavano ai Borghese con l'eredità Salviati. Vi sono elencati diversi dipinti toscani.
Arch. Seg. Vat. Fondo Borghese Busta 4376 Carta 168.

35. 1642 – *Inventario di Robbe dell'Ecc.ma Sig.ra Hortensia S.ta Croce Borghese*.
È senza data, ma da altre carte della stessa raccolta di manoscritti può essere datato 1642. Breve nota di dipinti appartenenti alla moglie di Francesco Borghese. È tuttora nella raccolta il piccolo Crocifisso con S. Girolamo, in pietra di paragone (Inv. n. 510).
Arch. Seg. Vat. Fondo Borghese Busta 457 n. 27.

36. 1658 – *Inventario eseguito alla morte di Marc'Antonio Borghese*. Malgrado si trovi citato dal Pastor e altrove con riferimento alla collezione d'arte, è solo un inventario dei Beni stabili, e vi appare citata, oltre le terre e i castelli, la Villa fuori di Porta Pinciana globalmente.
Arch. di Stato. Atti Petruccioli Vol. 5982 c. 368 ss.

37. 1682 – *Inventario dei Beni Ereditari di D. Olimpia Aldobrandini erede nel 1638 del Card. Ippolito Aldobrandini compilato ad istanza dei figli Principe D. Giovan Battista Borghese e D. Giovan Battista Pamphili*.
Molto ampio e importante sia per le opere pervenute, sia per l'accertamento di quelle esistenti nella raccolta. Molte sono tuttora nella collezione del Principe Doria Pamphili. I riferimenti alle opere ereditate da Ippolito Aldobrandini risalgono al 1611, data dell'istituzione del Fidecommisso Aldobrandini, ed hanno importanza di documento.
Arch. Seg. Vat. Fondo Borghese 34 C. 456.

38. 1693 – *Inventario di tutti li Mobili che sono nell'Appartamento Terreno che gode il Sig.r Prencipe di Rossano*. Reca la data: « Adi 7 aprile 1693 ».
Vi sono dettagliatamente descritti numerosi dipinti tuttora nella raccolta.
Arch. Seg. Vat. Fondo Borghese Busta n. 7504.

39. 1694 – *Inventario della Guardarobba di S. Ecc.za Prōne Consegnata a Gio. Batta Simoncini*.
Breve elenco di opere tra cui la Leda leonardesca.
Arch. Seg. Vat. Fondo Borghese Busta 86 pp. 411/423.

40. 1700 – *Nota delli Quadri dell'Appartamento terreno di S. E. il Sig. Pñpe Borghese*.
Breve opuscolo originale, senza alcuna indicazione di data nè di nomi che permettano una sicura datazione. La scrittura è della fine del '600, primi anni del 1700. Venne pubblicato dal De Rinaldis in *Archivi* 1936 III, n. 3. Le identificazioni diverse, e più numerose, che abbiamo potuto fare sulla base delle nuove ricerche, hanno condotto ed indicare i riferimenti direttamente sull'originale, anzichè sulla pubblicazione.
Arch. Gall. Borghese.

41. 1725 – *Inventario dei Mobili et altro del Palazzo di Villa Pinciana, et abitazione del Guardarobba consegnati a Jacomo Filippini nuovo Guarda.a di d.a Villa*. Vi è segnato: « Adi pmo Luglio 1725 ».
Molto ampio, in due esemplari con descrizione minuta di sculture e dipinti, ma raramente dà indicazioni degli artisti.
Arch. Seg. Vat. Fondo Borghese Busta 1032 n. 420 e 421.

42. 1731 – *Inventario dei beni ereditati dalla Principessa D. Maria Livia Spinola Borghese, fatto ad istanza di D. Camillo figlio primogenito. 5 settembre 1731*.
Vi sono alcuni dipinti di paese, per cui però non è sicura l'identificazione tra quelli pervenuti.
Arch. Seg. Vat. Fondo Borghese Busta 31 n. 341 p. 568.

43. 1746 – *Inventario de' Mobili et altro del Palazzo di Villa Pinciana et abitazione per il Guardarobba di d.a consegnati il sud.o giorno a Luca Antonio Arigucci nuovo Guardarobba della med.a Villa. Adi 3 maggio 1746*. Identico all'Inventario del 1725.
Arch. Seg. Vat. Fondo Borghese Busta 1032 n. 422.

44. 1762 – *Inventario de' Mobili et altro esistenti nel Palazzo di Villa Pinciana e nell'abitazione del Guardarobba, nonchè de' mobili del Casino del Gratiano esistente in detta Villa. 15 maggio 1762. Consegnato a Pietro Roncolo nuovo Guardarobba succeduto a Luc'Antonio Arigucci*.
Identico all'Inventario del 1725.
Arch. Seg. Vat. Fondo Borghese Busta 1007 n. 270.

45.1763 – *Inventario de' Mobili del Casino del Gratiano consegnati pari al sud. Roncoli il di 19 Luglio 1763.*
Identico all'Inventario del 1725.
Arch. Seg. Vat. Fondo Borghese Busta 1007 n. 270.

46. 1765 – *Inventario di Villa Pinciana consegna al Guardarobba Giovanni Pietri succeduto a Pietro Roncoli.*
Ripete anche questo l'Inventario del 1725.
Arch. Gall. Borghese.

47. 1785 – *Inventario del Casino detto il Gratiano in Villa Pinciana.*
Breve fascicolo uguale a quello del 1763.
Arch. Gall. Borghese.

48. 1790 – *Catalogo della Quadreria Borghese nel Palazzo a Campo Marzio.*
Esiste nell'Archivio della Galleria Borghese una copia manoscritta del Piancastelli che l'ha datata 1760. Con tale data l'ha pubblicata il De Rinaldis in *Archivi* 1937 IV, n. 3. Nell'Archivio Segreto Vaticano non è ancora apparso l'originale, così da poterne controllare la datazione, ma dai documenti già consultati si è potuto stabilire che l'anno 1760 segnato dal Piancastelli (il quale più volte lamentava di non aver potuto consultare direttamente l'archivio, ma di essersi dovuto accontentare di quanto gli passava l'archivista Passerini) non è esatto. Infatti in questo *Inventario* sono compresi alcuni dipinti entrati a far parte della raccolta Borghese dopo il 1787, in seguito ad una convenzione con lo scultore Bartolomeo Cavaceppi, che li cedeva, e a cui veniva passato un vitalizio da quell'anno. Questi dipinti erano come già detto a B. n. 27: « Madonna » di Baldassarre Peruzzi; due tele con mezze figure di Pierin del Vaga; « S. Mostiola » bozzetto del Cav. Benefial; il « Bacio di Giuda » del Vander (*sic*), una « Battaglia » del Borgognone, e una « Sacra Famiglia » di Filippo Lauri. Sono ancora nella raccolta la prima (che in realtà è il n. Inv. 305), il « Bacio di Giuda » opera di Dirk van Baburen; la « Battaglia » di Salvator Rosa, e la « Sacra Famiglia » data al Lauri, e che è invece l' « Adorazione dei Magi » del Bassano n. 234. Tali identificazioni sono certe, essendo le indicazioni del Cavaceppi ripetute fino ai cartellini fidecommissari applicati ai dipinti stessi. Nel detto *Inventario*, poi, si trova ancora segnata la « S. Caterina » di Raffaello, venduta al Day nel 1795 ed oggi alla Nat. Gall. di Londra. Il De Rinaldis pensò che questo riferimento andasse al n. Inv. 371; ma non vi è dubbio si tratti invece della « S. Caterina » citata da tutti gli inventari come opera famosa di Raffaello, e alienata appunto nel 1795. Queste due date, dunque, 1787 e 1795 ci danno gli estremi per la datazione dell'*Inventario*. Per comodità di consultazione abbiamo fissato la data 1790. I riferimenti delle schede vanno al testo manoscritto, invece che a quello pubblicato, essendo le identificazioni, per diverse opere, differenti da quelle del De Rinaldis.
Arch. Gall. Borghese in copia del Piancastelli.

49. 1799 c. – *Nota de' Quadri esistenti nella Galleria.*
È una nota abbastanza precisa, ma senza data. La scrittura ancora settecentesca permette di datarla alla fine del secolo.
Arch. Seg. Vat. Fondo Borghese Busta 457 n. 61.

50. 1801 – *Nota dei Quadri venduti al Sig.r Durand di Parigi nel 1801.*
La copia manoscritta è stata fatta dal Piancastelli. L'originale non è ancora apparso nell'Archivio Segreto Vaticano. Molto importante, perchè dà la nota precisa di una vendita di pezzi eccezionali, classificati per stanze e con i numeri corrispondenti all'Inventario del 1790 così che è facile identificarli.
Arch. Gall. Borghese, in copia.

51. 1816 – *Nota dei Quadri che il Principe Camillo Borghese fece portare a Parigi nel 1809 e che tornarono a Roma nel 1816.* Esiste in una copia manoscritta di Giovanni Piancastelli.
Arch. Gall. Borghese.

52. 1819 – *Inventario dei Quadri.* In copia manoscritta inclusa nell'Inv. del 1837, e in copia trascritta a macchina. Databile dopo il 1819 perchè vi si trova elencata la « Madonna » del Sassoferrato, che venne acquistata nel 1818.
Arch. Gall. Borghese.

157

53. 1832 – *Inventario fatto alla morte del Principe Camillo Borghese*. Eredità libera e Fidecommisso. Vi sono le stesse attribuzioni degli *Elenchi Fidecommissari*.
Arch. Vat. Fondo Borghese Busta 457 n. 35.

54. 1833 – *Fidecommesso Artistico nella Famiglia Borghese*. Istromento Rogato il 21 dicembre 1833. Iscritto all'Ufficio delle Ipoteche il 3 giugno 1834.
È la copia, di cui altre si trovano nell'Arch. Seg. Vat. e all'Arch. di Stato, della Istituzione Fidecommissaria con cui Francesco Borghese Aldobrandini vincolò il Patrimonio Artistico della Famiglia, rinnovando il Fidecommisso Primogeniale istituito da Paolo V. Le descrizioni delle opere e la loro collocazione sono ripetute in cartelli applicati ai dipinti stessi, e questo ha permesso la sicura identificazione in riferimenti spesso insospettati.
Arch. Gall. Borghese.

55. 1833 – *Inventario Topografico dei Quadri*.
Elenco trascritto a macchina secondo la collocazione dei dipinti nelle sale del Palazzo in Campo Marzio. Segue le attribuzioni fidecommissarie.
Arch. Gall. Borghese.

56. 1834 – *Description des Tableaux de la Galerie Borghèse*.
A stampa, in lingua francese. Segue anche questa il fidecommisso.
Arch. Gall. Borghese.

57. 1836 – *Galleria dei Quadri nel Palazzo Nobile. Osservazioni del Prof. Arcangelo Michele Migliarini*.
Giudizi quanto mai cervellotici su molti dipinti della raccolta, ancora in Palazzo Borghese.
Arch. Gall. Borghese.

58. 1837 – *Classificazione per epoca dei pittori di cui sono le opere nella Galleria Borghese fatta circa l'anno 1837 da Pietro Rosa direttore della med.a.*
Manoscritto annotato dal Piancastelli.
Arch. Gall. Borghese.

59. 1837 c. – *Catalogo della Galleria Borghese* stampato tra il 1835 e il 1843. Il Piancastelli annota: « forse del 1837 ». È la traduzione della descrizione in lingua francese, del 1834.
Arch. Gall. Borghese.

60. 1841 – *Descrizione della Galleria dei Quadri spettanti all'Ecc.ma Casa Borghese ed esistenti nel Palazzo Nobile in Roma. Descrizione dei Quadri e consegna dei medesimi al Custode Vincenzo Rotati.*
Le attribuzioni e i riferimenti sono uguali a quelli del Fidecommisso.
Arch. Gall. Borghese.

61. 1854 – *Descrizione dei Quadri della Galleria Borghese*. A stampa. Senza mutamenti rispetto ai precedenti.
Arch. Gall. Borghese.

62. 1859 – *Nota dei Quadri assoggettati al Vincolo Fidecommissario situati fuori della Galleria, nei Depositi e Magazzini.*
Reca la data 31 dicembre 1859 e annotazioni del prof. Luigi Cochetti.
Arch. Gall. Borghese.

63. 1862 – *Descrizione della Galleria Borghese*. A stampa. Senza mutamenti rispetto le precedenti edizioni.
Arch. Gall. Borghese.

64. 1865 – *Catalogo della Galleria Borghese*. A stampa.
Arch. Gall. Borghese.

65. 1872 – *Catalogo della Galleria Borghese*. A stampa.
Arch. Gall. Borghese.

66. 1872 – *Descrizione dei Quadri della Galleria Borghese e delle Sculture*. Stampata circa nel 1872 e ancora in vigore nel 1887. Il Piancastelli trovò questi fogli su tabellette, a descrizione delle opere nelle singole sale.
Arch. Gall. Borghese.

67. 1888 – *Catalogo della Galleria Borghese*. Stampato tra il 1872 e il 1888. Su questo catalogo si sono iniziate le prime ricerche storiche del Piancastelli.
Arch. Gall. Borghese.

68. 1891 – *Catalogo della Galleria Borghese*. In vigore al 2 novembre 1888 e durato fino al 1891 quando la quadreria venne portata nella Villa. A stampa.
Arch. Gall. Borghese.

69. 1891 – *Catalogo dei Quadri della Galleria Borghese Iscritti nelle Note Fidecommissarie*. In copia dattiloscritta iniziata nel 1888 e aggiornata dal Piancastelli con annotazioni del 1891. È il manoscritto citato nelle schede, come una delle catalogazioni base della raccolta. Le opere sono divise per scuole, e di ognuna viene fatto il riferimento alle collocazioni del 1833, 1837, 1888 e 1889. Il riferimento agli *Elenchi Fidecommissari* ha permesso l'identificazione di molte opere, altrimenti irreperibili negli inventari precedenti. Il Piancastelli inoltre ha annotato molti giudizi di studiosi contemporanei.
Arch. Gall. Borghese.

70. 1891 – *Verifica dei Quadri Oggetti d'Arte e Sculture iscritti nelle Note Fidecommissarie riuniti nel Casino della Villa Borghese. 21 Novembre 1891.* Vi sono annotate le opere al 1833, con le varianti successive. Viene sciolto dal vincolo fidecommissario il cosidetto « Cesare Borgia » attribuito a Raffaello, e annotate le opere di nuova immissione.

71. 1891 – *Istituzione Fidecommissaria fatta dal Principe Francesco Borghese con le modifiche e sistemazioni posteriori.* Annotata dal Piancastelli.
Arch. Galleria Borghese.

72. 1891 – Giudizi orali di vari critici tra cui il Morelli, trascritti dal Piancastelli.
Arch. Gall. Borghese.

73. 1892 – *Stima dei Quadri*, fatta dal Perito L. Ganchez nel maggio 1892. Fa parte degli Atti Parlamentari, Camera dei Deputati n. 29, 1899, in merito alla Legge per l'acquisto della Galleria. Esiste anche in manoscritto del Piancastelli (cfr. B. n. 78).
– Stima del sig. W. Bode.
Arch. Gall. Borghese.

74. 1893 – Stima del Perito G. Piancastelli nel gennaio 1893.
– Stima di Adolfo Venturi.
Sono le stime da parte dei Principi Borghese e da parte dello Stato, che servirono di base per le trattative d'acquisto. Il Principe Camillo Borghese in data 24 marzo 1899 scriveva al Ministro della Pubblica Istruzione Guido Baccelli per proporre la cessione volontaria di tutta la raccolta, in cambio dello svincolo e del permesso di esportazione dell'« Amor Sacro e Profano » di Tiziano.

75. 1893 – *Catalogo dei Quadri*, divisi per Stanze e con un numero d'ordine progressivo, scritto a mano dal Piancastelli, secondo l'*Inventario Fidecommissario*.
Arch. Gall. Borghese.

76. 1897 – *Elenco Fidecommissario* in rapporto al *Catalogo* del Venturi, a cura del Piancastelli. Segna le differenti attribuzioni.
Arch. Gall. Borghese.

77. 1897 – Elenco dei Quadri della Galleria Borghese secondo la Rivista critico–artistica di Jvan Lermolieff, trascritto da Giovanni Piancastelli. Importante per le precisioni critiche in riferimento agli Inventari precedenti.
Arch. Gall. Borghese.

78. 1899 – Atti Parlamentari. Camera dei Deputati 1899, Legisl. XX, n. 524 (26 dicembre 1901: Legge per l'acquisto della Galleria e del Museo Borghese).
Arch. Gall. Borghese.

79. 1905 – *Inventario della Galleria Borghese* firmato dal Direttore Giovanni Piancastelli. È il primo inventario dopo l'acquisto della raccolta.
Arch. Gall. Borghese.

Esistono inoltre nell'Archivio della Galleria Borghese gli ordinari Inventari annuali, dal 1905 ad oggi, e ad essi si fa riferimento per alcuni acquisti più recenti.

80. 1907 – Appunti su alcuni dipinti con note critiche presumibilmente di Pietro D'Acchiardi, in quegli anni Ispettore presso la Galleria Borghese. Sono alcuni fogli dattiloscritti che dovevano far parte di una revisione generale di tutte le opere della raccolta.
Arch. Gall. Borghese.

III.

PUBBLICAZIONI

1550 – G. VASARI, *Vite de' più eccellenti architetti, pittori, et scultori italiani, da Cimabue insino a' tempi nostri*, Firenze, L. Torrentino (1ª edizione).

1584 – G. LOMAZZO, *Trattato dell'arte della pittura, scultura et architettura*, Milano, per Paolo Gottardo Ponzio.

1613 – S. FRANCUCCI, *La Galleria dell'Illustrissimo e Reverendissimo Signor Scipione Cardinale Borghese cantata da S. F.* Di Roma il dì XVI di luglio (Arch. Seg. Vat. Fondo Borghese Serie IV 103 manoscritto. Arch. Gall. Borghese copia fotografica. Pubblicato in Arezzo nel 1647).

1616 – B. FANTINI, *Vita di Raffaele Motta regiano pittore famosissimo*, Reggio, 1616 (pubblicato nel 1657 da C. Valli col titolo: *Breve trattato della Vita di R. M.*, e nel 1850 da G. Adorin a Parma).

1620 – G. CELIO, *Memorie de' nomi degli artefici delle pitture che sono in alcune chiese, facciate e palazzi di Roma* (pubblicato a Napoli nel 1638).

1620–26 – G. MANCINI, *Viaggio di Roma per vedere le pitture che si trovano in essa* (pubblicato nel 1923 a Lipsia dallo Schudt, dal Ms. It. 5571 della Marciana di Venezia).

1621 – *Inventarium aller derjenigen Sachensa nach der Victori in ihrer majestät Schaz-und Kunst Camer zue Praag seind gefunden und auf ihrer majestät und ihrer fürstlich gnaden von Lichtenstein bevelch seind den 6 decembris anno 1621 inventirt worden* (pubbl. nella redazione del Codice 8196 della Hofbibliotek di Vienna nel 1864 e da H. Zimmermann in *Jahrbuch des Allerhochsten Kaiserhauses XXV* (Wien 1905).

1621–27 – A. VAN DYCK, *Il Libro dei disegni a Chatsworth* (pubblicato dal Cust nel 1902 a Londra e da G. Adriani nel 1940 a Vienna).

1625 – O. PANCIROLI, *Tesori nascosti dell'alma città di Roma*, appresso gli Heredi d'Alessandro Zammetti, Roma.

1628 – L. LEPOREO, *Villa Borghese*, Roma.

1638 – P. TOTTI, *Ritratto di Roma Moderna*, Roma.

1642 – G. BAGLIONE, *Vite de' pittori scultori e architetti. Dal Ponteficato di Gregorio XIII del 1572 In fino a' tempi di Papa Urbano VIII nel 1642*, Roma (ripubblicato in fac-simile a cura di Valerio Mariani per l'Istituto d'Archeologia e Storia dell'Arte in Roma nel 1936).

1643 – G. D. FRANZINI, *Descrizione di Roma Antica e Moderna*. Roma (successive edizioni nel 1653, 1657, 1660, 1668).

1648 – C. RIDOLFI, *Le Meraviglie dell'Arte* ovvero: *Le Vite de gli Illustri Pittori Veneti e dello Stato*. In Venetia (ripubblicato a cura del von Hadeln nel 1914-20 a Berlino).

160

1650 – J. Manilli, *Villa Borghese fuori di Porta Pinciana*, in Roma.

1652 – F. De Rossi, *Ritratto di Roma Moderna*, Roma.
Inventaire de raretés qui sont dans le Cabinet de la Serenissime Reine de Suède (pubblicato dal Geffroy, Paris, 1855).

1657 – F. Scannelli, *Il Microcosmo della Pittura*, Cesena.

1660 – M. Boschini, *La Carta del Navegar pitoresco. Dialogo tra un Senator venetian deletante, e un professor de Pitura*, in Venetia.

1664 – M. Boschini, *Le ricche miniere*, Venetia (II ed. 1674).

1672 – G. P. Bellori, *Le Vite de' pittori, scultori et architetti moderni* Roma (ripubblicate in fac-simile a cura dell'Istituto d'Archeologia e Storia dell'Arte, Roma 1931).

1673 – M. Silos, *Romana pictura et sculptura*, Roma.

1674 – L. Scaramuccia, *Le finezze de' pennelli italiani*, Pavia.
F. Titi, *Studio di pittura, scultura e architettura nelle Chiese di Roma*, Roma.

1675-79 – J. V. Sandrart, *Teutsche Akademie*, Nürnberg.

1678 – C. C. Malvasia, *Felsina Pittrice*, Bologna (ed. 1841-44, Bologna, con aggiunte, correzioni e note inedite del medesimo autore, a cura di G. P. Zanotti).

1681-1728 – F. Baldinucci, *Notizie dei Professori del Disegno da Cimabue in qua*, Firenze.

1683 – P. De' Sebastiani, *Viaggio curioso de' palazzi e ville... di Roma*, Roma.

1687 – *Roma Sacra Antica e Moderna*, Roma.

1689 – *Catalogo dei quadri della Regina di Svezia*, in Campori, *Raccolta di Cataloghi e Inventari*, Modena, 1870 (cfr. 1870).

1693 – P. Rossini, *Il Mercurio Errante*, Roma (altre edizioni 1700, 1704, ecc.). Più importanti quelle del 1725 e 1760).

1697 – O. Panciroli, *Descrizione di Roma moderna formata nuovamente con le autorità del Card. Baronio*, ecc., Roma (altra ed. 1727).

1697-1722 – G Baruffaldi, *Vite de' Pittori e Scultori Ferraresi* (edito a Ferrara nel 1844 con note di G. Boschini).

1700 – G. B. Montelatici, *Villa Borghese fuori di Porta Pinciana*, in Roma.

1702 – Raguenet, *Les Monuments de Rome ou descriptions*, ecc., Paris.

1704 – P. A. Orlandi, *Abecedario Pittorico dei professori più illustri in pittura, scultura, architettura*, ecc., Bologna (altra ed. 1753, Venezia).

1707 – F. Posterla, *Roma Sacra e moderna, abbellita di nuove figure di rame e di nuovo ampliata*, ecc., Roma.

1713 – G. Pinaroli, *L'Antichità di Roma con le cose più memorabili tanto antiche che moderne*, Roma.

1718 – B. Dal Pozzo, *Le Vite dei pittori, degli scultori et architetti veronesi*, Verona.

1719 – F. De Rossi, *Descrizione di Roma antica e moderna*, Roma.

1721 – E. Wright, *Some Observations made in travelling through France, Italy ecc. in The years MDCCXXI*, London (2ª ed. 1764).

1722 – *Inventario de' quadri della Gl.ma Galleria Memorabile della Regina di Svezia, steso a Roma il 14 gennaio 1722 a firma di G. B. Odescalco*, (pubblicato da Engerth E. in *Kunsthistorische Sammlungen des Allerhochsten Kaiserhauses Gemälde. Beschribendes Verzeichnis I. Bd. Italienische, Spanische und Fronzösische Schulen*, Wien 1882 (II ed. 1884).

Mercure de France, Numero del marzo 1722.

Richardson Senior and Junior, *An account of... Pictures in Italy*, London.

1723 – S. Avercampio, *Jacobi Menilli... descriptio villae Burghesiae... latine ex italicis vertit.* Lugduni Batavorum.

1727 – G. Roisecco, *Descrizione di Roma Antica e Moderna*, Roma.

1728 – Richardson Père et Fils, *Traité de la Peinture divisé en trois tomes*, Amsterdam, chez Herman Uytweg.

1737 – Dubois de Saint Gelais, *Description des tableaux du Palais Royal*, Paris (2ª ed.).

1741 – *Estampes Nouvelles in Mercure de France*, numero di Aprile.

1745 – G. Roisecco, *Roma ampliata e rinnovata o sia descrizione dell'antica e moderna Città di Roma e di tutti gli edifici notabili che sono in essa.* In Roma (altra ed. 1750).

1747 – G. Vasi, *Delle Magnificenze di Roma antica e moderna ecc.*, Roma.

1763 – G. Vasi, *Indice Storico del Gran Prospetto di Roma, ovvero Itinerario Istruttivo*, ecc., Roma.

1765 – Piganiol de la Force, *Description historique de la Ville de Paris*, Paris.

1766 – Richard (L'Abbé), *Description historique et critique de l'Italie*, Paris.

1769 – M. La Lande (de), *Voyage d'un Français en Italie*, Paris (cfr. anche: *Manuel de l'étranger qui voyage en Italie*, Paris, (1778).

1770 – C. Barotti, *Pitture e Sculture che si trovano nelle Chiese Luoghi Pubblici e Sobborghi della Città di Ferrara*, Ferrara.
G. F. Pagani, *Le Pitture e le Sculture di Modena indicate e descritte*, Modena.

1771–74 – *Serie degli Uomini i più Illustri nella pittura scultura e architettura con i loro elogi e ritratti.* In Firenze, nella Stamperia Allegrini, Pisoni e C.

1772 – G. B. Passeri, *Vite de' pittori, scultori et architetti che ànno lavorato in Roma morti dal 1641 al 1673* (pubblicato di nuovo con note critiche dallo Hess nel 1934, Leipzig und Wien).

1773 – G. A. Scalabrini, *Memorie Istoriche delle Chiese di Ferrara e suoi borghi*, Ferrara.
G. Hamilton, *Schola Italica Picturae sive Selectae quaedam tabulae aere incisae cura et impensis Gavini Hamilton pictoris.* Romae, Giuseppe Perini inc.

1779 – Bencivenni già G. Pelli, *Saggio Istorico della Real Galleria di Firenze* (Uffizi), vol. 2º, Firenze, per Gaetano Cambiagi Stamperia Granducale.

1780 – G. N. D'Azara, *Opere di A. R.Mengs primo pittore della Maestà di Carlo III Re di Spagna* pubblicate a Parma nella Stamperia Reale.

1781 – C. G. Ratti, *Notizie storiche sincere intorno la Vita e le Opere del Celebre Pittore Antonio Allegri da Correggio*, Finale Ligure.

1782–83 – L. N. Cittadella, *Catalogo Istorico dei Pittori e Scultori Ferraresi e delle Opere loro, con in fine una nota esatta delle più celebri Pitture delle Chiese di Ferrara*, Ferrara.

1782–86 – G. Della Valle, *Lettere Sanesi sopra le Belle Arti*, in Roma.

1786 – Fontenai (Abbé de), *Galerie du Palais Royal gravée d'après les tableaux de différentes Ecoles qui la composent: avec un abrégé de la vie des peintres et une description historique de chaque tableau*, Paris. Chez Bouilliard.

G. Tiraboschi, *Notizie dei pittori, scultori, incisori e architetti nati negli Stati del Duca di Modena*, Modena.

M. Vasi, *Itinéraire Instructif de Rome* (5ª ed. francese), Roma (cfr. anche l'edizione francese del 1792 e 1797 e quelle italiane del 1794 e 1818).

1787 – F. Parisi, *Descrizione della Galleria a Villa Pinciana*, Roma.
F. W. B. Ramdohr (von), *Ueber Mahlerei und Bildhauerarbeit in Rom für Liebhaber des Schönen in der Kunst*, Leipzig.

162

1789 – L. Lanzi, *Storia Pittorica dell'Italia dal risorgimento delle Belle Arti fin presso la fine del XVIII secolo*, Bassano (cfr. anche ed. 1809).
F. Preciado, *Arcadia pictorica*, Madrid.

1792 – M. Vasi, *Itinéraire* (cfr. 1786).

1793 – F. Tassi, *Vite de' Pittori scultori e architetti bergamaschi*, Bergamo.

1794 – A. Manazzale, *Itinerario di Roma*, Roma.

1795 – A. Bartsch, *Catalogue raisonné des estampes gravées a l'eauforte par Guido Reni, Sirani, Cantarini*, ecc., Vienne.

1797 – A. Nibby, *Itinerario di Roma*, Roma.

1798–1805 – J. D. Fiorillo, *Geschichte der Künste und Wissenschaften seit der Wiederherstellung derselben bis an das Ende des achtzehnten Jahrunderts*, Göttingen.

1800 – M. Michiel, *Pittori e Pitture in diversi luoghi* (ms. della Marciana edito da D. Jacopo Morelli col titolo: *Notizia d'opere di disegno nella prima metà del sec. XVI*. Cfr. anche ed. del 1884, Bologna, a cura di G. Frizzoni, e l'edizione tedesca del von Frimmel del 1888).

1803 – G. P. Landon, *Vies et Oeuvres des Peintres les plus célèbres de toutes les école*, Paris.

1805 – A. Kotzbue (von), *Erinnerungen von einer Reise aus Liefland nach Rom und Neapel*, Berlin. (ed. francese nel 1806).

1808–91 – M. Prunetti, *L'Osservatore delle Belle Arti in Roma*, Roma.

1817–21 – L. Pungileone, *Memorie Istoriche di Antonio Allegri detto il Correggio*, Parma.

1818 – M. Vasi, *Itinerario Istruttivo di Roma Antica e Moderna*, Roma.

1820 – C. Fea, *Nuova descrizione di Roma*, Roma.

1822 – Bottari–Ticozzi, *Lettere Pittoriche*, Milano.

1824 – W. Buchanau, *Memoirs of painting with a cronological History of the Importation of Pictures by the Great Masters into England since the French Revolution*, London.
A. Nibby, *Itinerario di Roma e delle sue vicinanze compilato già da Mariano Vasi, ora riveduto, corretto e accresciuto dal Professore Antonio Nibby*, Roma.

1827 – K. F. (von) Rumhor, *Italienische Forschungen*, Berlin (ed. con note dello Schlosser: 1920 Frankfurt am Main).

1829 – A. Hume, *Notices of Titian*, London.

1830 – J. Northcote, *The Life of Titian*, Londra.

1834 – G. Melchiorri, *Guida metodica di Roma*, Roma (cfr. anche ed. 1836, 1840 e 1868).

1835 – G. B. Cipriani, *Itinerario figurato degli edifizi più rimarchevoli di Roma*, Roma.
S. Ticozzi, *Dizionario degli architetti, scultori, pittori*, ecc., Milano.

1836 – G. Fea, *Opere di A. R. Mengs su le Belle Arti pubblicate dal Cav. G. N. I. D'Azara, corrette e aumentate da C. Fea*, Milano.

1837 – G. B. Vermiglioli, *Memorie di Bernardino Pintoricchio Pittore Perugino de' secc. XV, XVI*, Perugia.
G. F. Waagen, *Kunstwerke und Kunstler in England und Paris*, Berlin.

1838–41 – A. Nibby, *Roma nell'anno 1838*, Roma.

1840 – F. De Boni, *Emporio biografico metodico. Biografia degli Artisti*, Venezia.

G. Moroni, *Dizionario di erudizione storico–ecclesiastica*, Venezia (vol. VI 1840 e vol. LXV 1854).

1841-43 – A. Bolognini-Amorini, *Vite dei Pittori ed Artefici bolognesi*, Bologna.
G. Rosini, *Storia della Pittura Italiana esposta coi Monumenti*, Pisa.

1842 – E. Platner e C., *Beschreibung der Stadt Rom*, Stuttgart 1830–1842 (Vol. III).

1844 – G. Baruffaldi, *Vite dei Pittori e Scultori Ferraresi*, con note di G. Boschini, Ferrara, 1844–46 (Vol. I, 1844).

1847 – G. L., *Erneuter Besuch der Galerien Roms und dem Tagebuche der Reise Galerie Borghese*, Kunstblatt, 1847.
F. Kugler, *Handbuch der Geschichte der Malerei*, Stuttgart (tr. inglese 1855, Londra).

1855 – J. Burckhardt, *Der Cicerone. Eine Enleitung zum Genuss der Kunstwerke Italiens*, Leipzig (cfr. le edizioni successive del 1869 (von Zahn), 1874 (id.), 1879 (Bode), 1884 (id.), 1893 (id.), 1898 (id.), 1910 (von Fabricy) e 1953 (Pfister).
G. Campori, *Gli artisti italiani e stranieri negli Stati Estensi*, Modena.
G. Geffroy, *Notices et Extracts des manuscrits concernant l'histoire de la littérature de la France qui sont conservés dans les bibliothèques ou archives de Suède Danemark et Norvège*, Paris (cfr. 1652, n. 97).

1856 – C. Laderchi, *La Pittura Ferrarese*, Ferrara.

1861 – G. Atti, *Intorno alla Vita e alle Opere di Gian Francesco Barbieri detto il Guercino da Cento*, Roma.

1863 – L. N. Cittadella, *Memoria inviata al Principe Borghese da Ferrara il 1° giugno 1863*, (Arch. Seg. Vat. Busta 347).

1864-66 – Crowe e Cavalcaselle, *A History of Painting in North Italy*, London (cfr. ed. 1903 a cura di Langton–Douglas e 1912 di Borenius).

1865 – P. Martini, *Studi intorno il Correggio*, Parma.

1869 – O. Mündler, *Beiträge zur Burckhardt's Cicerone* in *Jahrbuch der Kunstwissenschaft* (II).

1870 – X. Barbier de Montault, *Les Musées et Galeries de Rome*, Rome.
G. Campori, *Raccolta di Cataloghi ed Inventari inediti dal sec. XV al sec. XIX*, Modena.
A. Jansen, *Leben und Werke des Malers Giovanni Antonio Bazzi von Vercelli genannt Sodoma*, Stuttgart.
O. Mündler, *Beiträge zu Jacob Burckhardt's Cicerone: Abtheilung: Malerei*. Leipzig (estratto dall'*Jahrbuch für Kunstewissenschaft*, 1869).
F. P., Segnier, *Dictionary of the works of Painters*, London.
L. Urlichs, *Beiträge zur Geschichte der Kunstbestrebungen und Sammlungen Kaiser Rudolph's II* (in *Zeitschrift für bildende Kunst*, V).

1871 – Crowe e Cavalcaselle, *A History of Painting in North Italy*, London.
P. Martini, *Il Correggio*, Parma.

J. Meyer, *Correggio*, Leipzig.

1873 – *Indicazione delle pitture e sculture esistenti nel piano superiore del Palazzo della Villa Borghese*. Tipografia G. Aureli, Roma.

1874 – C. Blanc, *Histoire des peintres de toutes les écoles: école bolonaise*, Paris.
G. Frizzoni, *Giovanni Antonio Bazzi gennant il Sodoma*, in *Zeitschrift für bildende Kunst*.
J. Lermolieff, *Die Galerien Roms. Ein Kritischer Versuch. I. Die Galerie Borghese am dem Russischen übersetzt von Johannes Schwarze*, in *Zeitschrift, für bildende Kunst* (IX).

1875 – A. Firmin-Didot, *Alde Manuce et l'Hellenisme à Venice*, Paris.
J. Lermolieff, *Die Galerien Roms. Ein Kritischer Versuch. I. Die Galerie Borghese*, in *Zeitschrift für bildende Kunst* (X).

1877 – S. Fenaroli, *Dizionario degli Artisti bresciani*, Brescia.

1877-78 – Crowe e Cavalcaselle, *Tiziano. La sua vita e i suoi tempi*, Firenze.

1878 – W. Lübke, *Geschichte der Italienischen Malerei vom vierten bis ins sechzehnte Jahrhundert*, Stuttgart.

164

1878-85 – G. Vasari, G. Milanesi, *Le Vite de' più eccellenti Pittori, Scultori ed Architetti*, Firenze.

1880 – Q. Bigi, *Della vita e delle Opere certe ed incerte di Antonio Allegri detto il Correggio*, Modena.
G. C. Marchi Castellini, *Antonio Allegri detto il Correggio*, Correggio.
H. (von) Tschudi, *Correggio's Mythologische Darstellungen*. Graphischen Kunsten. Wien.

1882 – Th. Gauthier, *Guide de l'amateur au Musée du Louvre suivi de la vie et des œuvres de quelques peintres*, Paris.
A. Woltmann e K. Woermann, *Geschichte der Malerei*, Leipzig.
Nibby–Porrena, *Itinerario di Roma*, Roma.

1884 – G. Cantalamessa, *Pietro Perugino dal 1495 al 1503*, in *Arte e Storia* (II, III), Firenze.
M. Thausing, *Dürer. Geschichte seines Lebens und seiner Kunst*, Leipzig.
M. Thausing, *Wiener Kunstbriefe*, Leipzig.

1885 – L. Ranke, (von) *Die römischen Päpste in den letzten vier Jahrunderten*, Leipzig. (III–6).

L. Vicchi, *Villa Borghese nella storia e nella tradizione del popolo romano*, Roma.

1886 – A. Bertolotti, *Artisti Bolognesi Ferraresi ed alcuni altri del già Stato Pontificio in Roma nei secoli XV, XVI, XVII. Studi e Ricerche tratte dagli Archivi Romani*, Bologna.
G. Lafenestre, *La vie et l'oeuvre de Titien*, Paris.

1887 – L. Di Marzo, *Notizie intorno ad Antonello e Pietro da Messina*, in *Archivio Storico Siciliano*.
A. Woltmann e K. Woermann, *History of Painting* (tradotto da Clara Bell dall'edizione tedesca del 1882: *Geschichte der Malerei*, Leipzig), London.

1888 – M. Albana Mignaty, *Correggio, la Vita e le opere* (traduz. italiana di Giorgina Saffi, Firenze (altra ed. francese: Paris, 1900).
P. Caliari, *Paolo Veronese. Sua vita e sue opere*, Roma.
Ch. Yriarte, *Paul Véronese*, Paris.
H. Wölfflin, *Renaissance und Barock*, München (cfr. anche traduz. italiana del Filippi 1928 sulla 3ª ed. tedesca del 1908).

1889 – G. Frizzoni, *La Pinacoteca Comunale Martinengo in Brescia*, in *Archivio Storico dell'Arte*, II.
P. Müller–Walde, *Leonardo da Vinci*, München.
A. Venturi, *La Galleria del Campidoglio*, in *Archivio Storico dell'Arte* (II).

1890 – P. N. Ferri, *Catalogo riassuntivo della raccolta di disegni antichi e moderni posseduti dalla R. Galleria degli Uffizi*, Roma.
J. Lermolieff, *Kunstkritische Studien über Italienische Malerei. Die Galerien Borghese und Doria Pamphili in Rom*, Leipzig.
P. Locatelli, *Notizie intorno a Giacomo Palma il Vecchio*, Bergamo.
A. Venturi, *La pittura bolognese nel secolo XV*, in *Archivio Storico dell'Arte* (III).
A. Venturi, *Sulle opere di Francia o di sua scuola nella Galleria Borghese*, in *Archivio Storico dell'arte* (III).
A. Venturi, *Ludovico Mazzolino*, in *Archivio Storico dell'Arte* (III).

1891 – G. Frizzoni, *L'Arte Italiana del Rinascimento. Giovanni Antonio de' Bazzi detto il Sodoma*, Milano.
G. Frizzoni, *Il Sodoma. Gaudenzio Ferrari, Andrea Solari*, in *Archivio Storico dell'Arte* (IV).
P. Kristeller, *Un'antica riproduzione del Torso del Belvedere*, in *Archivio Storico dell'Arte* (IV).
E. Müntz, *Histoire de l'Art pendant la Renaissance*, Paris, voll. II, V.
C. Ricci, *La Galleria Borghese*, in *Illustrazione Italiana*, 6 dicembre 1891.
A. Venturi, *Le Gallerie di Roma*, in *Nuova Antologia* (CXVIII).

1892 – La Direzione, *Questioni d'Arte*, in *Archivio Storico dell'Arte* (V).
G. Frizzoni, *La Pinacoteca di Brera e il suo nuovo Catalogo*, in *Archivio Storico dell'Arte* (V).
G. Morelli, *Italian Painters. The Borghese and Doria Pamphili Galleries*, London.
E. Müntz, *Studi leonardeschi*, in *Archivio Storico dell'Arte* (V).
A. Venturi, *I due Dossi*, in *Archivio Storico dell'Arte* (V).
A. Venturi, *Questioni d'Arte*, in *Archivio Storico dell'Arte* (V).

1893 – *Catalogue des Marbres Antiques et des Objets d'Art formant le Musée du Pavillon de l'Horloge à la Villa Borghèse (Place de Sienne) à Rome. Provenant de l'heritage des Princes Borghèse*, Rome.
G. FRIZZONI, *Eine neue Photographische Publikation der Galerie Borghèse in Rome*, in *Zeitschrift für bildende Kunst* (N. F. IV).
A. VENTURI, *Il Museo e la Galleria Borghese*, Roma.

1894 – B. BERENSON, *Venetian Painters of the Renaissance*, New York, (cfr. ed. 1902 e 1906).
G. CANTALAMESSA, *Le Gallerie Fidecommissarie romane*, in *Le Gallerie Nazionali Italiane*, Roma.
I. P. RICHTER, *Leonardo da Vinci*, London.
H. ULLMANN, *Il Museo e la Galleria Borghese per A. Venturi*, in *Repertorium für Kunstwissenschaft* (XVII).
A. VENTURI, *L'Arte Emiliana*, in *Archivio Storico dell'Arte* (VII).

1895 – B. BERENSON, *Lorenzo Lotto, an essay in constructive art criticism*, New York, Londra (altra edizione 1901, ed altra riveduta 1905).
C. DE FABRICZY, *Studi e memorie riguardanti l'arte italiana* in *Archivio Storico dell'Arte* (II–2).
E. MÜNTZ, *Historie de l'art pendant la Renaissance*, Paris.
F. WICKHOFF, *Giorgione 's Bilder zu römischen Heldengedichten*, in *Jahrbuch der preussischen Kunstsammlungen*, Berlin (XVI).

1896 – B. BERENSON, *Florentine Painters of the Renaissance*, New York.
M. COMPTON HEATON, *Correggio*, London.
C. DE FABRICZY, *Studi e memorie riguardanti l'arte italiana ecc.* in, *Archivio Storico dell'Arte* (II–2).
G. FRIZZONI, *Lorenzo Lotto pittore*, in *Archivio Storico dell'Arte* (II–2).
E. JACOBSEN, *Le Gallerie Brignole–Sale De Ferrari in Genova*, in *Archivio Storico dell'Arte* (II–2).
E. MICHEL, *Les Portraits de Lorenzo Lotto*, in *Gazette des Beaux Arts*, I.
C. RICCI, *Antonio Allegri da Correggio, his Life, his Friends and his Time*, London.

1897 – B. BERENSON, *Central Italian Painters of the Renaissance*, New York.
G. GRUYER, *L'Art Ferrarais à l'epoque des Princes d'Este*, Paris, II.
H. KNACKFUSS, *Tizian*, in *Velhagen'schen Monatsheften*, Leipzig (XXI–7).
C. LOESER, *I disegni italiani della Raccolta Malcom*, in *Archivio Storico dell'Arte* (III–3).
G. MORELLI, *Della Pittura Italiana. Le Gallerie Borghese e Doria Pamphili*, (traduz. G. Frizzoni), Milano.
P. MÜLLER–WALDE, *Eine skizze Leonardo's zur stehenden Leda*, in *Jahrbuch der preussischen Kunstsammlungen*, Berlin (XVIII).
C. RICCI, *La Galleria Borghese*, Roma.
M. ROOSES, *Storia della Pittura*, Milano.
M. WINGENROTH, *Die Jugend Werke des Benozzo Gozzoli*, Heidelberg.

1898–1905 – H. KNACKFUSS, *Tizian*, Bielefeld, Leipzig.

1898 – E. MÜNTZ, *The Leda of Leonardo da Vinci*, in *The Athenaeum*.
C. PHILLIPS, *Titian. A Study of his Life and Work*, London.
C. PHILLIPS, *The later Work of Titian*, London.
H. RIEGEL, *Tizians Gemälde der Himmlischen und irdischen Liebe. Beitrage zur Kunstgeschichte Italiens*, Dresden.
W. ROBERTS, *The Leda of Leonardo da Vinci*, in *The Athenaeum*.
E. STEINMANN, *Pintoricchio*, Bielefeld, Leipzig.
H. THODE, *Correggio. Kunstler Monographien Herausgegeben von H. Knackfuss*, Bielefeld, Leipzig.
H. VOLTELINI (von), *Quellen zur Geschichte der Kaiserlichen Haussammlungen und der Kunstbestrebungen des Allerdurchlauchtigsten Erzhauses Urkunden und Regesten aus dem K. u. K. Haus–Hof. und Staats Archiv in Wien*, in *Jahrbuch der Kunsthistorischen Sammlungen des Allerh. Kaiserhauses*, Wien (XIX).

1899 – CROWE CAVALCASELLE, *Storia della Pittura Fiamminga*, I, Firenze.
G. FRIZZONI, *Rassegna d'insigni artisti italiani*, in *L'Arte* (II).
E. R. FRY, *Giovanni Bellini*, London.
E. MÜNTZ, *Leonard de Vinci*, Paris.

166

1900 – Ballo e Biscaro, *Paris Bordon*, Treviso.

    H. Cook, *Giorgione*, Londra.

    S. Fraschetti, *La Casa dell'Arte*, in *Rivista d'Italia*, 15 gennaio.

    G. Frizzoni, *Lorenzo Lotto Pittore. A proposito di una nuova pubblicazione*, in *L'Arte* (III).

    G. Gronau, *Tizian*, Berlin.

    Priuli-Bon, *Sodoma*, London.

    J. Schlosser (von), *Jupiter und die Tugend*, in *Jahrbuch der preuss. Sammlungen*.

    G. B. Toschi, *Lelio Orsi da Novellara, pittore ed architetto*, in *L'Arte* (III).

    A. Venturi, *La Galleria Crespi*, Milano.

    G. C. Williamson, *Bernardino Luini*, London.

    G. C. Williamson, *Pietro Vannucci called Perugino*, London.

    M. Albana Mignaty, *Correggio. La vita e le Opere* (ed. francese), Parigi.

1901 – B. Berenson, *Lorenzo Lotto*, London (2ª ed.; altra riveduta 1905).

    C. Biscaro, *Ancora di alcune opere giovanili di Lorenzo Lotto*, in *L'Arte* (IV).

    J. C. Broussolle (Abbé), *La Jeunesse du Perugin et les Origines de l'Ecole Ombrienne*, Paris.

1901-2 – G. Ludwig, *Bonifazio di Pitati da Verona. Eine Archivalische Untersuchung*, in *Jahrbuch der preussischen Kunstsammlungen* (XXII, XXIII).

1901 – G. C. Williamson, *Francesco Raibolini called Francia*, London.

1902 – L. Cust, *A description of the Sketch-Book by Sir Anthony van Dyck Used by Him in Italy (1621-1627)*, London (cfr. 1621).

    A. Della Rovere, *Tiziano Vecellio.Le sue Madonne Addolorate*, in *Arte e Storia* (XXI).

    G. C. Faccio, *G. A. Bazzi*, Vercelli.

    Fournier-Sarbovéze, *Artistes oubliés*, Paris, II. *Sofonisba Anguissola et ses soeurs*.

    E. Gerspach, *Le Musée de la Ville Borghèse*, in *Les Arts* (I-3).

    U. Gnoli, *Amor Sacro e Profano?*, in *Rassegna d'Arte* (II).

    J. Guthmann, *Die Landschaftmalerei der Toskanischen und Umbrischen Kunst von Giotto bis Raffael*, Leipzig.

    E. Modigliani, *The Borghese Museum and Gallery*, in *The Connoisseur* (II).

    J. M. Palmarini, *Amor Sacro e Profano o La Fonte d'Ardenna?*, in *Nuova Antologia*, 1° agosto 1902.

    L. Scott, *Correggio. Bell's Miniature Series of Painters*, London.

1903 – C. Borromeo, *Ancora dell'Amor Sacro* in *Rassegna d'Arte* (III).

    Crowe Cavalcaselle, *A new history of painting in Italy* (a cura di Langton Douglas). London (cfr. 1864-66).

    G. Gronau, *Tizians himmlische und irdische Liebe*, in *Repertorium für Kunstwissenschaft* (XXVI).

    La Corte Cailler, *Antonello da Messina. Studi e ricerche*, Messina.

    P. Landau, *Giorgione*, Berlin.

    G. Ludwig, *Archivialische Beitrage zur Geschichte der Venezianischen Malerei*, in *Jahrbuch der preuss. Kunstsammlungen* (XXIV).

    E. Modigliani, *La cosidetta « Famiglia di Bernardino Licinio » alla Galleria Borghese* in *L'Arte* (VI).

    E. Modigliani, *L'Erodiade di Bernardino Licinio un tempo nella Galleria Sciarra a Roma*, in *L'Arte* (VI).

    E. Modigliani, *Amor Sacro e Profano e La Fonte d'Ardenna? Bibliografia Artistica*, in *L'Arte* (VI).

    J. M. Palmarini, *Amor Sacro e Amor Profano?* in *Rassegna d'Arte* (III).

1904 – F. Boncompagni Ludovisi, *Le prime Ambasciate dei Giapponesi a Roma (1585-1615)*, Roma.

    H. Cook, *Giorgione*, London (2ª ed.).

    O. Fischel, *Tizian. Des Maister Gemälde (Klassiker der Kunst)*, Stuttgart u. Leipzig.

    R. Förster, *Philostrats Gemälde in der Reinaissance*, in *Jahrbuch der preussischen Kunstsammlungen* (XXV).

    G. Gronau, *Tizian*, London.

    P. Molmenti, *La Peinture Venitienne*, Firenze.

    U. Monneret de Villard, *Giorgione da Castelfranco*, Bergamo.

    E. Steinmann, *Tizians himmlische und irdische Liebe*, in *Mecklenburger Nachrichten*. Schwerin M. Herberger.

    S. Weber, *Fiorenzo di Lorenzo. Eine Kunsthistorische Studie*, Strassburg.

167

1905 – A. Bell, *Paolo Caliari called Veronese*, London.

B. Berenson, *Lorenzo Lotto. An essay in constructive art criticism*, London (cfr. 1901).

B. Berenson, *The Central Italian Painters of the Renaissance*, New York.

H. Cook, *The True Portrait of Laura de' Dianti by Titian*, in *Burlington Magazine*.

G. Lafenestre, E. Richtenberger, *La peinture en Europe. Rome. Les Musées, les Collections particulières, les Palais*, Paris.

F. M. Perkins, *Pitture Italiane nella raccolta Johnson di Filadelfia*, in *Rassegna d'Arte*.

A. Riese, P. Schumann, *Tizian's Ueberredung zur Liebe*, in Frankfurter Zeitung.

1905–22 – S. Reinach, *Repertoire des Peintures du Moyen Age et de la Renaissance*, Paris.

1906 – B. Berenson, *The Venetian Painters of the Renaissance* (3ᵃ ed.), New York, London.

G. B. Cervellini, *Ancora per l'elenco delle opere della Scuola Pittorica bassanense*, in *Bollettino del Museo di Bassano* (III).

G. Gerola, *Elenco delle Opere dei pittori da Ponte*, in *Atti del R. Istituto Veneto di Lettere, Scienze ed Arti* (LXV).

H. Cust, *Giovanni Antonio Bazzi Hitherto Usually styled « Sodoma ». The Man and the Painter*, 1477–1549, London.

G. Ludwig, P. Molmenti, *Vittore Carpaccio*, Milano.

L. Ozzola, *Venere ed Elena (L'Amor Sacro e Amore Profano)*, in *L'Arte* (IX).

E. Petersen, *Zu Meisterwerken der Renaissance*, in *Zeitschrift für bildende Kunst* (XV).

E. Petersen, *Tizians Amor Sacro e Profano und willkürlichkeiten moderner Kunstklarung*, Leipzig.

C. Phillips, *The Earlier Work of Titian*, London.

J. A. Rusconi, *Il Museo e la Galleria Borghese*, Bergamo.

J. Ruskin, *Modern Painters*, London,

H. Schmerber, *Betrachtungen über die Italienische Malerei im 17 Jahrhundert*, Strassburg.

1906–7 – H. Tietze, *Annibale Carracci's Tätigkeit in Rom*, in *Jahrbuch der Kunsthistorischen Sammlungen in Wien*. (XXVI).

B. Berenson, *North Italian Painters of the Renaissance*, New York, London.

G. Frizzoni, *Giorgione, Tiziano e van Dyck, a proposito di un libro di disegni*, in *Rassegna d'Arte* (V).

G. Gronau, *Correggio*, Stuttgart u. Leipzig.

L. Ozzola, *A proposito di un ritratto del Landi*, in *Bollettino Storico Piacentino*.

L. Serra, *I disegni del Domenichino*, in *Rassegna d'Arte* (VII).

1907 e ss – Thieme und Becker, *Allgemeines Lexikon der Bildende Künstler*, Leipzig.

1907 – P. M. Tua, *Contributo a l'elenco delle opere dei pittori da Ponte*, in *Bollettino del Museo Civico di Bassano*.

A. Venturi, *Un ritratto del Canova*, in *L'Arte* (X).

L. Venturi, *Le origini della Pittura Veneziana*, Venezia.

1908 – E. Bertaux, *Rome. De l'avenement de Jules II à nos jours*, Paris.

G. Cantalamessa, *Un Pensiero sul Correggio*, in *Vita d'Arte* (I).

G. Gronau, *Kritische Studien zu Giorgione*, in *Repertorium für Kunstwissenschaft* (XXXI).

L. Justi, *Giorgione*, Berlin.

E. Kupffer (von), *Der Maler der Schönheit*, Leipzig.

L. Zottmann, *Zur Kunst der Bassani*, Strassburg.

1909 – B. Berenson, *The Central Italian Painters of the Renaissance*, New York (2ᵃ ed.).

W. Bombe, *Di alcune opere del Perugino*, Perugia.

T. Borenius, *The Painters of Vicenza*, London.

G. Cantalamessa, *Antonello da Messina*, in *Vita d'Arte* (III).

G. Gerola, *Per la fortuna di un soggetto di Tiziano*, in *L'Arte* (XII).

G. Gronau, *Die Künstler-Familie Bellini*, Leipzig.

L'acquisto di due Canaletto per la Galleria Borghese, in *Kunstkronik* (XX).

G. Lafenestre, *La Vie et l'oeuvre de Titien*, Paris.

A. Muñoz, *La Galleria Borghese in Roma*, Roma.

W. Seidlitz (von), *Leonardo da Vinci*, Berlin.

L. Serra, *Il Domenichino*, Roma.

L. Venturi, *Note sulla Galleria Borghese*, in *L'Arte* (XII).

F. Wickhoff, *Ludwig Iusti, « Giorgione »* in *Kunstgeschichte Anzeigen*, 34.

168

1910 – G. Bernardini, *Per un dipinto nella Galleria Borghese della Scuola Bellinesca*, in *Rassegna d'Arte* (X).
G. Bernardini, *Di alcuni dipinti della R. Galleria Borghese*, in *Rassegna d'Arte* (X).
P. D'Achiardi, *La Collection O. E. Messinger*, Rome (tradotto dall'italiano da E. Barincan e H. Mouton).
A. Foratti, *L'Arte di Giovanni Cariani*, in *L'Arte* (XIII).
G. Gerola, *Bassano*, Bergamo.
O. Gerstfeldt (von), *Venus und Violante*, in *Monatshefte für Kunstwissenschaft* (III).
E. Jacobsen, *Un quadro e un disegno del Maestro della Pala Sforzesca*, in *Rassegna d'Arte* (X).
E. Jacobsen, *Sodoma und das Cinquecento in Siena. Studien in der Gemälde Galerie zu Siena*, Strassburg.
C. Ricci, *L'Arte in Italia Settentrionale*, Bergamo.
J. P. Richter, *The Mond Collection*, London.
Ch. Ricketts, *Titian*, London.
A. Segard, *Giovan Antonio Bazzi detto Sodoma*, Paris.
H. Voss, *Kritische Bemerkungen zu Seizentisten in dem römischen Galerien*, in *Repertorium für Kunstwissenschaft* (XXXIII).

1911 – L. Beltrami, *Luini*, Milano.
A. Foratti, *I Polittici Palmeschi di Dossena e Serina*, in *L'Arte* (XIV).
G. Frizzoni, *La Famiglia dei Pittori Bellini*, in *La Nuova Antologia*.

1911-12 – G. Frizzoni, *Three Little-Noticed Paintings in Rome*, in *The Burlington Magazine* (XX).
E. Gardner, *The Painters of the School of Ferrara*, London.

1911 – L. Gielly, *Giovan Antonio Bazzi dit Le Sodoma*, Paris.
G. Gronau, *Vincenzo Catena o Vincenzo dalle Destre*, in *Rassegna d'Arte*.
H. Hauvette, *Le Sodoma*, Paris.
G. Lorenzetti, *Della giovinezza artistica di Jacopo Bassano*, in *L'Arte*.
H. Macfall, *The Renaissance in Venice*, London.
V. Malamani, *Antonio Canova*, Milano.
H. Mendelsohn, *Did the Dossi Brothers sign their Pictures?*, in *The Burlington Magazine* (XIX).
G. Pacchioni, *Note sul Guercino*, in *L'Arte* (XIV).

1911 e ss. – A. Venturi, *Storia dell'Arte Italiana*, Milano.

1911 – W. C. Zwanziger, *Dosso Dossi*, Leipzig.

1912 – G. Battelli, *L'Amor Sacro e Profano e una lettera dell'Aretino*, in *Vita d'Arte* (IX).
G. Bernardini, *Appunti sui dipinti esposti in Castel Sant'Angelo in Roma, nelle Mostre retrospettive*, in *Rassegna d'Arte* (XII).
Crowe Cavalcaselle, *A History of Painting in North Italy*, London (ed. Borenius, cfr. 1864-66).
P. D'Achiardi, *Nuovi acquisti della Galleria Borghese*, in *Bollettino d'Arte*.
L. Hautcoeur, *Rome et la Renaissance de l'art de l'Antiquité à la fin du XVIIIème siècle*, Paris.
M. E. Phillips, *The Venetian School of Painting*, London.
M. Reymond, *La Leda de Léonard de Vinci*, in *La Revue de l'Art Ancien et Moderne* (XXXII).
C. Ricci, *Pintoricchio*, Perugia.
A. Venturi, *Il ritratto del Perugino della Galleria Borghese*, in *L'Arte* (XV).
H. Voss, *Italienische Gemälde des 16 und 17 Jahrunderts in den Galerie des Kunsthistorische Hofmuseum zu Wien*, in *Zeitschrift für bildende Kunst* (N. F. XXIII).

1913 – G. Cantalamessa, *Nuovi acquisti della Galleria Borghese*, in *Bollettino d'Arte*.
H. Caro-Delvaille, *Tiziano*, Paris.
L. De Schlegel, *Andrea Solario*, in *Rassegna d'Arte* (XIII).
L. De Schlegel, *Andrea Solario*, Milano.
D. Hadeln (von), *Über die Zweite Manier des Jacopo Bassano*, in *Jahrbuch der preuss. Kunstsammlungen*, Berlin (XXXIV).
G. Lipparini, *Francesco Francia*, Bergamo.
L. Ozzola, *Le rovine romane nella pittura del XVII e XVIII secolo*, in *L'Arte* (XVI).

1913-14 – V. R. A. Peltzer, *Lambert Sustris von Amsterdam*, in *Jahrbuch der Kunsthistorischen Sammlungen in Wien* (XXXI).

1913 – J. Poppelreuter, *Tizians « Himmlische und irdische Liebe»*, in *Repertorium für Kunstwissenschaft* (XXXVI).
    L. Venturi, *Giorgione e il Giorgionismo*, Milano.

1914 – K. Badt, *Andrea Solario*, Leipzig.
    W. Bombe, *Perugino. Des Meister Gemälde*, (*Klassiker der Kunst*), Stuttgart und Berlin.
    M. Biancale, *Giovanni Battista Moroni e i pittori bresciani*, in *L'Arte*, XVII.
    G. Cantalamessa, *La Madonna di Giovanni Bellini nella Galleria Borghese*, in *Bollettino d'Arte*.
    G. Cantalamessa, *Per le future monografie del Guercino e del Caravaggio*, in *Bollettino d'Arte*.
    G. Cantalamessa, *A proposito d'un ritratto del Batoni introdotto nella Galleria Borghese*, in *Bollettino d'Arte*. Cfr. anche: *Cronache delle Belle Arti*, Supplemento allo stesso numero del Bollettino d'Arte, p. 91.
    G. Dreyfous, *Giorgione*, Paris.
    A. Graves, *A Century of Loan Exhibitions*.
    D. Hadeln (von), *Le Meraviglie dell'Arte del Ridolfi*, Berlin (cfr. 1648).
    D. Hadeln (von), *Bassano und nicht Greco*, in *Kunstkronik* (XXV).
    R. Longhi, *Piero delli Franceschi e lo sviluppo della Pittura Veneziana*, in *Arte*.
    A. L. Mayer, *Greco und Bassano. Ein Beitrag zu ihren Künstlerischen Beziehungen*, in *Monathefte für Kunstwissenschaft* (VII).
    H. Mendelsohn, *Das Werk der Dossi*, München.
    N. Scalia, *Antonello da Messina e la Pittura in Sicilia*, Milano.

1915 – G. Cantalamessa, *Divagazioni critiche a proposito d'un quadretto di Corrado Giaquinto*, in *Bollettino d'Arte*.
    T. Sillani, *Pietro Vannucci detto il Perugino*, Torino.
    E. Tea, *Mani giunte*, in *Arte* (XVIII).
    A. Schmarsow, *Peruginos Erste Schaffensperiode*, Leipzig. XXXI Bandes der Abbandlungen der Phil. Hist. Klasse der Königl. Sächsischen Gesellschaft der Wissenschaften.
    R. Schrey, *Tizians Gemalde Jupiter und Kallisto bekannt als Himmlische und Irdische Liebe*, in *Kunstkronik*.
    A. Serafini, *Girolamo da Carpi*, Roma.

1916 – G. Cantalamessa, *Tre quadretti della Galleria Borghese*, in *Bollettino d'Arte*.
    O. Siren, *Leonardo da Vinci*, New Haven.

1917 – L. Hourticq, *La «Fontaine d'Amour» de Titien*, in *Gazette des Beaux Arts* (IV).
    M. Marangoni, *Valori mal noti e trascurati della pittura italiana del Seicento in alcuni pittori di Natura Morta*, in *Rivista d'Arte* (X).

1918 – V. Basch, *Titien*, Paris.

1918-19 – G. P. Clerici, *Tiziano e la Hypnerotomachia Poliphili*, in *Bibliofilia* (XX), Firenze.

1919 – W. Bode, *Leonardo und das Weibliche Halbfigurenbild der Italienischen Renaissance*, in *Jahrbuch der preuss. Kunstsammlungen* (XL).
    L. Hourticq, *La jeunesse de Titien*, Paris.
    G. Poggi, *Leonardo da Vinci*, Firenze.

1920 – A. Bartsch, *Le Peintre Graveur*, N. E., Würzburg (XVIII).
    P. D'Ancona, *La «Leda» di Leonardo da Vinci in una ignota redazione fiamminga*, in *L'Arte* (XXIII).
    G. Giusti, *La Galleria Borghese e la Villa Umberto I in Roma*, Roma s. d. (1920 c.). È necessario avvertire che questa piccola guida, che si trova spesso citata nei lavori di studenti, non ha alcun valore scientifico, e non è stata perciò mai menzionata nella bibliografia in fondo alle schede. Fu redatta da un autodidatta ed è un curioso documento d'interpretazione popolare della Villa e delle opere d'arte.
    Th. Hetzer, *Die frühen Gemälde des Tizian. Eine stilkritische Untersuchung*, Basel.
    J. A. F. Orbaan, *Documenti sul Barocco*, Roma.
    J. A. F., Orbaan, *Rome onder Clement VIII (Aldobrandini)*, Gravenhage.
    V. Pacifici, *Ippolito II d'Este Cardinale di Ferrara*, Tivoli.
    A. Ravà, *Il Camerino delle Anticaglie di Gabriele Vendramin*, in *Nuovo Archivio Veneto*, N. S., Venezia (XXXIX).
    H. Voss, *Malerei der Spätrenaissance in Rom und Florenz*, Berlin.

1921 – W. K. Jahning, *Tizian*, München.

G. Fogolari, *Giovanni Bellini*, Firenze.

L. Fröhlich–Bum, *Parmigianino und der Manierismus*, Wien.

A. Michel, *Histoire de l'Art*.

G. Rouchès, *Le Paysage chez les Peintres de l'Ecole Bolonaise*, in *Gazette des Beaux Arts* (III).

A. Venturi, *Guida alle Gallerie di Roma*, Roma (per i suoi allievi di Storia dell'Arte).

A. Venturi, *Una Madonna del Correggio nell'Hoffmuseum di Vienna*, in *L'Arte* (XXIV).

1922 – G. Cantalamessa, *Davide Saul o Astolfo?*, in *Bollettino d'Arte* (N. S. II).

Catalogo della Mostra Landiana, Piacenza.

Dami, Ojetti, Tarchiani, *Catalogo della Mostra della Pittura Italiana del Seicento e Settecento in Palazzo Pitti*, Milano – Roma.

L. Dami, *Lo svolgimento della Pittura Italiana del Seicento e del Settecento*, in *La Pittura Italiana del '600 e del '700 nella Mostra di Palazzo Pitti a Firenze*, Firenze.

A. De Rinaldis, *Storia dell'opera pittorica di Leonardo da Vinci*, Bologna.

O. Gerstfeldt, (von) E. Steinmann, *Pilgerfahrten in Italien*, Leipzig.

E. Waldmann, *Tizian*, Berlin.

O. Zaff, *Tizian*, München.

1923 – W. Bode, *Die Kunst der Frührenaissance*, Berlin.

T. Borenius, *The picture Gallery of Andrea Vendramin*, London.

Briganti, Canuti, Ricci, *IV Centenario dalla morte di Pietro Perugino*, Perugia.

G. Cantalamessa, Cronache di Belle Arti: *Acquisti per la Galleria Borghese*, in *Bollettino d'Arte* (N. S. II).

U. Gnoli, *Pittori e Miniatori nell'Umbria*, Spoleto.

U. Gnoli, *Pietro Perugino*, Spoleto.

L. Schudt, *Giulio Mancini: Viaggio di Roma per vedere le pitture*, Leipzig (cfr. 1620–26).

1923–24 – M. Tinti, *Il Parmigianino*, Dedalo (IV).

1923 ss – R. Van Marle, *The Development of the Italian School of painting*, The Hague.

1923 – E. Waldmann, *Tizian*, Berlin.

1924 – V. Basch, *Titien*, Paris.

A. Bertini Calosso, *Un quadro giovanile del Greco*, in *Bollettino d'Arte*.

C. Gamba, *Un ritratto e un paesaggio di Nicolò dell'Abate*, in *Cronache d'Arte* (I).

D. Hadeln, (von) *Some little–known works by Titian*, in *The Burlington Magazine* (XXXXV).

D. Hadeln, (von) *Note a: Le Meraviglie dell'Arte di Carlo Ridolfi*, Berlin. (cfr. 1648).

L. Mariotti, *Cenni su Scipione Pulzone detto Gaetano ritrattista*, in *L'Arte*.

C. Ricci, *Villa Borghese*, in *Roma, Visioni e figure*, Milano.

R. Strinati, *La Galleria Borghese di Roma. Gli ultimi acquisti. Giulio Cantalamessa*, in *Emporium* (LX).

1925 – F. Ashby, W. G. Constable, *Canaletto and Bellotto in Rome*, in *The Burlington Magazine* (XXXXVI).

E. Bergner, *Das Barock in Rom*, Leipzig.

G. Copertini, *Note sul Correggio*, Parma.

G. Fischel, *Tizian*, Leipzig. Berlin.

W. Friedländer, *Die Entstehung des antiklassischen Stiles in der italienischen Malerei um 1520*, in *Repertorium für Kunstwissenschaft*.

D. Hadeln, (von) *Notes on Savoldo*, in *Art in America* (XIII).

W. Hausenstein, *Das Werk des Vittore Carpaccio*, Berlin, Leipzig.

H. Leporini, *Tizian*, Wien, Leipzig.

G. Lombardi, *Recensione al Correggio di G. Copertini*, in *Aurea Parma*.

M. Nugent, *Alla Mostra della Pittura Italiana del '600 e '700*, S. Casciano Val di Pesa.

G. Piazzi, *Le opere di Francesco Raibolini detto il Francia*, Bologna.

A. Porcella, *Per un quadro del Bassano nella Galleria Borghese*, in *Emporium* (LXIV).

A. Porcella, *Per una falsa attribuzione*, in *Idea Nazionale*, 15 giugno.

Ch. Terrasse, *Sodoma*, Paris.

A. Venturi, *Antonello da Messina* (*Grandi Artisti Italiani*), Bologna.

H. Voss, *Die Malerei des Barock in Rom*, Berlin.

1926 – B. Berenson, *Una Santa di Antonello da Messina e la Pala di S. Cassiano*, in *Dedalo* (VI).

P. Capparoni, *I maestri d'anatomia dell'Ateneo Romano della Sapienza*, in *Bollettino dell'Istituto di Storia d'Arte Sanitaria* I, VI.

G. Cantalamessa, *Conferenze d'Arte*. A cura di S. Baglioni e C. Lorenzetti, Roma.

Catalogo dell'Esposizione Internazionale d'Arte a Venezia, Venezia.

G. Fiocco, *Gerolamo Forabosco ritrattista*, in *Belvedere* (IX–X).

B. Ghiner, *Referendum* e *A dispetto dei Santi. Il disfacimento della Collezione Stroganoff*, in *Vita Artistica* (I).

F. Jewett Mather, *An enigmatic Venetian picture at Detroit*, in *Art Bulletin* (IX).

L. Justi, *Giorgione*, Berlin.

R. Longhi, *L'Assereto*, in *Dedalo* (VII).

F. Malaguzzi Valeri, *I nuovi acquisti della Pinacoteca di Bologna*, in *Cronache d'Arte*.

U. Ojetti, *Notizie e Commenti*, in *Dedalo* (VII).

P. Schubring, *Die Kunst der Hochrenaissance in Italien* (2ª ed.). Berlin.

A. Venturi, *Un'opera dimenticata di Tiziano a Napoli*, in *L'Arte* (XXXIX).

A. Venturi, *Il Correggio*, Roma.

1927 – F. Antal, *Zum Problem des Niederländischen Manierismus. British Berichte Kunstgeschichte Literatur* (I, XI).

A. Bacchiani, *Un nuovo Correggio*, in *Giornale d'Italia*, 18 febbraio.

Catalogo della Mostra Centenaria di Luca Cambiaso organizzata dalla « Compagna », Genova.

O. H. Giglioli, *Nuovi acquisti pel Gabinetto dei disegni e stampe nella R. Galleria degli Uffizi*, in *Bollettino d'Arte* (N. S., V).

E. Hildebrandt, *Leonardo da Vinci. Der Künstler und sein Werk*, Berlin.

R. Longhi, *Un problema del cinquecento ferrarese*, in *Vita Artistica* (II).

R. Longhi, *Precisioni nelle Gallerie Italiane. La R. Galleria Borghese*, in *Vita Artistica* (II).

R. Longhi, *Cartella tizianesca*, in *Vita Artistica* (II).

V. Moschini, *Bartolomeo Schedoni*, in *L'Arte* (XL).

P. H. Osmond, *Paolo Veronese. His careerena nad work*, London.

W. Suida, *Rivendicazioni a Tiziano*, in *Vita Artistica* (II).

A. Venturi, *Studi dal vero attraverso le raccolte artistiche d'Europa*, Milano.

J. F. Willumsen, *La Jeunesse du peintre El Greco*, Paris.

1928 – P. Capparoni, *Un ritratto di Marcello Malpighi fino ad ora sconosciuto con aggiunta una iconografia malpighiana*, in *Bollettino dell'Istituto d'Arte Sanitaria*, 1928.

G. Delogu, *G. B. Castiglione detto il Grechetto*, Bologna.

A. De Rinaldis, *La Pinacoteca del Museo Nazionale di Napoli. Catalogo*, Napoli.

M. Dvorak, *Geschichte der italienischen Kunst im Zeitalter der Renaissance*, München.

G. Fiocco, *Paolo Veronese*, Bologna.

C. Galassi Paluzzi, *Indice delle Opere di Pittura esistenti in Roma*, in rivista *Roma* (V e VI).

G. Gronau, *Die Spätwerke des Giovanni Bellini*, Strassburg.

G. Gronau, *Le opere tarde di Giovanni Bellini*, in *Pinacotheca*.

F. Heinemann, *Tizian. Die zwei Ersten Jahrzehnte Seiner Künstlerischen Entwicklung*, München.

R. Longhi, *Precisioni nelle Gallerie Italiane. La Galleria Borghese*, Roma.

R. Longhi, *Quesiti caravaggeschi*, in *Pinacotheca* (I).

H. Marten, *G. B. Moroni*, Marburg.

A. Muñoz, *Roma Barocca* (2ª ed.), Roma.

N. Pevsner, O. Grautoff, *Barockmalerei in den romanischen Ländern*, Wildpark, Postdam.

O. Sirèn, *Léonard de Vinci. L'Artist et l'Homme*, Paris.

A. Venturi, *Ancora della Biblioteca di Sir Robert Witt.*, in *L'Arte* (XXXI).

A. Venturi, *Paolo Veronese (per il IV Centenario dalla nascita)*, Milano.

Wallace Collection Catalogues, London (15ª ed.). *Pictures and Drawings*.

F. Washburn, *Leich–Ausstellungen in Amerikanischen Museum*, Der Cicerone (XX).

1929 – W. Arslan, *Contributo a Jacopo Bassano*, in *Pinacotheca* (I).

L. Baldass, *Ein Unbekanntes Hauptwerk des Cariani*, in *Jahrbuch der Kunstsammlungen in Wien* (N. F. III).

W. Bombe, *Urkunden zur Geschichte der Peruginer Malerei im 16 Jahrhundert*, Leipzig.

172

R. Buscaroli, *Innocenzo da Imola*, in *Il Comune di Bologna*.
Catalogue of the National Gallery, London (18ª ed.).
Catalogo della Mostra di storia della Scienza a Firenze, Firenze.
A. De Hevesy, *Les elèves de Léonard de Vinci: Andrea Solario*, in *Gazette des Beaux Arts*.
E. Dobschütz (von), *Die Bekehrung des Paulus*, in *Repertorium für Kunstwissenschaft* (L.).
L. Düssler, *Die Italienischen Bilder der Sammlung Spiridon*, in *Pantheon* (III).

1929 ss. – *Enciclopedia Italiana*, Milano. Alle singole voci di artisti.

1929 – G. Fiocco, *Pietro de' Marescalchi detto lo Spada*, in *Belvedere* (VIII).
G. Fiocco, *Pier Maria Pennacchi*, in *Rivista dell'Istituto di Archeologia e Storia dell'Arte* (I).
F. Noack, *Kunstpflege und Kunstbesitz der Familie Borghese*, in *Repertorium für Kunstwissenschaft* (L.).
C. Ricci, *Una Madonna del Correggio nella Galleria Borghese*, in *Bollettino d'Arte* (N. S. IX).
C. Ricci, *North Italian Painting of the Cinquecento*, Florenze.
F. Sestini, *Studio anatomico su di un quadro di Tiziano Vecellio e rapporti con l'opera anatomica di Vesalio* (letto nella riunione del 28 giugno 1929 della Società di Coltura Medica della Spezia e della Lunigiana pubblicata a La Spezia).
W. Suida, *Luinis Bild der hl. Agathe*, in *Belvedere* (VIII).
W. Suida, *Leonardo und sein Kreis*, München.
P. Wescher, *Notiziario, Berlin*, in *Pantheon* (III).

1930 – B. Berenson, *The Italian Painters of the Renaissance*, Oxford.
T. Borenius, *Von der Italienischen Austellung in London*, in *Pantheon* (V).
A. M. Brizio, *Una Madonna del Correggio*, in *L'Arte* (XXXII).
Catalogo della Mostra del Seicento e Settecento in Palazzo Pitti, Roma, Firenze.
L. Frölich–Bum, *Neue Aufgetanchte Gemälde Jacopo Bassano*, in *Jahrbuch der Kunsthistorischesammlungen in Wien* (N. F. IV).
G. Gronau, *Giovanni Bellini. Des Meister Gemälde*, Stuttgart.
L. Hourticq, *Le problème de Giorgione*, Paris.
M. Nugent, *Alla Mostra dei Pittori Italiani del Seicento e del Settecento*, San Casciano.
L. Ozzola, *Perugino oder Costa?*, in *Pantheon* (V).
E. Panofsky, *Hercules am Scheidewege. Exkurs I: Zur Deutung von Tizians « Himmlischer und Irdischer Liebe »*. Studien der Bibliothek Warburg herausgegeben von Fritz Saxl XVIII, Leipzig, Berlin.
L. Pastor, *Storia dei Papi dalla fine del Medio Evo* (traduz. Cenci), Roma, Vol. XII.
M. Pittaluga, *L'Incisione Italiana del Cinquecento*, Milano.
C. Ricci, *Correggio*, Valori Plastici, Milano.
R. Schneider, *La Peinture Italienne*, II, Paris et Bruxelles.
L. Schudt, *Le Guide di Roma*, Wien.
W. R. Valentiner, *Unknown Masterpieces in Public and Private Collections*, London I (cfr. anche ed. francese e tedesca 1930).
J. Wilde, *Wiedergefundene Gemälde aus der Sammlungen des Erzherzogs Leopold Wilhelm*, in *Jahrbuch der Kunsthistorischen Sammlungen in Wien* (N. F. IV).

1931 – W. Arslan, *I Bassano*, Milano.

1931–32 – F. Baumgart, *Giacomo Bertoia Pittore di Parma*, in *Bollettino d'Arte*.

1931 – S. Bettini, *Le pale bassanesche di Cinezzano*, in *Rivista d'Arte* (XIII).
H. Bodmer, *Leonardo. Des Meister Gemälde und Zeichnungen*, Stuttgart und Berlin.
R. Buscaroli, *La Pittura romagnola del Quattrocento*, Faenza.
F. Canuti, *Il Perugino*, Siena.
Catalogo della Mostra di Roma nell'Ottocento, Roma.
Commemorative Catalogue of the Exhibition of London. Italian Art held in the Galleries of the Roya Academy, Burlington House, London, Oxford – London.
A. De Hevesy, *Autour de Leonardo da Vinci*, in *Gazette des Beaux-Arts* (IV, V).
G. Fiocco, *Carpaccio*, Roma.
O. Kletzl, *Bilder der Sammlung Arthur Maier–Karlsbad*, in *Belvedere* (X).
M. Nicolle, *Chefs d'oeuvre des Musées de Province*, in *Gazette des Beaux-Arts* (VI).
W. Suida, *Alcune opere sconosciute di Tiziano*, in *Dedalo*.
W. Suida, *Eine Zeichnung des Andrea Solario in der Albertina*, in *Belvedere* (X).

173

M. Vaes, *Appunti di Carel van Mander su vari pittori italiani suoi contemporanei*, in rivista *Roma* (IX).
A. Venturi, *La Pittura del Quattrocento nell'Emilia*, Bologna.
D. Westphal, *Beiträge zu Antonio Palma*, in *Zeitschrift für bildende Kunst* (LXV).
D. Westphal, *Bonifazio Veronese*, München.

1932 – B. Berenson, *Italian Pictures of the Renaissance*, Oxford.
Catalogo della Mostra d'Arte Antica organizzata dal Ministero dell'Educazione Nazionale, Roma.
G. Copertini, *Il Parmigianino*, Parma.
E. Emmerling, *Pompeo Batoni. Sein Leben und Werk*, Darmstadt.
G. Fiocco, *Dante and Petrarca von Jacopo Bellini*, in *Pantheon* (IX).
O. Grosso, *Le Gallerie d'Arte del Comune di Genova*, Genova.
A. L. Mayer, *Zur Giorgione-Tizian Frage*, in *Pantheon* (X).
M. Rigillo, *Un pittore neoclassico dell'800: Gaspare Landi*, in *Aurea Parma* (XVI).
A. Spahn, *Palma Vecchio*, Leipzig.
W. Suida, *Tiziano*, Roma.
L. Venturi, *Contributi*, in *L'Arte* (XXXV).

1933 – S. Bettini, *L'Arte di Jacopo Bassano*, Bologna.
Catalogo dell'Esposizione della Pittura Ferrarese del Rinascimento, Ferrara.
Catalogo del Museo del Prado, Madrid.
F. Filippini, *Pittori Ferraresi del Rinascimento a Bologna*, in *Il Comune di Bologna*.
F. Hermanin, *Il mito di Giorgione*, Spoleto.
J. Lauts, *Antonello da Messina*, in *Jahrbuch der Kunsthistorischen Sammlungen in Wien* (VII).
G. Lendorff, *G. B. Moroni*, Winterthur.
L. Venturi, *Italian Paintings in America*, New York, – Milano.

1933–34 – Pace B., *Metamorfosi figurate*, in *Bollettino d'Arte* (XXVII).

1933 – V. Schilenko Andreyeff, *The romantic current in italian art of the sixteenth century and some venetian paintings in Moscow and Leningrad*, in *Art in America* (XXI).
K. Steinhart, *Das Kasseler Familienbildnis der Jan van P. Scorel*, in *Pantheon* (XII).
W. Suida, *Tizian*, Zürich – Leipzig.
J. Wilde, *Die Probleme um Domenico Mancini*, in *Jahrbuch der Kunsthistorischen Sammlungen in Wien* (VII).

1934 – W. Arslan, *Bassanesque Pictures of 1560–70*, in *The Burlington Magazine*.
W. Arslan, *An unknown painting by Jacopo Bassano*, in *Art in America* (XII, XIII).
E. Bodmer, *L'attività artistica di Nicolò dell'Abate a Bologna*, in *Il Comune di Bologna* (IX, XII).
P. Capparoni, *Voce « Malpighi Marcello »* in *Enciclopedia Italiana*, vol. XXII.
P. Della Pergola, *Giovanni Lanfranco*, in *Il Vasari*.
G. Delogu, *Tiziano*, Bergamo.
S. De Vito Battaglia, *Correggio. Bibliografia a cura dell'Istituto di Archeologia e Storia dell'Arte*, Roma.
G. Fiocco, *Paolo Veronese*, Roma.
L. Gillet, *La Peinture en Europe*, Paris.
E. Gunther-Troche, *Giovanni Cariani*, in *Jahrbuch der preuss. Kunstsammlungen* (LV).
J. Hess, *Passeri G. B. Die Künstlerbiographien*, Leipzig und Wien.
F. Kieslinger, *Tizian-Zeichnungen*, in *Belvedere* (XII).
R. Longhi, *Officina Ferrarese*, Roma.
G. Lorenzetti e L. Planiscig, *La Collezione dei Conti Donà dalle Rose a Venezia*, Venezia.
Poglayen-Neuwall, *Titians Pictures of the toilet of Venus and their copies*, in *The Art Bulletin* (XVI).
W. Suida, *Anmerkungen zu Paris Bordone*, in *Belvedere* (XII).
W. Suida, *Studien zu Palma*, in *Belvedere* (XII).
· W. Suida, *Unbekanntes von Ippolito Scarsella*, in *Belvedere* (XII).
W. Suida, *Studien zu Bassano*, in *Belvedere* (XII).
R. Van Marle, *The Development of the Italian School of Painting*. The Hague Vol. XV. (cfr. particolarmente i volumi: XIV, XV, XVII, XVIII).
A. Venturi, *Paolo Veronese*, Milano.
J. Wilde, *Zwei Tizian zuschreibungen des 17 Jahrhunderts*, in *Jahrbuch der Kunstsammlungen in Wien* (VIII).

174

1935 – W. Arslan, *Tableaux des Bassans dans les Collections Françaises*, in *Revue de l'Art*.
R. Buscaroli, *La Pittura del Paesaggio in Italia*, Bologna.
Catalogue de l'Exposition de l'Art Italien de Cimabue à Tiepolo, Paris.
Catalogo della Mostra di Tiziano a Venezia, Venezia.
Catalogo della Mostra del Correggio, Parma.
A. De Rinaldis, *La Galleria Borghese in Roma* (*Itinerari dei Musei e Monumenti d'Italia*). Roma.
L. Dussler, *Giovanni Bellini*, Frankfurt.
G. Fogolari, *Tiziano a Cà Pesaro*, in *Pan*.
Th. Hetzer, *Tizian*, Frankfurt am Main.
R. Huyghe, *Tiziano*, Paris.
A. L. Mayer, *Una ignota Mater Dolorosa di Tiziano*, in *L'Arte* (XXXVIII).
G. E. Mottini, *Il Correggio*, Bergamo.
Schwarzweller, *Giovan Antonio da Pordenone*. Dissertazione di laurea presso l'Università di Gottinga, Gottinga.
E. Sandberg-Vavalà, *Giovanni Bellini by L. Dussler*, in *The Art Bulletin* (XVII).
W. Suida, *Tizian-Austellung in Venedig*, in *Pantheon* (VIII).
W. Suida, *Giorgione. Nouvelles attributions*, in *Gazette des Beaux-Arts*.
A. Venturi, *Correggio*, Milano.
J. Wilde, *Ein Unbekanntes Bildnis von Antonello da Messina*, in *Jahrbuch der Kunsthistorischen Sammlungen* (IX).

1936 – B. Berenson, *Pitture Italiane del Rinascimento* (tradotto da Emilio Cecchi). Milano.
S. Bettini, *Quadri dei Bassano*, in *La Critica d'Arte*.
L. Coletti, *Gerolamo da Treviso il Giovane*, in *La Critica d'Arte*.
P. Davide da Portogruaro *Paolo Piazza, ossia Padre Cosimo da Castelfranco pittore cappuccino*, Venezia.
A. De Rinaldis, *Documenti inediti per la Storia della R. Galleria Borghese in Roma*, I. *Le opere d'arte sequestrate al Cavalier d'Arpino*, in *Archivi* (III, 2).
A. De Rinaldis, *Documenti inediti per la Storia della R. Galleria Borghese in Roma*, II. *Una inedita nota settecentesca delle opere pittoriche nel Palazzo Borghese in Campo Marzio*, in *Archivi* III.
H. A. Fritzsche, *Bernardo Bellotto genannt Canaletto*, Burg b. M.
L. Goldscheider, *Fünfhundert Selbstporträts*, Wien.
R. Huyghe, *Titien paysagiste*, in *L'Amour de l'Art*.
I. Jewett Mather, *Venetian Painters*, New York.
R. Liphart-Rathshaff (von), *Girolamo da Treviso. Die schlafende Venus. Galleria Borghese Rom*, in *Zeitschrift für Kunstgeschichte* (V).
A. Porcella, *Manifestazioni parmensi nel IV Centenario della morte del Correggio*, Parma.
W. Suida, *Anmerkungen zu Paris Bordone*, in *Belvedere* (cfr. n. 627).
H. Tietze, *Tizian. Leben und Werk*, Leipzig.

1937 – P. Davide da Portogruaro, *A proposito di un ritratto di Marcello Malpighi*, in *Atti Memorie dell'Accademia di Storia dell'Arte Sanitaria*, Serie II A. III.
A. De Rinaldis, *Documenti inediti per la Storia della R. Galleria Borghese in Roma*, III. *Un Catalogo della Quadreria Borghese nel Palazzo a Campo Marzio redatto nel 1760*, in *Archivi* (III, IV).
A. De Rinaldis, *La Galleria Borghese in Roma* (*Itinerario dei Musei e Monumenti d'Italia*), Roma (2ª ed.).
C. Gamba, *Giovanni Bellini*, Milano.
G. Gombösi, *Über venezianische Bildnisse*, in *Pantheon* (X).
I. Jewett Mather, *Giorgio da Castelfranco called Giorgione by G. M. Richter*, in *The Art Bulletin* (XIX).
O. Kurz, *Guido Reni*, in *Jahrbuch der Kunsthistorische Sammlungen in Wien* (XI).
D. Mahon, *Notes on the Young Guercino*, in *The Burlington Magazine*.
D. Phillips, H. G. Dwight, *The Leadership of Giorgione*, Washington.
G. M. Richter, *Giorgio da Castelfranco called Giorgione*, Chicago.
W. Suida, *Giovanni Girolamo Savoldo*, in *Pantheon* (XIX, XX).
E. K. Waterhouse, *Baroque Painting in Rome*, London.
E. Zocca, *Appunti su Bartolomeo Montagna*, in *L'Arte*.

175

1937-38 – W. Arslan, *Nuovi dipinti dei Bassano*, in *Bollettino d'Arte* (XXXI).

1938 – B. Berenson, *The Drawings of the Florentine Painters* (N. E.), Chicago.
A. Busuioceanu, *Trois tableaux ignorés du Corrège*, in *Gazette des Beaux-Arts* (XIX).
Catalogo della Mostra d'Arte a Palazzo Carignano: Gotico e Rinascimento in Piemonte, Torino.
Catalogo della Mostra del Ritratto Italiano nei secoli, Belgrado.
L. Collobi, *Raffaellino Motta detto Raffaellino da Reggio*, in *Rivista dell'Istituto d'Archeologia e Storia dell'Arte*.
W. Friedländer, *La Tintura delle Rose (The Sacred and Profane Love) by Titian*, in *The Art Bulletin* (XX).
F. Garibaldi, *Lo Scorza, il Magnasco ed altri pittori*, Savona.
A. Petrucci, *Il Pesarese Acquafortista*, in *Bollettino d'Arte* (XXXII).
W. Suida, *Notes sur Paul Véronèse*, in *Gazette des Beaux-Arts*.

1939 – E. Berken (von der) E., *Die Paolo Veronese Austellung in Venedig*, in *Pantheon* (XXIII, XXIV).
E. Bodmer, *Ludovico Carracci*, Burg b. M.
S. Bottari, *Antonello da Messina*, Messina.
A. Busuioceanu, *La Galerie de peinture de sa Majésté le Roi Carol II de Roumainie. I. Écoles Italiennes*, Paris.
L. Cappuccio, *Tiziano. La vita e l'opera*, Milano.
Catalogo della Mostra: La Pittura Bresciana del Rinascimento, Brescia.
Catalogo della Mostra di Leonardo da Vinci, Milano.
Catalogo della Mostra di Paolo Veronese, Venezia.
Catalogo della Mostra del Pordenone e della Pittura friulana del Rinascimento, Udine.
D. Cugini, *Moroni Pittore*, Bergamo.
P. De Minerbi, *La Tempesta di Giorgione e l'Amor Sacro e l'Amore Profano di Tiziano nello spirito umanista di Venezia*, Milano.
G. Fiocco, *Giovan Antonio da Pordenone*, Udine.
R. Gallo, *Per la datazione delle opere del Veronese*, in *Emporium* (XCI).
J. Lauts, *Antonello da Messina*, in *Pantheon* (XXIII, XXIV).
A. L. Mayer, *Notes on the Early El Greco*, in *The Burlington Magazine*.
A. L. Mayer, *Aurelio Nicolò: The Commissioner of Titian's Sacred and Profane Love*, in *The Art Bulletin* (XXI).
V. Mariani, *Domenico Theotocopuli detto il Greco e la Pittura Italiana*, in *La Rinascita*.
A. Orliac, *Véronèse*, Paris.
E. Panofsky, *Studies in Iconology*, New York.
D. Valeri, *Tiziano*, Venezia.

1940 – W. Boeck, *Der Junge Perugino*, in *Pantheon* (XXV).
Catalogo della Mostra delle Terre d'Oltremare, Napoli.
B. Galli, *Lavinia Fontana Pittrice*, Imola.
F. Hartt, *Carpaccio's Meditation on the Passion*, in *The Art Bulletin* (XXII).
W. F. Horst, *Studies in Iconology by Panofsky*, in *The Art Bulletin* (XXII).
J. Lauts, *Antonello da Messina*, Wien.
R. Longhi, *Ampliamenti nell'Officina Ferrarese*, Firenze.
Malcolm Bell, *The Early Work of Titian*, London.
G. Nicco Fasola, *Lineamenti del Savoldo*, in *L'Arte* (XLIII).
R. Pallucchini, *Veronese*, Bergamo.
A. Rapetti, *Un Inventario delle opere del Parmigianino*, in *Archivio Storico per le Provincie Parmensi* (V).

1941 – L. Coletti, *Paolo Veronese e la pittura a Verona nel suo tempo*. Corso Universitario 1941 (in ciclostile, ma consultabile nelle Biblioteche specializzate).
L. Düssler, *Zur Bildnis Kunst Lorenzo Lottos*, in *Pantheon* (XXVII).
G. Fiocco, *Giorgione*, Bergamo.
G. F. Hartlaub, *Antike Wahrsagungsmotive in Bildern Tizians*, in *Pantheon* (XXVII).
V. Lasareff, *A Dosso Problem*, in *Art in America* (XXVIII).

1942 – S. Bottari, *Leonardo*, Bergamo.
A. Morassi, *Giorgione*, Milano.
A. Venturi, *Leonardo e la sua scuola*, Novara.

176

1943 – E. BODMER, *Il Correggio e gli Emiliani*, Novara.
    V. GOLZIO, *Giovanni Lanfranco decoratore di Palazzi romani*, in *Capitolium*.
    F. SWEET, *The Education of Cupid by Titian*, in *Bulletin of the Art Institute of Chicago* (XXXVII).
    R. WISCHNITZER-BERSTEIN, *A new interpretation of Titian's Sacred and Profane Love*, in *Gazette des Beaux Arts* (VI, XXIII).

1944 – K. OETTINGER, *Die Wahre Giorgione Venus*, in *Jahrbuch der Kunsthistorischen Sammlungen in Wien*.
    R. PALLUCCHINI, *La Pittura Veneziana del Cinquecento*, Novara.

1945 – G. BRIGANTI, *Il Manierismo e Pellegrino Tibaldi*, Roma.
    E. G. CREIGHTON, *Milan and Savoldo*, in *The Art Bulletin* (XXVII).
    PH. HENDY, L. GOLDSCHEIDER, *Giovanni Bellini*, Oxford – London.
    R. PALLUCCHINI, *I dipinti della Galleria Estense*, Roma.
    A. PODESTÀ, *Mostra della Galleria Borghese a Roma*, in *Emporium*.
    E. TIETZE-CONRAT, *The Wemyss Allegory in The Art Institute of Chicago*, in *The Art Bulletin* (XXVI).
    E. TIETZE-CONRAT, *The Holkham Venus in the Metropolitan Museum*, in *The Art Bulletin* (XXVII).
    E. ZOCCA, *Notizie e Commenti. La Galleria Borghese*, in *Arti Figurative* (I).

1946 – O. BRENDEL, *The Interpretation of the Holkham Venus*, in *The Art Bulletin* (XXVIII).
    L. GRASSI, *Tiziano*, Roma.
    E. GROSE, *Notes on Titian's Venus and the Luteplayer*, in *The Art Bulletin* (XXVIII).
    R. LONGHI, *Viatico per Cinque Secoli di Pittura Veneziana*, Firenze.

1947 – B. BERENSON, *Ristudiando Tintoretto e Tiziano*, in *Arte Veneia* (I).
    B. BERENSON, *Metodo e attribuzioni*, Firenze.
    G. DELOGU, *L'Amor Sacro e Profano*, Milano.
    D. MAHON, *Studies in Seicento Art and Theory*, London.
    U. MIDDELDORF, *Letters to the Editor*, in *The Art Bulletin* (XXIX).

1948 – F. ANTAL, *Observation on Girolamo da Carpi*, in *The Art Bulletin* (XXX).
    B. BERENSON, *I Pittori Italiani del Rinascimento* (trad. di E. Cecchi, III ed.), Milano.
    A. BOSCHETTO, *Per la conoscenza di Francesco Albani Pittore*, in *Proporzioni* (II).
    A. DE RINALDIS, *Catalogo della Galleria Borghese*, Roma.
    A. DE RINALDIS, *L'Arte in Roma dal '600 al '900*, Bologna.
    R. LONGHI, *Calepino Veneziano, XIV. Suggerimenti per Jacopo Bassano*, in *Arte Veneta* (III).
    R. PALLUCCHINI, *Some Early Works by El Greco*, in *The Burlington Magazine* (XC).
    J. POPE-HENNESSY, *Domenichino Drawings at Windsor Castle*, London.
    A. O. QUINTAVALLE, *Parmigianino*, Milano.
    H. TIETZE, *Nuovi disegni veneti*, in *Arte Veneta*, (II).

1949 – *Catalogo della Mostra di Giovanni Bellini*, Venezia.
    A. DE RINALDIS, *Danae o la Pioggia d'oro*, Milano.
    L. DÜSSLER, *Giovanni Bellini*, Wien.
    G. FIOCCO, *Un Gerolamo da Treviso il Giovane a Balduina*, in *Arte Veneta* (III).
    T. H. FOKKER, *The Doria Nativity by l'Ortolano*, in *Phoebus* (II, 4).
    K. SCHEFFLER, *Venezianische Malerei*, Berlin.
    W. SUIDA, *Lucrezia Borgia*, in *Gazette des Beaux-Arts*.

1950 – G. C. ARGAN, *L'Amor Sacro e l'Amor Profano di Tiziano Vecellio*, Milano.
    J. AZNAR CAMON, *Dominico Grego*, Madrid.
    Bollettino dell'Istituto Centrale del Restauro, Roma n. 3-4.
    Catalogo della Mostra di Lelio Orsi, Modena.
    Catalogo della Mostra del Sodoma a Vercelli e a Siena, Vercelli.
    F. COSTELLO, *The twelve Pictures « by Velasquez »*, in *Journal of the Warburg Institute* (XIII).
    Mostra del Sodoma a Vercelli e a Siena, in *Bollettino d'Arte*.
    P. DELLA PERGOLA, *La Galleria Borghese in Roma (Il Fiore)*, Milano.
    G. DELOGU, *Tiziano*, Bergamo.
    G. J. FREEDBERG, *Parmigianino. His Works in Painting*, Cambridge.
    A. MORASSI, *Settecento Inedito*, in *Arte Veneta* (IV).
    R. PALLUCCHINI, *La giovinezza del Tintoretto*, Venezia.

A. Peltzer, *Chi è il pittore « Alberto de Ollanda »*, in *Arte Veneta* (IV).

L. Puyvelde (van), *La Peinture Flamande à Rome*, Bruxelles.

E. Tietze–Conrat, *Das Skizzenbuch des van Dyck als Quelle für die Tizianforschung*, in *La Critica d'Arte*.

1951 – B. Berenson, *Une Sacra Conversazione de l'Ecole de Giorgione au Louvre*, in *La Revue des Arts*, Paris (n. 2).

Catalogo della Mostra di Innocenzo Francucci ad Imola, Imola.

P. Della Pergola, *La Galleria Borghese in Roma (Itinerari dei Musei e monumenti d'Italia)* Roma (2ª ed., 1952, 3ª ed. 1954).

I. Faldi, *Contributi a Raffaellino da Reggio*, in *Bollettino d'Arte*.

R. Longhi, *Volti della Roma Caravaggesca*, in *Paragone* (nº 21).

A. Morassi, *The Ashmolean Madonna Reading* etc., in *Burlington Magazine*.

R. Salvini, *Su Lelio Orsi e la Mostra di Reggio Emilia*, in *Bollettino d'Arte*.

W. Suida, *Painting and Sculpture from the Kress Collection acquired by Samuel H. Kress Foundation, 1945-51*, Washington.

1952 – G. Bendinelli, *Critici Romani del primo ottocento intorno a un quadro celebre. La Danae della Galleria Borghese*, in *L'Urbe*.

E. Castelli, *Il Demoniaco nell'Arte*, Roma, Firenze.

Catalogo della Mostra: Fontainebleau e la Maniera Italiana, Firenze.

A. De Hevesy, *Un compagno di Leonardo: Francesco Melzi*, in *Emporium*.

P. Della Pergola, *Il n. 185 della Galleria Borghese*, in *Arte Veneta* (VI).

Kenneth Clark, *Leonardo da Vinci*, Cambridge.

H. Lüdecke, *Leonardo da Vinci. Der Künstler und seine Zeit*, Berlin.

C. Nordenfolk, *Titian's allegories on the Fondaco de' Tedeschi*, in *Gazette des Beaux–Arts*, XL, p. 103 ss.

A. Riccoboni, *Perugino o ferrarese?*, in *Emporium*.

L. Salerno, *The Early work of Giovanni Lanfranco*, in *The Burlington Magazine* (XCIV).

W. Suida, *Miscellanea Tizianesca*, in *Arte Veneta* (VI).

G. Vigni, *Tutta la pittura di Antonello da Messina*, Milano.

R. Wittkower, *Drawings Carraccis at Windsor Castle*, London.

F. Zeri, *Giovanni da S. Giovanni: La Notte*, in *Paragone* (n. 31).

1953 – Banti e Boschetto, *Lorenzo Lotto*, Firenze.

F. Bologna, *Osservazioni su Pedro Campaña*, in *Paragone* (n. 43).

S. Bottari, *Antonello*, Milano, Messina.

Catalogo della Mostra: Antonello da Messina e la Pittura del '400 in Sicilia, Venezia.

Catalogo della Mostra: Arcangelo Corelli, Roma.

Catalogo della Mostra: Le Greco de la Créte à Tolède par Venise. Bordeaux.

Catalogo della Mostra: Lorenzo Lotto, Venezia.

Catalogo della Mostra: De Venetiaanse Meesters, Amsterdam.

Catalogo della Mostra: La Peinture Vénitienne, Bruxelles.

Catalogo della Mostra: 500 Jahre venezianische Malerei, Sciaffusa.

L. Coletti, *Lorenzo Lotto*, Bergamo.

M. Gregori, *Una Madonna di Lelio Orsi*, in *Paragone* (n. 43).

B. N. (icholson), *Current and Forcoming Exibitions*, in *The Burlington Magazine* (XCV).

C. A. Petrucci, *Catalogo Generale delle Stampe tratte dai rami incisi posseduti dalla Calcografia Nazionale*, Roma.

T. Pignatti, *L'Arte di Lorenzo Lotto*, in *La Nuova Antologia* (88º).

T. Pignatti, *Lorenzo Lotto*, Milano.

F. Zeri, *Il Maestro della Madonna Gardner*, in *Bollettino d'Arte*.

1954 – *Art of the Renaissance. From the H. Samuel Kress Collection*, The Columbia Museum of Art. Columbia.

B. Berenson, *Attribuzioni nostalgiche*, in *Corriere della Sera*, 15 aprile.

G. Castelfranco, *Momenti della recente critica vinciana*, in *Leonardo, Saggi e ricerche*, Roma.

Catalogo della Mostra: Chefs d'oeuvre venitiens de Paolo Veneziano à Tintoret, Paris.

Catalogo della Mostra: Guido Reni, Bologna.

L. Collobi Ragghianti, *Arte*, in *Le Vie d'Italia*, Milano.

178

Corrispondenza, in *Sele Arte*, III.

P. Della Pergola, *Un quadro de man de Zorzon de Castelfranco*, in *Paragone* (n. 49).

P. Della Pergola, *Contributi per la Galleria Borghese*, in *Bollettino d'Arte*.

L. Ferrara, *Note d'Arte. La Nuova Antologia*.

L. Gallina, *Giovanni Cariani. Materiale per uno studio*, Bergamo.

G. Gamba, *Il mio Giorgione*, in *Arte Veneta*, (*VIII*).

M. Gendel, *Rome*, in *Art News*, New York.

L. H. Heydenreich, *Leonardo da Vinci*, Basilea.

Longhi, Fiocco, Grassi, Wittgens, Gnudi, Zeri, *Polemica per Giorgione*, in *Scuola e Vita*, nn. 8, 9, 10.

O. Montenovesi, *Gens Burghesia*, in *Capitolium* (XXIX – 3).

G. Nicco Fasola, *Per Lorenzo Lotto*, in *Commentari*.

G. Robertson, *Vincenzo Catena*, Edinburgo.

C. H. Sterling, *Notes brèves sur quelques tableaux venitiens inconnus à Dallas*, in *Arte Veneta*, (*VIII*).

W. Suida, *Leonardo's Activity as a painter. A Sketch*, in Leonardo, *Saggi e Ricerche*, Roma.

W. Suida, *Art of the Renaissance from the Samuel H. Kress Collection. The Columbia Museum of Art*, Columbia.

M. Valsecchi, *La pittura veneziana*, Milano.

F. Zeri, *La Galleria Spada*, Firenze.

1955 – B. Berenson, *Lorenzo Lotto*, Milano.

P. Bianconi, *Tutta la Pittura di Lorenzo Lotto*, Milano.

Catalogo della mostra: Giorgione e i Giorgioneschi, Venezia.

G. A. Dell'Acqua, *Tiziano*, Milano.

P. Della Pergola, *Riferimenti per Luca Longhi*, in *Bollettino d'Arte*.

P. Della Pergola, *I due "Mosè" di Guido Reni*, in *Paragone* (n° 63).

P. Della Pergola, *Giorgione*, Milano.

Aprile 1955.

Numero inventario	Numero catalogo	Numero inventario	Numero catalogo	Numero inventario	Numero catalogo	Numero inventario	Numero catalogo
1	35	55	32	99	111	139	230
3	178	57	49	101	243	142	42
5	180	58	11	102	239	143	204
6	95	59	206	103	265	144	174
7	44	60	8	104	213	145	90
8	72	61	48	105	182	146	241
9	181	63	184	106	226	147	233
11	179	64	18	107	245	149	191
16	89	65	47	109	102	150	172
22	38	66	12	112	240	151	134
23	15	67	88	113	29	152	21
25	79	70	80	114	199	154	238
26	175	71	264	115	207	155	22
29	183	72	254	116	143	156	190
30	229	76	205	117	189	157	223
34	50	77	96	118	132	159	136
35	1	78	250	119	193	160	74
36	123	81	46	120	173	161	135
38	75	82	203	121	255	163	224
39	13	83	16	122	28	164	196
40	2	84	214	123	128	166	144
41	122	85	100	124	244	167	98
42	81	86	101	125	24	169	114
43	23	87	270	126	26	170	235
44	3	89	253	127	186	171	208
47	76	90	121	128	27	175	227
48	14	91	228	129	170	176	188
49	4	93	232	130	202	180	110
50	248	95	251	131	171	181	43
52	131	96	108	132	201	182	212
53	31	97	73	137	242	183	142

Numero inventario	Numero catalogo	Numero inventario	Numero catalogo	Numero inventario	Numero catalogo	Numero inventario	Numero catalogo
184	7	238	64	401	164	105	498
185	210	239	66	402	167	217	499
186	222	240	53	409	61	502	200
188	234	241	249	415	124	506	218
190	211	242	60	416	83	507	221
191	127	243	65	418	269	514	145
193	209	244	70	426	192	515	17
194	236	245	5	429	140	517	97
195	141	246	67	430	216	518	263
196	20	247	92	431	187	521	133
204	51	261	220	434	138	523	259
205	55	270	33	435	146	524	266
208	62	276	34	436	166	526	262
209	119	290	19	437	45	528	104
210	56	296	77	438	85	535	155
211	39	298	109	441	252	537	256
212	115	299	78	445	225	540	194
213	52	304	37	446	215	541	195
214	117	307	219	447	261	547	231
215	6	311	197	448	258	549	9
216	63	315	151	449	260	550	129
217	36	316	120	450	198	551	130
218	93	317	126	451	91	552	257
219	118	319	246	452	268	553	157
220	41	346	237	456	137	557	86
221	68	347	54	459	148	558	87
222	113	350	158	460	103	560	154
223	94	353	159	461	150	563	152
224	57	357	10	462	149	564	153
225	40	367	161	466	84	565	176
226	116	377	168	467	185	566	156
227	69	386	165	470	147	569	125
234	177	390	99	471	139	570	25
235	71	394	163	484	162	575	82
236	58	395	30	486	267	578	247
237	59	396	169	492	106	580	112
				495	107	583	160

ILLUSTRAZIONI

1 - F. Albani: Venere nella fucina di Vulcano

2 - F. Albani: L'Acconciatura di Venere

3 - F. Albani: Venere e Adone

4 - F. Albani: Trionfo di Diana

5 - Battista di Dosso: Riposo nella Fuga in Egitto

7 - Battista di Dosso: Psiche trasportata all'Olimpo

6 - Battista di Dosso: Presepe

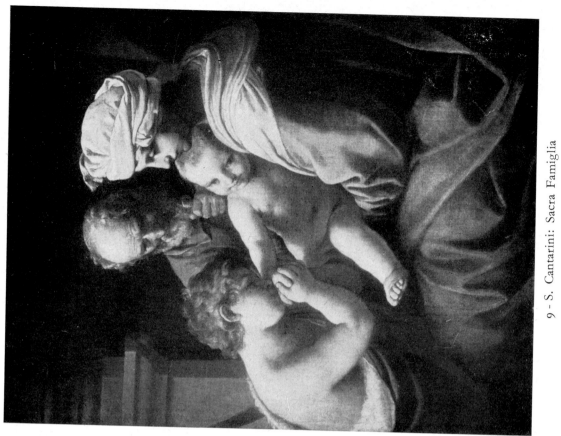

9 - S. Cantarini: Sacra Famiglia

8 - Jacopo de' Boateri: La Vergine col Bambino, S. Antonio Abate e S. Caterina

10 - S. Cantarini: S. Giovanni Battista

12 - Ag. Carracci: S. Francesco stigmatizzato in una gloria d'angeli

11 - Ag. Carracci: Estasi di S. Caterina

14 - Seguace di Ag. Carracci: La Maddalena

13 - Seguace di Ag. Carracci: Il Salvatore

15 (Scheda 17) - Ann. Carracci: Giove e Giunone

16 - Ann. Carracci: Testa di giovane ridente

17 (Scheda 15) - Ann. Carracci: Sansone in carcere

18 - Ann. Carracci: Sacra Famiglia

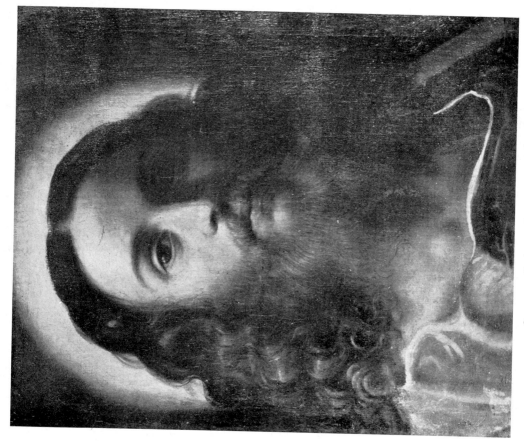

20 - Seguace di Ann. Carracci: Il Salvatore

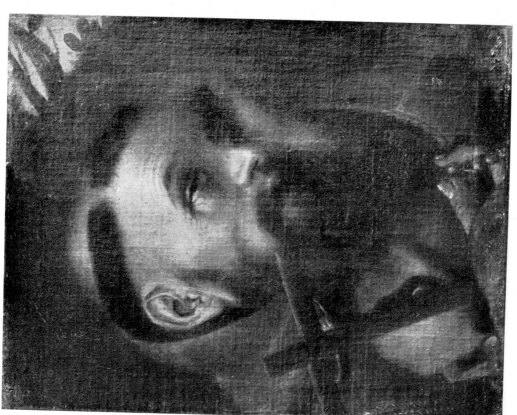

19 - Ann. Carracci: S. Francesco

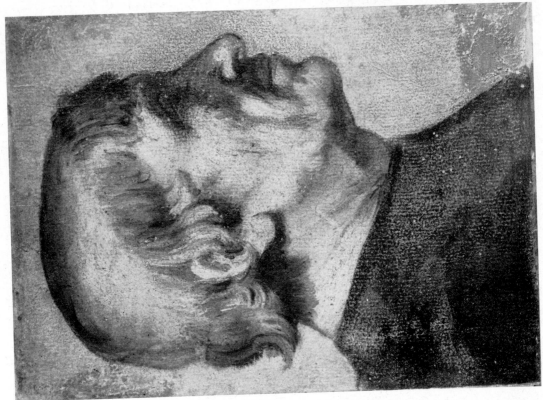

22 - Seg. di Ann. Carracci: Testa di frate

21 - Seg. di Ann. Carracci: Testa d'uomo con turbante

23 - Antonio Carracci: Sepoltura di Cristo

Danae

26 (Scheda 29) - Copia dal Correggio: Un profeta e due angeli

25 - Seguace del Correggio: Madonna col Bambino e S. Giovannino

27 (Scheda 26) - Copia dal Correggio: Maddalena leggente

28 - Copia dal Correggio: Leda

29 (Scheda 27) - Copia dal Correggio: Jo

30 - L. Costa: Cristo alla colonna

31 (Scheda 32) - Domenichino: Sibilla

32 (Scheda 31) - Domenichino: La Caccia di Diana

34 - Domenichino: Vocazione di S. Pietro

33 - Domenichino: Cristo e la Samaritana

35 - Dosso Dossi: Apollo e Dafne

36 - Dosso Dossi: La Maga Circe

37 - Dosso Dossi: Diana e Calisto

38 (Scheda 40) - Dosso Dossi: Gige e Candaule

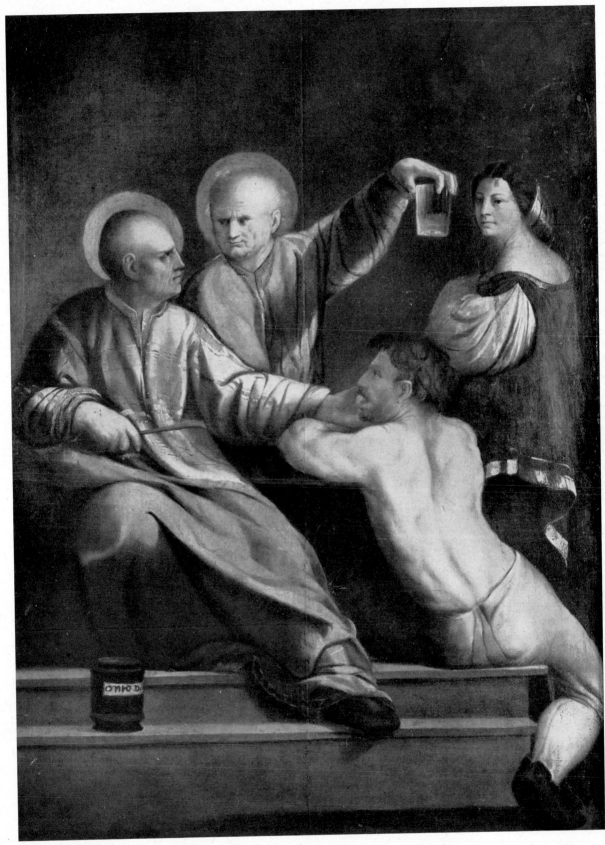

41 (Scheda 38) - Dosso Dossi: I SS. Cosma e Damiano

42 - Dosso Dossi: S. Caterina

47 - F. Francia: S. Stefano

48 - F. Francia: Madonna col Bambino nel Giardino di rose

50 - Seguace di F. Francia: Madonna col Bambino

49 - F. Francia: S. Francesco

52 - Garofalo: Madonna col Bambino tra i SS. Pietro e Paolo

51 (Scheda 56) - Garofalo: Madonna col Bambino in atto di prendere un uccello

58 (Scheda 60) - Garofalo: Sacra Famiglia e Santi

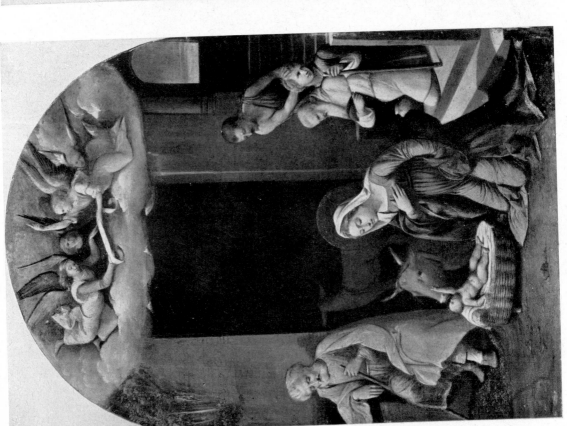

57 - Garofalo: Adorazione dei pastori

59 - Garofalo: La Flagellazione di Cristo

61 (Scheda 55) - Garofalo: Pianto sul Cristo deposto

60 (Scheda 54) - Garofalo: La Conversione di S. Paolo

63 - Altro seguace del Garofalo: Martirio di S. Caterina

62 - Seguace del Garofalo: Madonna col Bambino,
S. Giovannino e i SS. Giuseppe e Antonio

65 - Seguace del Garofalo: La Resurrezione di Lazzaro

64 - Seguace del Garofalo: La Resurrezione di Lazzaro

67 - Seguace del Garofalo: La Conversione di S. Paolo

66 (Scheda 68) - Seguace Fiammingo del Garofalo:
Cristo e la Samaritana

69 (Scheda 66) - Seguace del Garofalo:
Adorazione dei Magi

68 (Scheda 70) - Seguace del Garofalo: Noli me tangere

71 (Scheda 69) - Altro seguace Fiammingo del Garofalo: Cristo e la Samaritana

70 (Scheda 71) - Seguace del Garofalo: Cristo e la Samaritana

74 - Gobbo dei Carracci: Testa di Satiro coronata di pampini

73 - Girolamo da Carpi: Ritratto d'uomo con i guanti in mano

79 - Seguace di G. F. Grimaldi: Paese

80 - Guercino: Sansone porge ai genitori il favo di miele

83 - Innocenzo da Imola: Ritratto di donna

82 - Copia dal Guercino: La Gloria di S. Crisogono

85 - Innocenzo da Imola: Madonna col Bambino, i SS. Francesco e Girolamo

84 - Innocenzo da Imola: Sposalizio di S. Caterina

87 - G. Landi: Autoritratto

86 - G. Landi: Ritratto di Canova

88 - G. Lanfranco: Giuseppe e la moglie di Putifarre

89 - G. Lanfranco: Norandino e Lucina sorpresi dall'Orco

94 - Mazzolino: Incredulità di S. Tommaso

93 (Scheda 91) - Mazzolino: Cristo e l'Adultera

95 - Nicolò dell'Abate: Paese con figure di dame e cavalieri

96 - Nicolò dell'Abate: Ritratto di Donna

97 - Maniera di Nicolò dell'Abate: Paesaggio col Battesimo di Gesù

98 - L. Orsi: SS. Cecilia e Valeriano

99 - Ortolano: Deposizione dalla Croce

100 - Parmigianino: Ritratto d'Uomo

101 - Seguace del Parmigianino: Ritratto di Giovanetto

103 (Scheda 104) - Padre Pittorino: Adamo ed Eva

102 - Copia dal Parmigianino: Santa Caterina e Angeli

104 (Scheda 103) - B. Passerotti: Una lezione d'anatomia

106 - M. Provenzale: Orfeo

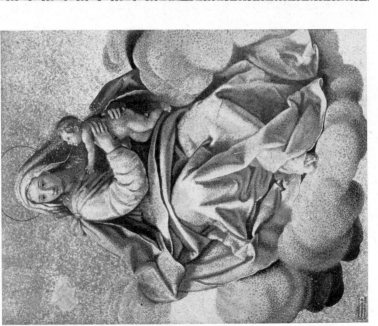

105 - M. Provenzale: Madonna col Bambino

108 - M. Provenzale: Autoritratto

PAVLVS.V.BVRGHESIVS.ROMANVS.P.O.M.ANN.MDCXXI.PONT.XVII

107 - M. Provenzale: Ritratto di Paolo V

109 - Raffaellino da Reggio: Tobiolo e l'Angelo

110 - G. Reni: Mosè con le tavole della Legge

111 - Seguace di G. Reni: Una Parca

112 - Copia da G. Reni: Cristo in Croce

114 (Scheda 119) - Scarsellino: La Strage degli Innocenti

113 - Scarsellino: Madonna col Bambino, SS. Giuseppe e Giovannino

115 - Scarsellino: Venere e Adone

116 - Scarsellino: Cristo coi discepoli sulla via di Emmaus

117 - Scarsellino: Diana ed Endimione

118 - Scarsellino: Il bagno di Venere

119 (Scheda 114) - Scarsellino: La Cena in Casa di Simon Fariseo

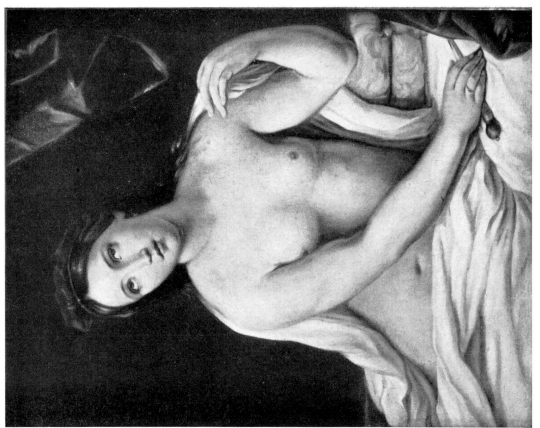

121 - E. Sirani: Lucrezia

120 - B. Schedoni: La Vergine, Gesù e S. Giovannino

122 - L. Spada: Un Concerto

123 - A. Tiarini: Rinaldo e Armida

124 - P. Tibaldi: Adorazione del Bambino

126 (Scheda 127) - L. Cambiaso: Amore in riposo

125 - Da G. Assereto: Presentazione al Tempio

128 - L. Cambiaso: Venere e Amore sul mare

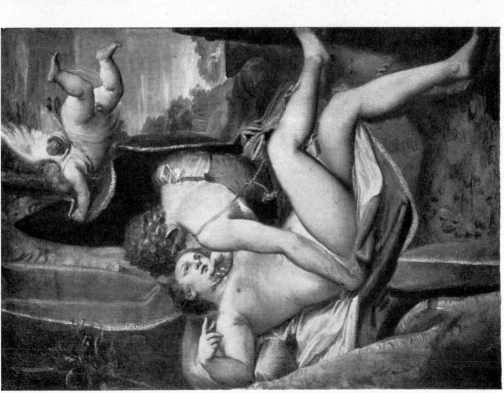

127 (Scheda 126) - L. Cambiaso: Venere e Adone

129 (Scheda 130) - G. B. Castiglione: Scena Pastorale

130 (Scheda 129) - G. B. Castiglione: Scena Pastorale

131 - Maestro Ligure: Amore e Psiche

133 - S. Anguissola: Ritratto della sorella Elena

132 - S. Anguissola: Ritratto della sorella Lucia

134 - G. A. Boltraffio: Ritratto di Donna   135 - Cesare da Sesto: Santa Martire

137 - Giampietrino: Madonna in atto di allattare il Bambino

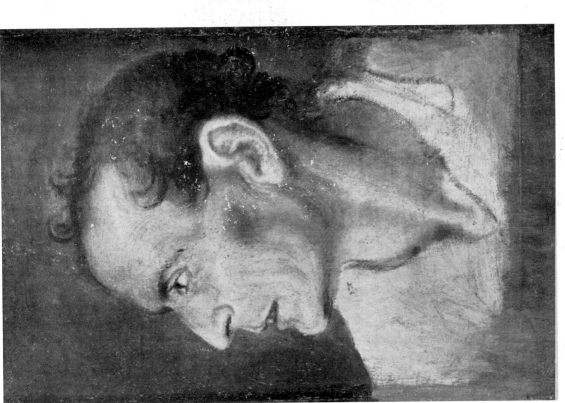

136 - Fra' Galgario: Ritratto d'Uomo

138 - Da Leonardo: Leda

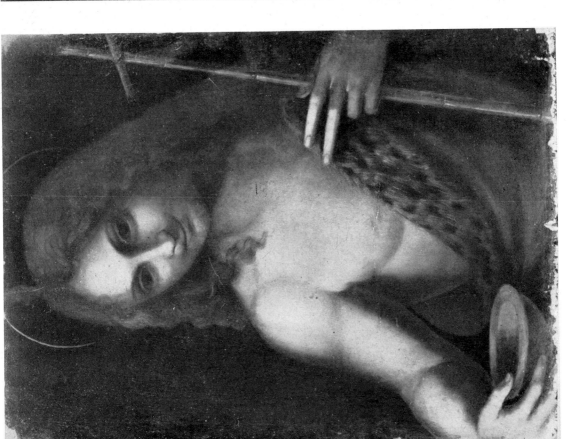

139 - Copia da Leonardo: S. Giovanni Battista

140 - Seguace di B. Luini: S. Agata

145 - Maestro della Pala Sforzesca: Testa femminile

146 (Scheda 147) - Da F. Melzi: La Flora

147 (Scheda 146) - Marco D'Oggiono: Redentore benedicente

148 - Sodoma: Sacra Famiglia

149 - Sodoma: La Pietà

150 - A. Solario: Cristo portacroce

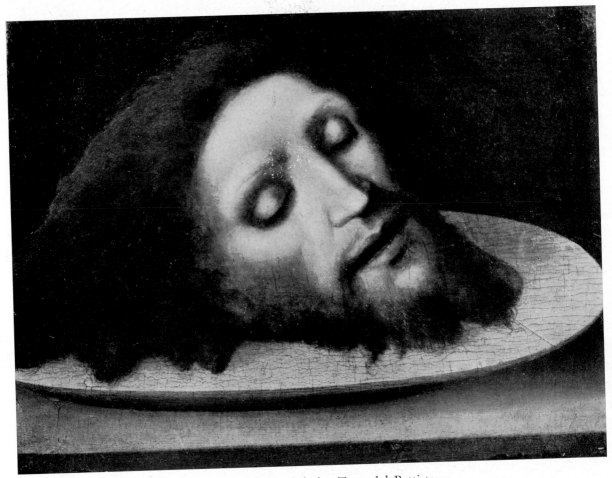

151 - Copia da A. Solario: Testa del Battista

152 - D. Brandi: Paesaggio con armenti

153 - D. Brandi: Paesaggio con armenti

155 - Da S. Conca: La Vergine col Bambino
e S. Giovanni Nepomuceno

154 - S. Conca: La Vergine col Bambino
e S. Giovanni Nepomuceno

157 - G. Diano: L'Annunciazione

156 - Pacecco de' Rosa: Una Santa

158 - G. Fracanzano: Martirio di S. Ignazio

159 - S. Rosa: Battaglia

161 - Maestro Umbro: Madonna col Bambino

160 - Maestro Umbro: Madonna col Bambino

162 (Scheda 164) - Perugino: Madonna col Bambino

163 (Scheda 165) - Perugino?: S. Sebastiano

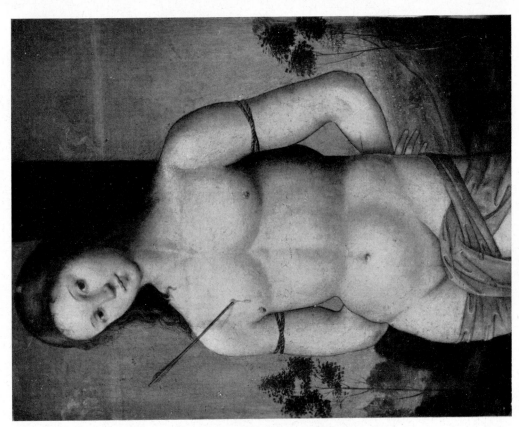

165 (Scheda 163) - Maestro Umbro: S. Sebastiano

164 (Scheda 162) - Maestro Umbro: Madonna col Bambino e S. Francesco

167 - Dal Perugino: La Maddalena

166 - Dal Perugino: Ritratto detto di A. Braccesi

168 - Pintoricchio: Il Crocifisso tra i SS. Girolamo e Cristoforo

169 - Antonello da Messina: Ritratto d'Uomo

170 - M. Basaiti: Adamo

171 - M. Basaiti: Eva

173 - J. Bassano: Pecora e Agnello

174 (Scheda 175) - J. Bassano: Adorazione dei pastori

175 (Scheda 176) - J. Bassano: Adorazione dei Magi

176 (Scheda 177) - Copia da J. Bassano: Adorazione dei Magi

177 (Scheda 174) - J. Bassano: Ultima Cena

183 - Copia da J. Bassano: Scena campestre

184 (Scheda 185) - Copia da J. Bassano: Deposizione dalla Croce

185 (Scheda 186) - L. Bassano: La Trinità

186 (Scheda 184) - Seguace di J. Bassano: L'Addolorata

187 - M. A. Bassetti: Cristo deposto

188 - G. Bellini: Madonna col Bambino

FRANCISCVS PETRARCHA

190 (Scheda 192) - Da F. Bonsignore: Ritratto del Petrarca

189 - Copia da G. Bellini: Testa femminile

191 - Seguace di B. Pitati: L'Adultera

192 (Scheda 190) - B. Pitati: Gesù nella famiglia degli Zebedei

193 - P. Bordone: Venere, un Satiro e Amore

194 - Canaletto: Il Colosseo

195 - Canaletto: La Basilica di Massenzio

196 - Cariani: Madonna col Bambino e S. Pietro

197 - Maniera del Cariani: Scena di seduzione

198 - V. Carpaccio: Una Cortigiana

200 - A. Gaietani: L'Addolorata

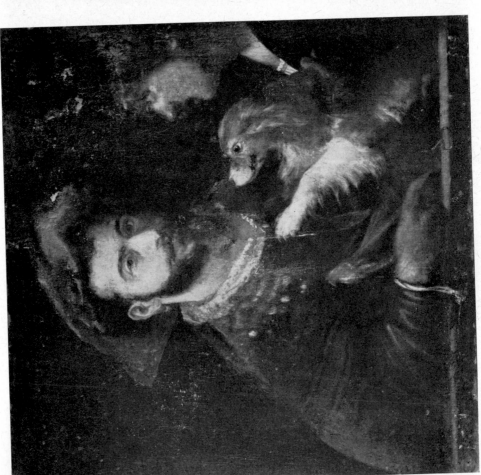

199 - N. Frangipane: Due uomini con un cane

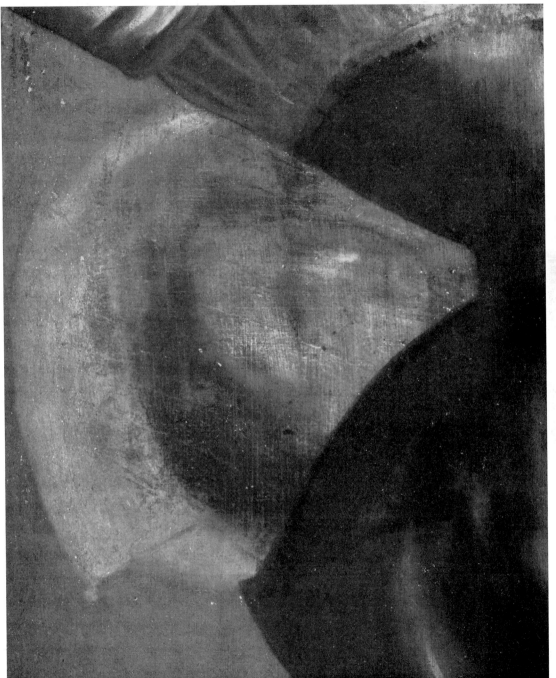

201 - Giorgione: Testa abbozzata (particolare)

201 bis - Giorgione: Il Cantore appassionato

202 - Giorgione: Un Cantore

204 - Seguace di Giorgione: Ritratto di Donna

203 - Copia da Giorgione: Ritratto d'Uomo

206 - B. India: Madonna col Bambino e S. Giovannino

205 - Girolamo da Santacroce: Busto di Donna

207 - B. Licinio: Ritratto della famiglia del fratello

208 - B. Licinio: Sacra Conversazione

209 - L. Lotto: Sacra Conversazione

210 - L. Lotto: Autoritratto

212 - Maestro Veneto: Testa della Vergine

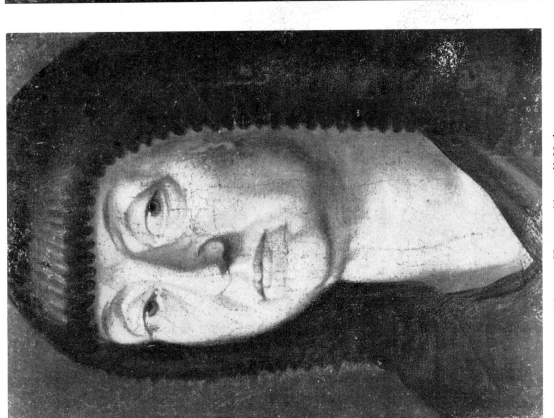

211 - Maestro Veneto: Testa di Vedova

214 - Maestro Veneto: Ritratto di Marcello Malpighi

213 - Maestro Veneto: Testa d'Uomo

216 - B. Montagna: Cristo Giovinetto

215 - G. Mansueti: Ritratto d'Uomo

217 - Orbetto: Cristo morto con la Maddalena e Angeli

219 - Orbetto: Cristo nel sepolcro

218 - Orbetto: Resurrezione di Lazzaro

221 - Ottini: Resurrezione di Lazzaro

220 - Orbetto: Giuditta in preghiera

222 - A. Palma: Il ritorno del Figliuol Prodigo

223 - J. Palma: Sacra Conversazione con le SS. Barbara e Giustina e due devoti

225 (Scheda 226): J. Palma: Lucrezia

224 (Scheda 225) - J. Palma: Ritratto di Giovane

229 - G. Savoldo: Venere dormiente

232 - M. Tintoretto: Autoritratto

233 - Tiziano:

Sacro e Profano

234 - Tiziano: S. Domenico

235 - Tiziano: Venere che benda Amore

236 - Tiziano: Cristo flagellato

237 - Copia da Tiziano (Sassoferrato): Le tre età dell'uomo

242 - Veronese: La Predica del Battista

243 - Veronese: S. Antonio che predica ai pesci

247 - B. Vivarini: Madonna col Bambino

248 - L. Zustris: Venere

249 - L. Zustris: Una Nascita

250 - Ignoto: Ritratto femminile

251 - Ignoto: Ritratto di donna

252 - Ignoto: Testa femminile

253 - Ignoto: Ritratto femminile

254 - Ignoto: Ritratto di Properzia de' Rossi

255 - Ignoto: Ritratto di giovane donna
in effigie di Giuditta

256 - Ignoto: Ritratto femminile

257 - Ignoto: Ritratto d'uomo

258 - Ignoto: Ritratto di Giulio Clovio

259 - Ignoto: Ritratto di Pier Soderini

260 - Ignoto: Ritratto di personaggio
quattrocentesco

261 - Ignoto: Ritratto di Papa

262 - Ignoto: Ritratto di Cardinale

263 - Ignoto: Ritratto di Cardinale

264 - Ignoto: Ritratto d'Uomo

265 - Ignoto: Un bevitore

266 - Ignoto: S. Pietro

268 - Ignoto: Gesù Bambino

267 - Ignoto: S. Pietro, S. Paolo e i Profeti

269 - Ignoto: Doppio ritratto

270 - Ignoto: Giovane con siringa

INDICI

INDICI DELLE SCUOLE

(*I numeri si riferiscono alle schede del Catalogo*)

1. – Pittori Emiliani 1–124
2. – Pittori Liguri 125–131
3. – Pittori Lombardi 132–151
4. – Pittori Napoletani 152–159
5. – Pittori Umbri 160–168
6. – Pittori Veneti 169–249
7. – Anonimi 250–270

INDICE DEGLI ARTISTI

(*I numeri si riferiscono alle schede del Catalogo. I nomi in corsivo e i numeri tra parentesi si riferiscono alle citazioni nel testo delle schede*)

Albani Francesco, 1, 2, 3, 4, (26, 28).
Allori Alessandro, (252, 253).
Allori Cristoforo, (26).
Andrea da Salerno, (135).
Andrea del Sarto, (268).
Anguissola Lucia, (132).
Anguissola Sofonisba, 132, 133, (253).
Anselmi Carlo, (120).
Antonello da Messina, 169.
Arpino Cav. d', (17, 104, 238).
Assereto Gioacchino (copia da), 125.
Bachiacca, (138).
Badalocchio Sisto, (23, 29).
Baglione Giovanni, (104).
Balestra Antonio, (108).
Barocci Federico, (5, 246).
Bartolomeo Veneto, (213).
Basaiti Marco, 170, 171.
Bassano Francesco, 172, (173, 178, 179, 180, 181, 186).
Bassano Giacomo, (186).
Bassano Giovan Battista, (185).
Bassano Jacopo, (172), 173, 174, 175, (176), 177, (178, 184, 185, 186).
  – (copia da), 176, 185.
  – (seguace di), 178, 179, 180, 181, 182, 183, 184.
Bassano Leandro, 186.
Bassetti Marcantonio, 187.

Batoni Pompeo, (257).
Battaglia Dionigi, (206).
Battista di Dosso, 5, 6, 7, (37, 38, 39, 41, 95).
Bedoli Mazzola G., (101).
Bellini Famiglia, (213).
Bellini Giovanni, (169, 170, 171), 188, (196, 201, 202, 225).
  – (copia da), 189.
Bellotto Bernardo, (194, 195).
Beltrano Agostino, (158).
Bertoja Jacopo, (249).
Bertucci Giovambattista, (161, 164).
Bissolo Francesco, (188).
Boateri Jacopo, 8, (48, 50).
Boltraffio Giovanni Antonio, 134, (145).
Bonifacio de' Pitati, 190, (222, 251).
  – (seguace di), 191.
Bonsignore Francesco (da), 192.
Bordone Paris, 193, (244).
Borgognone, (159).
Brandi Domenico, 152, 153.
Brill Paolo, (33, 34).
Bronzino Agnolo, (203, 250).
Bugiardini Giuliano, (138).
Calcar Jan Stephan, (73).
Caliari Carletto, (90).
Callot Claude, (97).
Cambiaso Luca, 126, 127, 128 (244).
Campaña Pedro, (90).

Campi Giulio, (255).
Camuccini Vincenzo, (24).
Canaletto Giovanni Antonio, 194, 195.
Cantarini Simone, 9, 10, (267).
Capriolo Domenico, (201, 202).
Caravaggio Michelangelo (da), (16, 35, 42, 74, 108, 110, 122, 167, 201, 202).
Cariani Giovanni, 196 (223).
   – (seguace di), 197.
Carpaccio Vittore, 198.
Carracci Agostino, 11, 12, (21, 22, 23, 103, 109, 218).
   – (seguace di), 13, 14.
Carracci Annibale, 15, 16, 17, 18, 19 (11, 12, 13, 23, 100, 217).
      – (seguaci di), 20, 21, 22.
Carracci Antonio, 23.
Carracci Famiglia, (46, 74, 219, 221).
Carracci Ludovico, (11, 12, 13, 14, 18, 19, 29, 102, 218, 221, 238).
Castiglione Giovan Battista, 129, 130.
Catena Vincenzo, (188, 189, 205).
Cecchi G. Battista, (254).
Cesare da Sesto, 135.
Clovio Giulio, (258).
Conca Sebastiano, 154.
   – (da), 155.
Correggio Antonio, 24, (98, 102, 109).
   – (seguace di), 25.
   – (copie da), 26, 27, 28, 29.
Costa Lorenzo, 30, (166).
Crespi Benedetto, (125).
Crivelli Carlo, (168).
Cunego Domenico, (24, 81, 89).
De' Conti Bernardino, (145).
De' Rossi Properzia, (254).
Del Bufalo Claudio, (252).
De Predis Ambrogio, (134).
Desubleo Michele, (10).
De Vos Martin, (90).
Diano Giacinto, 157.
Disrochers, (24).
Domenichino, 31, 32, 33, 34, (98, 144).
Dosso Dossi, 35, 36, 37, 38, 39, 40, 41, 42, (5, 6, 51, 53, 95, 113, 197).
   – (copia da), 43.
Dossi (Fratelli), (6, 36, 72, 186).
Durante Annibale, (1, 4, 32, 44, 99, 191, 209, 235, 242, 243).
Dürer Alberto, (112, 142, 170, 171, 209).
Duschange, (24).
Eredi Benedetto, (258).
Eusebio da S. Giorgio, (161).
Farinata Paolo, (73).
Fasolo Giovanni Antonio, (251).
Fiorenzo di Lorenzo, (168).
Fontana Lavinia, 44, 45, 46, (90, 256).
Forabosco Girolamo, (44).

Fracanzano Cesare, 158.
Fra' Galgario, 136.
Francia Francesco, 47, 48, 49, (63, 161, 164, 209).
   – (seguace di), 50.
Francia Giacomo, (49).
Franciabigio, (138).
Frangipane Nicolò, 199.
Gaietani Alvise, 200, (184).
Garofalo, 51, 52, 53, 54, 55, 56, 57, 58, 59, 60, 61, (5, 6, 33, 34, 37, 41, 42, 50, 68, 83, 99).
   – (seguaci di), 62, 63, 64, 65, 66, 67, 68, 69, 70, 71.
Gentileschi Orazio, (98).
Giacinto da Gemignano, (177).
Giampietrino, 137, (138).
Gianquinto Corrado, (157).
Giordano Luca, (158).
Giorgione, 201, 202, (43, 191, 197, 204, 228, 240).
   – (copia da), 203.
   – (seguace di), 204.
Giovenchi, (252).
Girolamo da Carpi, 72, 73, (83).
Girolamo da Santacroce, 205, (192).
Girolamo da Treviso, (229).
Giulianello Pietro, (50, 70, 71).
Giulio Romano, (54).
Gobbo de' Carracci, 74.
Greco il, (176, 177).
Grimaldi Gian Francesco, 75, 76, 77, 78, (33, 34).
   – (seguace di), 79.
Guercino, 80, 81, (110, 187).
   – (copia da), 82.
Guerin Carlo, (26).
Heiss Gottlieb, 155.
Holbein Hans, (192).
Honthorst Gherardo, (232).
India Bernardino, 206.
Innocenzo da Imola, 83, 84, 85, (164).
Jacopino del Conte, (101).
Landi Gaspare 86, 87.
Lanfranco Giovanni, 88, 89, (13, 20, 23).
Lanzani Polidoro, (208, 228, 241).
Lauri Filippo, (177).
Leonardo da Vinci (da), 138, 139, (134, 135, 137, 139, 140, 141, 145, 146, 147, 149, 151, 186).
Leoni Ottavio, (98, 108, 203, 252).
Leoni Pompeo, (24).
Liberi Marco, (248).
Licinio Bernardino, 207, 208, (189, 204, 213).
Longhi Luca, 90.
Lorenzo di Credi, (209).
Lotto Lorenzo, 209, 210, (125, 204, 223, 259).
Luini Aurelio, (141).
Luini Bernardino, 140, (147, 154).
   – (seguace di), 141.
Luti Benedetto, (27).
Maestro Genovese, 131.
Maestri Lombardi, 142, 143, 144.

188

Maestro della Pala Sforzesca, 145.
Maestri Umbri, 160, 161, 162, 163.
Maestri Veneti, 211, 212, 213, 214.
Magnani Marco, (252).
Mancini Domenico, (201, 202, 225).
Mansueti Giovanni, 215.
Mantegna Andrea, (30, 38, 163).
Maratta Carlo, (27, 154).
Marco da Palma, (163).
Marco D'Oggiono, 146, (137).
Marconi Rocco, (188).
Mariani Antonio, (54).
Massari Lucio, (103).
Mazza Damiano, (244).
Mazzolino, 91, 92, 93, 94, (38, 67, 113).
Meloni Marco, (49, 164).
Melonzio Francesco, (163).
Melzi Francesco (da), 147.
Michelangelo, (69, 245).
Miel Jan, (220).
Mitelli Giuseppe, (26).
Mola Francesco, (230).
Montagna Bartolomeo, 216.
Moretto Alessandro, (144).
Moro (?), (216).
Moroni G. Battista, (73, 230).
Nicolò dell'Abate, 95, 96, (72, 95).
  – (seguace di), (97).
Orbetto (Turchi Alessandro), 217, 218, 219, 220, (221).
Orsi Lelio, 98.
Ortolano Giovan Battista, 99, (56).
Ottini Pasquale, 221.
Pacecco De Rosa, 156.
Padovanino, (44, 244).
Padre Pittorino, 104.
Palma Antonio, 222, (190).
Palma Jacopo il Vecchio, 223, 224, 225, 226, (20, 196, 205).
Palma Jacopo il Giovane, 227.
Parmigianino, 100, (120, 244, 249).
  – (seguace e copia da), 101, 102.
Passarotti Bartolomeo, 104.
Passignano, 104.
Patinier Giovacchino, (72).
Perugino Pietro, 164, 165, (8, 30, 48, 49, 63, 91, 161, 162).
  – (copia da), 166, 167.
Piazza Paolo (fra Cosimo), (214).
Pietro da Cortona, (123).
Pietro de' Marescalchi, (177, 215).
Pietro della Vecchia, (43).
Pietro e Sofonisba (?), (252).
Pintoricchio, 168, (209).
Pomarancio, (128).
Pordenone, 228, (186, 189, 210, 225, 228, 229).
Porretta D'Arpino, (157).

Provenzale Marcello, 105, 106, 107, 108, (184, 200).
Pseudo Basaiti, (188).
Puligo Domenico, (18, 138).
Pulzone Scipione, (29, 256, 262, 263, 267).
Raffaellino da Reggio, 109.
Raffaello, (7, 22, 104, 101, 138, 151, 167, 204).
Reni Guido, 110, (9, 121).
  – (seguaci di), 111, 112.
Ricciolini Michelangelo, (267).
Romanelli Giovan Francesco, (111).
Roncalli Cristoforo, (206).
Rosa Salvatore, 159.
Rossi Zanobio, (26).
Sabatini Lorenzo, (96).
Sacchi Andrea, (143).
Sadeler Giovanni, (176, 177, 238).
Salviati Francesco, (103, 206).
Santi di Tito, (135).
Sassoferrato, 237.
Savoldo G. Girolamo, 229, 230, 231, (210, 228).
Scarsella Mondino, (39, 113).
Scarsellino, 113, 114, 115, 116, 117, 118, 119 (40, 94, 177, 229, 249).
Schedoni Bartolomeo, 120, (29, 143).
Schiavone Andrea, (174).
Setti, (120).
Siriani Elisabetta, 121, (220).
Sodoma, 148, 149, (138).
Solario Andrea, (30), 150.
  – (copia da), 151.
Sornique G. Domenico, (24).
Spada Lionello, 122.
Spadaro Micco, (265).
Spagna Giovanni, (161).
Spagnoletto (Ribera), (158).
Spranger Bartolomeo, (238).
Stefano dell'Arzere, (206).
Strozzi Bernardo, (131).
Tassi Agostino, (79).
Tiarini Alessandro, 123, (187).
Tibaldi Pellegrino, 124.
Tinti Camillo, (120).
Tintoretto, (174, 227, 232).
Tintoretto Marietta, 232.
Tiziano, 233, 234, 235, 236, (15, 31, 44, 101, 136, 142, 151, 166, 173, 174, 184, 191, 193, 197, 199, 200, 204, 205, 211, 222, 224, 226, 228, 229, 230, 231, 241, 244, 248, 250, 251, 253, 270).
  – (copia da), 237, 238, 239, 240.
Van Dyck Antonio, (235, 244).
Van Haecht W. Guglielmo, (31, 235).
Vanni Francesco, (7).
Vanni Raffaello, (7, 133, 141).
Van Scorel Jan, (207).
Vasari Giorgio, (101).
Vecellio Famiglia, (236, 241).
Vecellio Orazio, 241.

Veronese Paolo, 242, 243, (38, 90, 98, 114, 119, 123, 173, 206, 208, 215, 232, 245, 269).
 — (copia da), 244, 245, 246.
Vincenzo dalle Destre, (189).
Viola G. Battista, (79).
Viti Timoteo, (216).
Vittore Belliniano, (225).
Vivarini Bartolomeo, (247).

Vouet Simone, (111).
Zelotti Giovan Battista, (242, 243, 245, 246).
Zuccari Federico, (90, 135).
Zustris Federico, (249).
Zustris Lamberto, 248, 249.
Anonimi, 250, 251, 252, 253, 254, 255, 256, 257, 258, 259, 260, 261, 262, 263, 264, 265, 266, 267, 268, 269, 270.

INDICE DEI SOGGETTI

(I numeri si riferiscono alle schede del Catalogo).

SOGGETTI SACRI

Adamo:
 Basaiti, 170.
 Padre Pittorino, 104.
Adorazione del Bambino:
 Dosso Dossi, 41.
 Tibaldi, 124.
Adorazione dei Magi:
 Bassano Fr., 172.
 Bassano J., 176.
  (da), 177.
 Garofalo, 66.
 Mazzolino, 93.
Adorazione dei Pastori:
 Bassano J., 175.
 Battista di Dosso, 6.
 Garofalo, 57.
 Mazzolino, 92.
Angeli:
 Bassano J., 176.
  (da), 177.
 Bassano L., 186.
 Battista di Dosso, 5, 6.
 Carracci Ag., 11, 12.
 Conca, 154.
  (da), 155.
 Correggio (da), 29.
 Diano, 157.
 Dosso Dossi, 41.
 Fontana L., 45.
 Garofalo, 54, 63, 64, 65, 67.
 Guercino (da), 82.
 Orbetto, 217, 219, 220.
 Orsi L., 98.
 Palma il Giovane, 227.
 Parmigianino (da), 102.
 Raffaellino da Reggio, 109.
 Savoldo, 231.

 Vecellio O., 241.
 Veronese (da), 246.
Annunciazione:
 Diano, 157.
 Veronese (da), 246.
Battesimo di Cristo:
 Nicolò dell'Abate (Seguace), 97.
Casto Giuseppe:
 Lanfranco, 88.
Circoncisione di Cristo:
 Assereto (da), 125.
Cristo Benedicente:
 Marco d'Oggiono, 146.
Cristo Giovinetto:
 Montagna, 216.
Cristo Infante:
 Anonimo, 268.
Cristo Salvatore:
 Carracci Agostino, 13.
 Carracci Annibale, 20.
Cristo e L'Adultera:
 Mazzolino, 91.
 Pitati, 191.
Cristo alla Colonna:
 Costa, 30.
 Garofalo, 59.
 Tiziano, 236.
Cristo in casa di Simon Fariseo:
 Scarsellino, 114.
Cristo in croce:
 Pintoricchio, 168.
 Reni (da), 112.
 Veronese (da), 245.
Cristo portacroce
 Solario, 150.
Cristo predica davanti Marta e Maddalena:
 Longhi L., 90.

Cristo e la Samaritana:
Domenichino, 33.
Garofalo (Seguaci), 68, 69, 71.
Cristo tra la Famiglia degli Zebedei:
Pitati, 190.
Cristo alle nozze di Cana:
Garofalo, 51.
Cristo sulla via di Emmaus:
Scarsellino, 116.
Davide con la Testa di Golia:
Dosso Dossi (da), 43.
Deposizione di Cristo:
Bassano (Seguace), 185.
Bassetti, 187.
Carracci Ant., 23.
Garofalo, 55.
Orbetto, 217, 219.
Ortolano, 99.
Dio Padre:
Garofalo, 64, 65, 67.
Eva:
Basaiti, 171.
Padre Pittorino, 104.
Figliol Prodigo:
Guercino, 81.
Palma Ant., 222.
Giuditta:
Anonimo, 255.
Pordedone, 228.
Orbetto, 220.
Incredulità di S. Tommaso:
Mazzolino, 94.
Lucifero (La caduta di):
Palma il Giovane, 227.
Mosè:
Reni, 110.
Natività:
(cfr. Adorazione).
Noli me Tangere:
Garofalo, 70.
Noè uscito dall'Arca:
Bassano (Seguace), 182.
Profeti:
Correggio (da), 29.
Anonimo, 267.
Tibaldi, 124.
Resurrezione di Lazzaro:
Garofalo, 64, 65.
Orbetto, 218.
Ottini, 221.
Riposo nella fuga in Egitto:
Battista di Dosso, 5.
Sacra Conversazione:
Boateri, 8.
Cariani, 196.
Garofalo, 52, 53, 62.
Innocenzo da Imola, 85.

Licinio B., 208.
Lotto L., 209.
Maestro Umbro, 162.
Palma il Vecchio, 223, 224.
Sacra Famiglia:
Cantarini, 9.
Carracci Ann., 18.
Garofalo, 61.
Scarsellino, 113.
Sodoma, 148.
Sansone:
Carracci Ann., 15.
Guercino, 80.
Santi:
S. Agata:
Luini (da), 140.
S. Anna:
Fontana L., 45.
S. Antonio:
Boateri, 8.
Garofalo, 62.
Palma il Vecchio, 224.
Veronese, 243.
S. Barbara:
Palma il Vecchio, 223.
S. Caterina:
Boateri, 8.
Carracci Ag, 11.
Cesare da Sesto, 135.
Dosso Dossi, 42.
Garofalo, 63.
Innocenzo da Imola, 84.
Licinio B., 208.
Luini (da), 141.
Maestro Lombardo, 144.
Parmigianino (da), 102.
S. Cecilia (e Valeriano):
Orsi L., 98.
SS. Cosma (e Damiano):
Dosso Dossi, 38.
S. Crisogono:
Guercino (da), 82.
S. Cristoforo:
Ortolano, 99.
Pinturicchio, 168.
S. Damiano (e Cosma):
Dosso Dossi, 38.
S. Domenico:
Tiziano, 234.
S. Elisabetta:
Garofalo, 60.
Licinio B., 208.
S. Francesco:
Carracci Ag., 12.
Carracci Ant., 19.
Francia, 49.
Innocenzo da Imola, 85.

Maestro Umbro, 162.

S. *Giovanni Battista:*
Cantarini S., 9, 10.
Correggio, 25.
Fontana L., 45.
Garofalo, 60, 62.
Grimaldi, 78.
India B., 206.
Leonardo (da), 139.
Nicolò dell'Abate (Seguace di), 97.
Scarsellino, 113.
Schedoni, 120.
Solario, 151.
Vecellio O., 241.
Veronese, 242.

S. *Giovanni Evangelista:*
Bassano, 174.
Veronese (da), 245.

S. *Giovanni Nepomuceno:*
Conca, 154.
— (da), 155.

S. *Girolamo:*
Innocenzo da Imola, 85.
Licinio B., 208.
Maestro Lombardo, 142.
Palma il Vecchio, 224.
Pintoricchio, 168.

S. *Giuseppe:*
Battista di Dosso, 5, 6.
Cantarini S., 9.
Carracci Ann., 18.
Fontana L., 45.
Garofalo (e Seguace), 61, 62.
Scarsellino, 113.
Sodoma, 148.

S. *Giustina:*
Palma il Vecchio, 223.

S. *Ignazio:*
Fracanzano, 158.

S. *Maria Maddalena:*
Bassano (da), 185.
Bassetti, 187.
Carracci Ag., 14.
Carracci Ant., 23.
Correggio, 26.
Garofalo, 55, 70.
Longhi L., 90.
Orbetto, 217.
Perugino, 167.
Scarsellino, 114.
Veronese (da), 245.

S. *Onofrio:*
Lotto L., 209.

S. *Paolo:*
Anonimo, 267.
Garofalo, 52, 54, 67.

S. *Pietro:*
Anonimo, 266, 267.
Cariani, 196.
Domenichino, 34.
Garofalo, 52, 58.

S. *Sebastiano:*
Maestro Umbro, 163.
Perugino, 165.

S. *Tommaso:*
Mazzolino, 94.

S. *Valeriano (e Cecilia):*
Orsi L., 98.

S. *Vescovo (Nicola ?):*
Lotto L., 209.

Sibille:
Domenichino, 32.
Tibaldi, 124.

Strage degli Innocenti:
Scarsellino, 119.

Tobiolo (e L'Angelo):
Raffaellino da Reggio, 109.
Savoldo, 231.

Tributo della Moneta:
Tiziano (da), 240.

Trinità:
Bassano L., 186.

Ultima Cena:
Bassano J., 174.

Vergine Maria:
Assereto (da), 125.
Bassano F., 172.
Bassano J. (e Seguaci), 175, 176, 177, 184, 185.
Bassetti, 187.
Battista di Dosso, 5, 6.
Bellini, 188.
Boateri, 8.
Cantarini S., 9.
Cariani, 196.
Carracci Ant., 23.
Carracci Ann., 18.
Conca S. (e da), 154, 155.
Correggio (Seguace), 25.
Diano, 157.
Dosso Dossi, 39, 41.
Fontana L., 45.
Francia (e Seguace), 48, 50.
Garofalo (e Seguaci), 51, 52, 53, 55, 56, 60, 61, 62, 66.
Gaietani, 200.
Giampietrino, 137.
India B., 206.
Innocenzo da Imola, 84, 85.
Licinio B., 208.
Lotto L., 209.
Maestro della Pala Sforzesca, 145.
Maestri Umbri, 160, 161, 162.
Maestro Veneto, 212.

Mazzolino, 92, 93.
Ortolano, 99.
Palma, 223, 224.
Perugino, 164.
Provenzale, 105.
Scarsellino, 113.
Schedoni, 120.
Sodoma, 148, 149.
Tibaldi, 124.
Vecellio O., 241.
Veronese (da), 245, 246.
Vivarini, 247.
Vergine e Gesù:
Bellini, 188.

Dosso Dossi, 39.
Francia (e Seguace), 48, 50.
Garofalo, 56.
Giampietrino, 137.
Maestri Umbri, 160, 161.
Perugino, 164.
Vivarini B., 247.
Vergine, Gesù e S. Giovannino:
Correggio, 25.
India B., 206.
Schedoni, 120.
Vecellio O., 241.
Vocazione di S. Pietro:
Garofalo, 58.

SOGGETTI MITOLOGICI E VARI

Adone:
Cambiaso, 126.
Scarsellino, 115.
Amore, Amorini:
Albani, 1, 2, 3, 4.
Battista di Dosso, 7.
Bordone P., 193.
Cambiaso, 126, 127, 128.
Carracci Ann., 17.
Correggio, 24.
Fontana L., 44.
Maestro Ligure, 131.
Scarsellino, 117, 118.
Tiziano–Sassoferrato, 237.
Tiziano, 233, 235.
Veronese (seguace di), 244.
Apollo:
Dosso Dossi, 35.
Armida:
Tiarini, 123.
Battaglia:
Rosa S., 159.
Calisto:
Dosso Dossi, 37.
Castore (e Polluce):
Leonardo (da), 138.
Circe:
Dosso Dossi, 36.
Concerto:
Spada L., 122.
Danae:
Correggio, 24.
Diana:
Albani, 1, 2, 3, 4.
Domenichino, 31.
Dosso Dossi, 37.

Scarsellino, 117.
Flora:
Melzi (da), 147.
Gige e Candaule:
Dosso Dossi, 40.
Giove:
Carracci Ann., 17.
Giunone:
Carracci Ann., 17.
Io:
Correggio (da), 27.
Leda:
Correggio (da), 28.
Lezione d'anatomia:
Passerotti, 103.
Lucrezia:
Palma il Vecchio, 226.
Sirani E., 121.
Minerva:
Fontana L., 44.
Nascita di un Principe:
Zustris L., 249.
Ninfe:
Albani, 1, 2, 3, 4.
Domenichino, 31.
Scarsellino, 115.
Tiziano, 235.
Norandino e Lucina:
Lanfranco, 89.
Orfeo:
Provenzale, 106.
Paesaggi:
Canaletto, 194, 195.
Girolamo da Carpi, 72.
Grimaldi, 75, 76, 77, 78.
– (seguace di), 79.

Nicolò dell'Abate, 95.
Parca:
Reni (da), 111.
Pecora e agnello
Bassano J., 173.
Polluce (e Castore):
Leonardo (da), 138.
Psiche:
Battista di Dosso, 7.
Maestro Ligure, 131.
Rinaldo (e Armida):
Tiarini, 123.
Satiro:
Bordone P., 193.
Gobbo dei Carracci, 74.
Veronese (da), 244.
Scena Campestre:
Bassano (Seguace), 183.

Scena di seduzione:
Cariani, 197.
Scena pastorale:
Brandi D., 152, 153.
Castiglione, 129, 130.
Stagioni:
Bassano (Seguaci di), 178, 179, 180, 181.
Tre Età dell'uomo:
Tiziano (da) Sassoferrato, 237.
Venere:
Bordone P., 193.
Cambiaso, 126, 128.
Savoldo, 229.
Scarsellino, 115, 118.
Tiziano, 235.
Veronese (Seguace di), 244.
Zustris, 248.

AUTORI DEI RITRATTI

Anguissola S., 132, 133.
Antonello da Messina, 169.
Bellini (da), 189.
Boltraffio, 134.
Bonsignore (da), 192.
Carpaccio, 198.
Carracci Ann., 16, 21.
  – (seguace di), 22.
Fontana L., 46.
Fra' Galgario, 136.
Frangipane, 199.
Giorgione, 201, 202.
  (da), 203, 204.
Girolamo da Carpi, 73.
Girolamo da Santacroce, 205.
Innocenzo da Imola, 83.
Landi G., 86, 87.

Licinio B., 207.
Lotto L., 210.
Maestro Lombardo, 143.
Maestri Veneti, 211, 213, 214.
Mansueti, 215.
Nicolò dell'Abate, 96.
Pacecco de Rosa, 156.
Palma il Vecchio, 223, 224, 225.
Parmigianino, 100.
  – (seguace di), 101.
Perugino (da), 166.
Provenzale M. 107, 108.
Savoldo, 230.
Tintoretto M., 232.
Tiziano (da), 238, 239.
Anonimi, 250, 251, 252, 253 254, 255, 256
  257, 258, 259, 260, 261, 262, 263, 264, 269 270

PERSONAGGI RITRATTATI

Anguissola Elena, 133.
Anguissola Lucia, 132.
Braccesi Alessandro (presunto), 166.
Canova Antonio, 86.
Clovio Giulio, 258.
De Rossi Properzia, 254.
Dianti Laura (presunto), 238.
Landi Gaspare, 87.
Licinio Famiglia, 207.
Lotto Lorenzo, 210.

Malpighi Marcello, 214.
Maraini M. Lucrezia, 256.
Metastasio Pietro (presunto), 257.
Paolo V Borghese, 107.
Petrarca Francesco, 192.
Provenzale Marcello, 108.
Soderini Pietro, 259.
Tintoretto Marietta, 232.
Tiziano, 239.

INDICE DEI LUOGHI

(Il numero si riferisce alla scheda del Catalogo)

Aja (L') – Mauritshuis, 31, 235.

Algeri – Museo Nazionale, 96.

Alnwick (già) – Castello del Duca di Northumberland, 241.

Amburgo – Galleria, 141.

Amsterdam – Mostra della Pittura Veneziana 1953: 198, 230.

    – Rijksmuseum, 248, 249.

Angarano – Parrocchiale, 186.

Baltimora – Walters Art Gallery, 184.

Basilea – Pubbliche Raccolte Artistiche, 139, 238.

Belgrado – Mostra del Ritratto Italiano 1928: 49.

Bergamo – Accademia Carrara, 5, 86.

Berlino – Museo Federico, 147, 230, 269.

Biella (già) – Coll. Privata, 44.

Bologna – Mostra del Reni, 1954: 121.

    – Pinacoteca, 20, 121.

    – S. Petronio, 30, 241.

    – Coll. Privata, 56.

    – Pal. Sampieri, 15.

Brescia – Mostra della Pittura Bresciana 1939: 230, 231.

Bridgwater House – 237.

Bruxelles – Mostra della Pittura Veneziana 1953: 198, 230.

    – Museo Reale delle Belle Arti, 138.

Budapest – Museo delle Belle Arti, 141.

Calalzo – Parrocchiale, 241.

Castelfranco Veneto – Duomo, 191.

Chantilly – Museo Condè, 224.

Chatsworth – Biblioteca del duca di Devonshire, 138, 235.

Chicago – Art Institut, 235.

Città del Vaticano – Stanza della Segnatura, 22.

Copenaghen – Raccolta Reale, 141.

Debrecen – Museo, 226.

Dresda – Galleria Statale, 26, 112, 240.

Edinburgo – Galleria Nazionale, 205.

Escurial – Palazzo, 44, 45.

Ferrara – Ateneo, 64, 65.

    – Mostra della Pittura Ferrarese 1933: 5, 35, 36, 39, 41, 43, 47, 92.

Fiesole – Coll. Luigi degli Albizzi, 151.

Filadelfia – Coll. Johnson, 43, 138, 213.

Firenze – Castello della Vincigliata, 151.

    – Coll. Bardini (già), 205.

    – Coll. Rinuccini (già), 169.

    – Coll. Contini Bonacossi, 230.

    – Coll. Gagnani-Scippini (già), 151.

    – Gall. Pitti, 8, 141, 167, 241, 249.

Firenze – Gall. degli Uffizi, 26, 30, 74, 100, 102, 166, 185, 189, 226, 239, 246, 248.

    – Galleria degli Uffizi Gab. dei Disegni, 109.

    – Marucelliana, 108.

    – Mostra del Seicento 1922: 3, 9, 75, 76, 77, 78, 154.

    – Mostra Nazionale di Storia delle Scienze, 103, 214.

Francoforte – Istituto Staedel, 164.

Genova – Mostra di Luca Cambiaso 1927: 126, 128.

    – Mostra dei Pittori Genovesi 1938: 128.

    – Palazzo Balbi (?), 235.

    – Palazzo Rosso, 246.

Hampton Court – Palazzo Reale, 147, 207.

Hannover – Raccolta Oppler (già), 138.

Honolulu – Academy of Arts, 245.

Imola – Mostra d'Innocenzo Francucci, 83.

Leningrado – Eremitage, 90, 140, 147, 172.

Lione – Musée des Beaux Arts, 249.

Londra – British Museum, 109.

    – Coll. Benson (già), 233.

    – Coll. Doetscher (già), 138.

    – Vendita Doetsch (?) 1895, 210.

    – Coll. Lord Yarborough (?), 133.

    – Coll. Richerton (?), 138.

    – Coll. Sabin, 177.

    – Coll. Wallace, 32.

    – Coll. Lord Ward (?), 26.

    – Coll. Watters (?), 139.

    – Coll. Watney, 188.

    – Grasvenor Gallery (già), 138.

    – National Gallery, 90, 140.

    – Lancaster House, London Museum, 82.

    – Mostra d'Arte Italiana 1930: 36, 146, 168, 169, 231.

Madrid – Museo Cevallo, 184.

    – Museo del Prado, 31, 96, 132, 184, 207.

Messina – Mostra di Antonello 1953: 169.

Milano – Ambrosiana, 139, 141, 239.

    – Coll. Beltrami, 136.

    – Coll. Borromeo d'Adda, 134.

    – Coll. D'Ancona, 138.

    – Coll. Olcese, 136.

    – Pinacoteca di Brera, 5, 9, 125, 145, 188.

    – Mostra di Leonardo 1939: 137, 138.

    – Museo del Castello Sforzesco, 138.

Modena – Coll. Pignatti di Morano, 238.

    – Gall. Estense, 83, 85, 112, 238.

Monaco di Baviera – Antica Pinacoteca, 164, 226.

Napoli – Mostra Triennale delle Terre d'Oltre-
mare 1940: 36.
– Museo Nazionale, 235.
– Pinacoteca del Museo Nazionale, 15, 99.
Nettuno – Castello Borghese, 81.
New York – Coll. P. Jackson Higgs (già), 184.
– Coll. Privata, 238.
– Coll. Wildenstein, 235.
– Metropolitan Museum, 231.
Oldenburg – Museo (già), 5.
Parigi – Coll. Privata, 184.
– Coll. Rotschild, 47, 147.
– Coll. van Berboch (?), 151.
– Mercato Antiquario, 228.
– Mostra d'Arte Italiana 1935: 35, 36, 47,
95, 168, 169, 231, 242.
– Mostra della Pittura Veneziana 1954: 198,
230.
– Museo del Louvre, 23, 109, 139, 145,
151, 164, 165, 184, 185, 196, 232, 245,
249.
Parma – Casa Boscoli (già), 113.
– Duomo, 29.
– Mostra del Correggio 1935: 25.
– Pinacoteca, 185.
Pavia – Museo Malaspina, 141.
Perugia – Pal. Alfani (già), 231.
– Pal. Gallenga (già), 165.
Piacenza – Mostra Landiana 1922: 86, 87.
Pordenone – Duomo, 228.
Ravenna – Accademia delle Belle Arti, 90.
– Biblioteca Classense, 90.
– Casa Cavalli, 90.
Reggio Emilia – Mostra di Lelio Orsi 1950: 98.
Roma – Accademia di S. Luca, 213.
– Castel S. Angelo, Mostra del 1911: 188.
– Coll. Almagià, 110.
– Coll. Conte Kirchberg (già), 238.
– Coll. Pallavicini, 95, 137.
– Coll. Sciarra–Colonna (già), 110.
– Coll. Spiridon (già), 138, 140.
– Gab. Naz. delle Stampe, 154, 174.
– Gall. Capitolina, 32, 121, 172.
– Gall. Doria Pamphili, 185, 210, 237, 245.
– Galleria Nazionale d'Arte Antica, 82, 121,
126.
– Gall. Spada, 95.
– Pal. Costaguti, 88.
– Pal. Farnese, 17.
– Pal. della Farnesina, 7.
– Pal. Mattei (?), 138.
– Mostra d'Arte Antica 1932: 25.

Roma – Mostra del Corelli 1953: 32.
– Mostra del Demoniaco nell'Arte 1952: 72.
– Mostra dell'Ottocento 1931: 86, 87.
– Mostra di Roma Seicentesca 1930: 107.
S. Daniele – Duomo, 186.
S. Diego (California) – Museo, 203.
S. Maria in Vanzo – Parrocchiale, 221.
Sarasota – Museo Ringling, 192.
Saronno – Duomo, 138.
Schloss Rohoncz (già, poi Thyssen), 48.
Sciaffusa – Mostra della Pittura Veneziana 1953:
198, 230.
Siena – Mostra del Sodoma 1950: 138, 148.
Stoccarda – Galleria Statale, 43, 172.
Stoccolma – Museo Nazionale, 238.
Torino – Mostra d'Arte a Pal. Carignano 1938: 149.
– Museo Civico, 169.
Treviso – S. Teonisto, 184.
Udine – Mostra del Pordenone 1932: 228.
Venezia – Ca' d'Oro, 193.
– Coll. Antonio Pasqualino· (già), 169.
– Coll. Nicolò Ranieri (già), 178, 179,
180, 181.
– Coll. Sernagiotto (già), 238.
– Esposizione Biennale 1926: 86, 87.
– Galleria dell'Accademia, 73, 196.
– Mostra di Giovanni Bellini 1949: 188.
– Mostra di Giorgione 1955: 201, 202, 231.
– Mostra di Lorenzo Lotto 1953: 209, 210.
– Mostra di Tiziano 1935: 234, 235.
– Mostra di Paolo Veronese 1939: 242.
– Museo Correr, 189.
– Chiesa dei Carmini, 210.
– S. Marcuola, 174.
– SS. Giovanni e Paolo, 186.
– S. Sebastiano, 245.
Vercelli, Mostra del Sodoma 1950: 138, 148.
Verona – Museo Civico, 206.
– S. Bernardino, 221.
Vienna – Albertina, 150.
– Coll. Kaunitz (già), 138.
– Coll. Liechtenstein (?), 124.
– Galleria del Belvedere, 244.
– Gall. Imperiale, 151.
– Hofmuseum, 25, 246.
– Kunsthistorisches Museum, 24, 27, 210,
226, 232.
Washington – Galleria Nazionale, 188, 235.
Weimar – Museo, 138.
Wilton House – Coll. Pembroke (già), 138.
Windsor – Biblioteca Reale, 31, 138.
- Castello Reale, 141, 239.

REFERENZE FOTOGRAFICHE

(Il numero indicato è quello progressivo delle illustrazioni)

GAB. FOT. NAZ.: 5, 6, 7, 10, 13, 14, 15, 18, 19, 20, 21, 22, 25, 28, 29, 30, 33, 34, 40, 41, 42, 44, 45, 46, 55, 57, 58, 59, 61, 62, 63, 64, 65, 66, 67, 68, 69, 73, 74, 75, 76, 77, 78, 79, 80, 82, 83, 88, 90, 91, 93, 94, 97, 98, 102, 103, 105, 106, 108, 110, 111, 112, 114, 115, 116, 117, 118, 120, 126, 131, 132, 133, 134, 136, 139, 141, 142, 143, 144, 146, 151, 152, 153, 155, 156, 159, 160, 161, 164, 165, 166, 170, 171, 174, 178, 179, 180, 181, 183, 184, 186, 187, 189, 191, 197, 198, 199, 200, 201, 201 *bis*, 202, 203, 204, 205, 206, 211, 212, 213, 216, 218, 219, 220, 221, 227, 238, 239, 240, 245, 246, 247, 249, 250, 251, 252, 253, 254, 255, 256, 257, 258, 259, 260, 261, 262, 263, 264, 265, 266, 267, 268, 269, 270.

ANDERSON: 8, 9, 11, 12, 16, 17, 23, 24, 26, 27, 31, 32, 35, 36, 37, 38, 39, 43, 47, 48, 49, 50, 51, 52, 53, 54, 56, 60, 70, 71, 72, 81, 84, 85, 86, 87, 89, 92, 95, 96, 99, 100, 101, 104, 107, 109, 113, 119, 121, 122, 123, 124, 125, 127, 128, 129, 130, 135, 137, 138, 140, 145, 147, 148, 149, 150, 154, 157, 158, 162, 163, 167, 168, 169, 172, 173, 175, 176, 177, 185, 188, 190, 192, 193, 194, 195, 196, 207, 208, 209, 210, 214, 215, 217, 222, 223, 224, 225, 226, 228, 229, 230, 231, 232, 233, 234, 235, 236, 237, 241, 242, 243, 244, 248.

CHAUFFOURIER: 1, 2, 3, 4.

FOT. DIREZIONE GALLERIA BORGHESE: Sopracoperta.